D1431688

L'HUMANISME CHRÉTIEN AU XVIIe SIÈCLE: ST. FRANÇOIS DE SALES ET YVES DE PARIS

ARCHIVES INTERNATIONALES D'HISTOIRE DES IDÉES

INTERNATIONAL ARCHIVES OF THE HISTORY OF IDEAS

31

JULIEN-EYMARD D'ANGERS, O.F.M. CAP.

L'HUMANISME CHRÉTIEN AU XVIIe SIÈCLE: ST. FRANÇOIS DE SALES ET YVES DE PARIS

JULIEN-EYMARD D'ANGERS, O.F.M. CAP.

L'HUMANISME CHRÉTIEN AU XVIIe SIÈCLE: ST. FRANÇOIS DE SALES ET YVES DE PARIS

MARTINUS NIJHOFF / LA HAYE / 1970

PRINTED IN THE NETHERLANDS

TABLE DES MATIERES

ETUDES ET DOCUMENTS

INTRODUCTION

Qui voudra donner de l'humanisme chrétien une définition valable, devra se reporter à l'article écrit par M. H. Gouhier sous ce titre modeste: *Note sur l'antihumanisme: à propos de Bérulle.*[1] Dans sa soutenance de thèse, M. J. Dagens avait dit que Bérulle était un humaniste: au cours de la discussion, M. H. Gouhier avait refusé ce titre à un mystique qui fonde sa doctrine sur l'exercice de l'annihilation,[2] tandis qu'un saint François de Sales fonde la sienne sur l'exercice du dépouillement.[3] Peu de temps après, paraissait la *Note* dont nous venons de parler; sans entrer dans le détail, soulignons seulement que d'après l'auteur, il existe trois caractéristiques de l'humanisme chrétien:

1) «Le sentiment d'une certaine suffisance de l'homme, fut-elle relative comme dans les humanistes chrétiens: l'homme *peut* quelque chose par les seules forces qui le font homme;

2) Autrement dit par les seules forces de sa *nature*: ce n'est point par hasard que la notion de nature a toujours semblé fondamentale dans les humanismes: c'est qu'elle est intimement liée à celle de suffisance.

3) Tous ceux qui ont connu cette nature, délivrent un *message*, comme on dit aujourd'hui, et qui, par exemple, confère aux anciens une modernité continue.»

De ces trois caractères constitutifs, c'est le premier qui retiendra notre attention, car c'est lui qui fonde les deux autres; il est question d'une suffisance relative, et il importe de montrer en quoi consiste cette relativité. Nous dirons donc que pour les humanistes chrétiens:

1) la nature humaine est, non pas corrompue, mais simplement bles-

[1] Cf. *Dieu vivant*, n. 23, 1953, p. 145–150.

[2] Cf. J. Dagens, *Bérulle et les origines de la restauration catholique* (*1575–1611*), p. 25–27. Paris, Desclée de Brouwer, 1952.

[3] *Traité de l'amour de Dieu*, Livre IX, chap. XVI, «Du parfait dépouillement d'âme unie à la volonté de Dieu»; «Les vrays entretiens spirituels»; VIII, «De la désappropriation et despouillement de toutes choses.»

sée par le péché originel; elle garde en soi une orientation naturelle vers Dieu considéré comme fin surnaturelle;

2) Dieu prédestine l'homme en tenant compte de ses efforts, de ses mérites: c'est la *praedestinatio post praevisa merita*

3) l'homme concourt avec la grâce à l'accomplissement des oeuvres salutaires et partant à l'oeuvre de son salut: c'est le concours simultané ainsi que la grâce suffisante;

4) les auteurs païens ne sont donc ni dans l'erreur absolue, ni dans l'absolue corruption; il est possible de rencontrer chez eux des vérités qu'il est légitime de leur reprendre et des exemples de vertu qu'il est licite de citer pour faire honte à des chrétiens.

A la lumière de ces précisions, nous allons examiner quelques ouvrages, ce qui nous permettra de faire connaître notre dessein.

Lorsqu'il s'agit de l'humanisme chrétien, du moins dans la première moitié du XVII⁰ siècle, le nom qui vient immédiatement à la pensée, n'est autre que celui de l'abbé H. Bremond. L'ouvrage dont le titre vient immédiatement à la mémoire, n'est autre que celui de son *Histoire littéraire du sentiment religieux en France* et surtout du premier tome: *L'humanisme dévot.* De fait l'on ne saurait trop louer le brillant historien d'avoir éveillé l'esprit, d'avoir attiré l'attention sur des oeuvres spirituelles, qui, bien que secondaires, n'en ont pas moins d'importance dans l'évolution de la spiritualité française. La preuve en est le très grand nombre d'études vraiment valables, qui sont sorties de cette veine, études qu'il serait vain de vouloir énumérer ici.

Il n'en est pas moins vrai que cet immense travail de recherche est loin d'être sans défaut. Le contraire serait surprenant. Il s'agissait de lire attentivement des centaines d'ouvrages, pour la plupart très mal écrits et partant rébarbatifs à plus d'un titre. Que l'historien ait cédé à quelques unes de ses tendances, n'a vraiment rien d'extraordinaire, et lui-même serait sans doute reconnaissant à celui qui lui permettrait, aujourd'hui, d'apporter des précisions, voire des corrections à ce que nous pouvons appeler, sans crainte d'être contredit, un chef d'oeuvre littéraire.

Ce que nous pouvons tout d'abord reprocher, et ce reproche n'est pas grave, à l'illustre académicien, c'est de s'être fait par trop l'avocat des écrivains qu'il analysait. C'est là, je le sais, une tendance excusable de tous ceux qui écrivent une biographie, la sympathie étant quasi nécessaire à la compréhension du héros que l'on s'est choisi. Mais en toutes choses il faut savoir garder la mesure, et je ne pense pas que le célèbre abbé l'ait toujours gardée. Nous prendrons pour exemple le

P. Yves de Paris, éclairant ainsi par avance, l'ouvrage en cours. Je me souviens qu'au début de mes recherches, j'étais allé rendre visite au chanoine Levêque, bibliothécaire bien connu du séminaire Saint-Sulpice. Celui-ci me raconta, qu'à peine paru le tome premier de *l'Histoire littéraire du sentiment religieux*, il avait reçu nombre de lettres demandant à cor et à cri les ouvrages de cet «archétype de l'humaniste dévot»[4] qu'est selon Bremond l'autrefois célèbre capucin, puis, une fois les volumes fournis, nombre de lettres manifestant un désappointement profond. Ce désappointement fut le mien, lorsque j'entrepris mes recherches; je m'aperçus très vite qu'en voulant monter en épingle un humaniste jusque là inconnu, l'historien s'était insensiblement mué en avocat; certes un avocat habile, qui savait faire les réserves nécessaires, d'un petit air détaché, par unique souci du vrai, sans insister, mais qui, par contre, savait mettre en évidence avec un lyrisme éclatant les qualités de celui qu'il appelait un «beau génie lumineux.»[5] Hélas! je constatais que dans son enthousiasme l'historien avait laissé dans l'ombre tout ce qui dans le système yvonien était véritablement périmé, inadmissible après les découvertes d'un Galilée, d'un Descartes, d'un Torricelli et d'un Pascal. S'il s'agit des descriptions, l'abbé Bremond avait cité celles qui valaient la peine de l'être et me laissait peu, à vrai dire, très peu à glaner. S'il s'agit des métaphores, force m'était de noter que l'abbé Bremond avait négligé de dire qu'en donnant vie à tout ce qui était inanimé, son héros avait plus d'une fois manqué de goût et qu'il avait eu tort d'écrire que l'eau pétille d'impatience, qu'elle bouillonne de colère, qu'elle jaillit et qu'elle jette des cris aigres pour témoigner ses souffrances, quand elle est jetée dessus le feu; ou encore que la nature, menacée par le vide, donne l'alarme à ses cantons, tandis que les éléments s'arment de fureur, pour parer à ce coup dont le dommage est public.[6] Je continuais longtemps, et force m'était de reconnaître qu'une lecture continue du P. Yves amène avec soi des conclusions défavorables.[7]

Ce défaut, commun à nombre d'historiens, ne serait pas des plus graves, s'il ne provenait d'un désir plus ou moins avoué de trouver dans les auteurs étudiés les idées chères à son propre coeur. Il semble bien qu'en ce qui concerne l'humanisme dévot l'abbé Bremond soit tombé, mettons, dans ce travers. Soucieux de justifier un optimisme de bon

[4] H. Bremond, *Histoire littéraire du sentiment religieux*, t. I, *L'humanisme dévot*, p. 421. Paris, 1929.
[5] *Ibid.*, p. 425.
[6] Cf. C. Chesneau, *Le P. Yves de Paris et son temps*, t. II, *L'apologétique*, p. 581. Paris, 1946.
[7] *Ibid.*, p. 610.

aloi, il a forcé un peu les traits pour le prêter à des écrivains qui font preuve d'une grande réserve en la matière. Nous le montrerons pour Yves de Paris.[8] Il nous est aisé de multiplier les exemples. Selon Bremond, pour L. Richome le péché originel n'a laissé en nous que la cuisson d'une bienheureuse cicatrice; celui-ci pourtant constate que des chardons poussent dans notre terre corrompue et ces chardons s'appellent: inclinations au mal, inconstance, tardiveté à bien faire et semblables infirmités, reliques de notre fièvre spirituelle.[9] Selon Bremond, Julien Hayneuve déclare que «nos inclinations sont tellement dans les mains de notre raison qu'elles ne sauraient faire le moindre mal sans sa permission,» que «notre volonté est tellement libre en ses actions que Dieu même ne la voudrait contraindre,» libre même en face de cet aiguillon de la chair, car il est émoussé par les pointes de l'esprit qui sont les plus fortes:[10] Julien Hayneuve pourtant déclare en d'autres endroits que les passions, qui d'elles-mêmes sont indifférentes, de par le péché originel, viennent nous attaquer du dedans tandis que tout le reste de la création s'acharne après nous du dehors, si bien que tous les malheurs nous viennent en foule.[11] Des expressions employées par les auteurs qu'il étudie, Bremond a mis en évidence celles qui servaient son tempérament, sinon ses thèses et il a laissé dans la pénombre celles qui ne pouvaient que le gêner.

Même remarque à propos de l'amour pur, si cher à l'apologiste de Fénelon. N'est-il pas heureux de rencontrer sur son chemin de pieux auteurs qui soutiennent cette doctrine? C'est ainsi qu'il célèbre tout particulièrement Yves de Paris, le félicitant d'avoir pris la défense de l'amour pur, et cela dans un livre où il étudie les premières étapes de la vie spirituelle. Or lorsque l'on se reporte à l'endroit indiqué,[12] l'on s'aperçoit vite qu'il ne s'agit pas du tout de l'amour désintéressé à la mode fénelonienne, d'un amour qui ne reculerait pas devant le renoncement hypothétique à la vision béatifique; nous dirons dans notre conclusion qu'à ce point de vue Yves de Paris est en retrait même sur saint François de Sales;[13] il s'agit tout simplement d'un amour qui

[8] Cf. *infra*, p. 80–95.

[9] H. Bremond, *op. cit.*, p. 56–57; L. Richeome, *L'adieu de l'âme dévote laissant son corps*, p. 336 sv. Amiens, 1612. Cf. *infra*, p. 170.

[10] H. Bremond, *op. cit.*, p. 365; J. Hayneuve, *L'ordre de la vie et des moeurs*, t. I, p. 328. Paris, 1639.

[11] J. Hayneuve, *op. cit.*, t. I, p. 38; Cf. Julien-Eymard d'Angers, «Problèmes et difficultés de l'humanisme chrétien (1600–1642),» dans *XVII° siècle*, n° 62–63, 1964, p. 6, 10. et *infra*, p. 177–182.

[12] Yves de Paris, *Les progrès de l'amour divin*, t. I, *L'amour naissant*, p. 160, 164. Cf. H. Bremond, *op. cit.*, p. 504–505.

[13] Cf. *infra*, p. 68–69, 134–135.

consent à mépriser les intérêts, les richesses, les consolations d'ici-bas. Le chapitre de *l'Amour naissant*, qui traite des *Sentiments de l'amour pur* se termine par des aspirations qui n'impliquent en aucune manière un renoncement à l'éternel bonheur: «Mon Dieu, quand me mettrez-vous dans un lieu de repos où je puisse entendre les oracles de votre volonté? Quand serai-je hors du tumulte des passions et des affaires qui me partagent? Quand serai-je en paix afin d'être tout entier avec vous?»[14] Nous avons là certainement des désirs d'un certain bonheur personnel qui est loin, bien loin d'être exclu. Tout heureux de trouver l'expression «amour pur,» l'abbé Bremond n'a pas poussé sa lecture jusqu'à la fin du chapitre: il s'est arrêté en route.

Quiconque d'ailleurs lira quelque peu attentivement le tome de *l'Histoire littéraire du sentiment religieux* consacré à *l'Humanisme dévot*, constatera aisément qu'il ne brille pas par la précision et la clarté. Nous avons relevé dans cet ouvrage plusieurs passages où sont esquissées des analyses sommaires; aucune ne nous donne satisfaction.

Prenons le chapitre premier de cet ouvrage, chapitre qui s'intitule: *L'humanisme chrétien*.[15] L'humaniste, lisons-nous, ne croit pas l'homme méprisable; il a une confiance inébranlable dans la bonté foncière de l'homme, une haute idée de l'homme, une tendance à la glorification de l'homme. Voilà qui est bien, mais qui exige des distinctions; aussi faudra-t-il mettre à part l'humanisme naturaliste, qui, sans doute, cela n'est pas dit, se fait de l'homme un dieu, et l'humanisme chrétien qui, cela n'est pas dit non plus, met l'homme en dépendance de la divinité, un homme dont il admire les dons naturels, une divinité qui n'a rien de farouche et qui, avant tout, est miséricorde rédemptrice. Plus spéculatif que pratique, plus aristocratique que populaire, cet humanisme chrétien se distingue de l'humanisme dévot, qui, lui, est tout dirigé vers la pratique et dont la propagande veut atteindre tous les hommes. La nature humaine est grande, elle est belle; elle est blessée par le péché de nos origines, blessée mais non pas corrompue; mais quelle est la portée de cette «navrure;» que reste-t-il en l'homme de sa bonté première? Voilà ce que nous aimerions savoir, et voilà ce qui n'est pas précisé; nous restons sur notre faim.

Bremond revient sur cette première analyse à propos de saint François de Sales.[16] L'humanisme, dit-il, en soi n'est ni chrétien ni païen,

[14] Yves de Paris, *op. cit.*, p. 164.
[15] H. Bremond, *op. cit.*, p. 10–11.
[16] *Idem*, p. 71.

il peut devenir l'un ou l'autre, suivant les dispositions de chaque humaniste. Quant à l'humanisme chrétien, ajoute-t-il, bien qu'il ne repousse aucunement, qu'il implique plutôt le souci de la vie intérieure et de la perfection personelle, il fut assez ordinairement plus spéculatif que pratique. Une suprème expansion était donc nécessaire qui ferait pénétrer cette haute pensée chrétienne dans la vie commune des simples fidèles. Et c'est ainsi que naquit l'humanisme dévot. Au fond nous n'avons là rien qui n'ait été dit précédemment; mais pas plus que précédemment les précisions attendues ne sont données: en quoi consiste exactement la blessure que porte en elle-même l'humaine nature en suite de la faute originelle? Que reste-t-il de sain et de perfectible dans les fils d'Adam? Silence sur ce point. Il est vrai qu'un peu plus loin, analysant la théologie salésienne, Bremond cite le passage du *Traité de l'amour de Dieu*, où il est question de la «sainte inclination d'aimer Dieu par dessus toutes choses.»[17] Mais cela n'est dit qu'en passant, à propos d'un seul écrivain, alors qu'il aurait fallu le dire à propos de tous.[18]

L'on comprend dés lors qu'en parlant de ceux qu'il appelle des «humanistes dévots» Bremond se soit plu et complu à mettre en évidence leur optimisme, à laisser dans l'ombre ce qui, chez eux, fait contrepoids, quitte à les faire passer aux yeux de quelques uns pour des pélagiens inconscients. L'imprécision est à la base de cette méprise. Une mise en garde est nécessaire et importante. Nous aurons l'occasion de le montrer bientôt.

Voilà déjà qui n'est certes pas à négliger. Voici maintenant qui est souligner: ce qui est en effet contesté, c'est la notion même de l'humanisme dévot. Il est vrai que Bremond ne semble pas y tenir outre mesure. «Le nom importe peu,» dit-il.[19] Mais ici point seulement est question de mot. «Il semble qu'à l'usage, écrit M. H. Gouhier, ce schème fait pour distinguer se montre surtout source de confusion: le moment est donc venu de renoncer à la catégorie d'humanisme dévot.»[20] Et le P. Cavallera: «Nul ne songe à contester, dit-il, le service rendu par la dénomination d'humanisme dévot et l'intérêt qu'elle a suscité en faveur de la littérature spirituelle au début du XVII° siècle.»[21] Elle risque cependant de couper en deux la spiritualité chrétien-

[17] Livre I, chap. XVI–XVIII.
[18] Cf. H. BRÉMOND, *op. cit.*, p. 117–118.
[19] *Idem*, p. 513.
[20] H. GOUHIER, *art. cit.*, p. 150.
[21] F. CAVALLERA, «Spiritualité en France au XVII° siècle. Réforme de la nomenclature,» dans *Rev. d'asc. et myst.*, 1953, t. XIX, p. 65.

ne, d'un côté l'humanisme, de l'autre la mystique. Bremond aura beau dire que malgré les différences essentielles qui les distingue, ces deux ordres de phénomènes, — dévotion et mystique —, se rencontrent, se croisent, se pénètrent de mille façons, il n'en dira pas moins que l'humanisme dévot ne tient pas école de mysticisme et les initiés eux-mêmes, réduits à la seule description de leurs expériences, ne nous donnent pas les clefs du jardin fermé.[22] Hé quoi! saint François de Sales n'a-t-il pas déclaré, dés *l'Introduction à la vie dévote* que la dévotion n'est autre chose que l'amour de Dieu parvenu jusqu'au degré de perfection auquel il ne nous fait pas seulement bien faire, mais nous fait opérer soigneusement, fréquemment et promptement, ce qui n'est autre que l'amour des mystiques? [23] Ne dit-il pas dans le *Traité de l'amour de Dieu* que l'inclination naturelle à aimer Dieu par dessus toutes choses, qui est le fondement de l'humanisme chrétien, est l'anse par laquelle la grâce prend l'homme pour le mener jusqu'aux sommets de l'oraison, c'est à dire jusqu'aux sommets de la mystique? [24] Et Bremond lui-même à la fin de son étude sur le Docteur de l'amour divin écrit que si les premiers livres du *Traité de l'Amour de Dieu* sont comme la charte de l'humanisme dévot, les derniers livres de ce chef d'oeuvre sont la charte du haut mysticisme français pendant le XVII^0 siécle? [25] Ne dit-il pas ailleurs que saint François de Sales, le maître de l'humanisme dévot est aussi un grand mystique et un grand saint? En somme pourquoi employer deux mots pour exprimer une même chose? En fait il existe un seul humanisme chrétien qui se présente parfois comme une somme théologique, parfois comme une ascèse, et qui a pour but de faire des hommes accomplis en faisant d'eux des parfaits chrétiens.

Il n'en est pas moins vrai que l'abbé H. Bremond a ouvert aux historiens des fausses pistes, comme nous allons le montrer présentement.

M. J. Orcibal fut l'un des premiers à prendre cette mauvaise direction. Ecrivant les *Origines du jansénisme*, ouvrage dont le deuxième tome est consacré à Saint-Cyran, cet historien sent le besoin de jeter un vaste coup d'oeil sur les spiritualités en cours dans le royaume de

[22] H. Bremond, *op. cit.*, p. 515.

[23] *Introduction à la vie dévote*, Première partie, chap. I, *op. cit.*, «Description de la vraye dévotion.»

[24] *Traité de l'amour de Dieu*, Livre I, chap. XVI–XVIII. Cf. E. M. Lajeunie, *Saint François de Sales et l'esprit salésien*, p. 96–97: «(François de Sales) pose ainsi le principe de l'intégration de l'humanisme: toutes les acquisitions naturelles de l'esprit doivent finalement s'intégrer chez le chrétien, dans la sagesse de la foi.» Paris, ed. du Seuil, 1962.

[25] H. Bremond, *op. cit.*, p. 115, 127. Sur les «constantes humanistes» de H. Bremond, cf, Em. Goichot, «l'Humanisme dévot» de l'abbé Bremond: réflexions sur un lieu commun. dans *Rev. d'asc. et de myst.*, t. XLV, 1969, p. 148 sv.

France et de Navarre durant les règnes d'Henri IV et de Louis XIII. Par la force, dirons-nous, des choses, il est question de l'humanisme dévot qui se voit sans tarder l'objet d'une courtoise et violente attaque, puisqu'en termes précis il est accusé ni plus ni moins d'être un naturalisme déguisé. Pour l'auteur, les humanistes dévots cherchent à satisfaire la tendance générale à la facilité; comment ne le feraient-ils pas puisqu'optimistes impénitents ils soutiennent que «Dieu a fait les créatures dans sa bonté pour que nous en ayons la jouissance»; nul d'entre eux ne songe à mettre de l'unité dans sa vie, à déplorer sa misère, à recourir au Rédempteur, à attendre son salut de sa bonté, bref à aimer le Christ; ce qui frappe le plus dans leurs effusions, c'est la rareté des hommages rendus à Dieu, la plupart de leurs écrits paraissant sortir d'une plume profane; ils rejettent la primauté des devoirs religieux comme liée à la conception d'un Dieu terrible, survivance superstitieuse de l'ancienne loi; en somme ils dissimulent ce qui, dans le christianisme, avait choqué la Renaissance, s'expriment presque toujours comme les sages du paganisme et peuvent ainsi invoquer l'autorité des grands noms d'Athènes et de Rome. Il va de soi que saint François de Sales est soigneusement tenu en dehors d'un tel courant, et, dans une note, M. J. Orcibal s'étonne que Bremond ait fait de l'auteur du *Traité de l'amour de Dieu* le héros du volume consacré à *l'Humanisme dévot*.[26] Nous ne nous arrêterons pas à ce réquisitoire; nous y reviendrons à propos d'Yves de Paris;[27] pour le reste nous renvoyons à la pertinente réfutation qu'en a faite le P. F. Cavallera.[28]

La même tendance se fait jour dans un article de M. l'abbé L. Cognet. Etudiant *Le problème des vertus spirituelles dans la spiritualité française du XVII⁰ siecle*,[29] il constate que l'humanisme dévot tient une grande place à cette époque et qu'il demeurera longtemps florissant; il écrit:

> Chez ces humanistes, un goût littéraire envahissant pour les héros de l'antiquité païenne et pour la mythologie recouvre une philosophie religieuse à tendance nettement anthropocentrique. Atténuer l'absolutisme du primat divin, rendre à l'homme sa place en face de Dieu et lui donner l'estime de sa propre grandeur, la confiance en ses propres possibilités, telles sont les lignes directrices suivant lesquelles s'organise plus ou moins consciemment leur pensée.

[26] J. Orcibal, *Les origines du jansénisme*, t. II, *Jean Duvergier de Hauranne, Abbé de Saint-Cyran et son temps*, p. 40–47, 66. Paris, J. Vrin, 1947.

[27] Cf. *infra*, p. 48, 79.

[28] «Spiritualité en France au XVII° siècle. Pour un redressement nécessaire,» dans *Rev. d'asc. et de myst.*, t. XXVIII, 1952, p. 275–281.

[29] Dans *Les vertus chrétiennes selon Jean Eudes et ses disciples* (cahiers eudistes de notre vie), p. 47–52. Paris, 1960.

De ces tendances
sourd une théorie naturaliste des vertus chrétiennes où leur aspect spécifiquement surnaturel s'évanouit presqu'entièrement. Pour la forme on parle encore de la grâce, mais on ne discerne plus la nécessité de cette grâce dans la conquête de vertus purement humaines, et qui deviennent chrétiennes uniquement parce qu'elles sont les vertus des chrétiens.

Tous ces écrivains se rattachent au Guillaume du Vair de la *Sainte philosophie*, au Pierre Charron du traité *De la sagesse*. Si l'on a voulu inscrire saint François de Sales parmi les représentants de l'humanisme dévot, c'est dans une perspective toute littéraire, et Bremond a rectifié dans son tome VII ce qu'il avait exposé dans son tome I.

Faisons tout d'abord justice de ce dernier jugement. Sans doute l'auteur de *l'Histoire du sentiment religieux* a donné le flanc à cette fausse interprétation, ainsi que nous l'avons montré; en fait c'est là une erreur dont il faut une fois pour toutes montré la fausseté, car nous l'avons déjà trouvée chez M. J. Orcibal et nous la retrouverons chez d'autres historiens. Dans le tome premier Bremond écrit qu'il prouvera dans un prochain volume que si les premiers livres du *Traité de l'amour de Dieu* sont la charte de l'humanisme dévot, les derniers sont la charte du mysticisme français au XVII° siècle.»[30] En notre langue «prouver» n'a jamais signifié «rectifier.» Dans le tome septième Bremond écrit: «Le théocentrisme de saint François de Sales s'affirme déjà très nettement dés *l'Introduction à la vie dévote*, livre pratique, à l'usage des commençants, et qui, le plus souvent, nous laisse deviner beaucoup plus qu'il ne l'exprime, la philosophie de saint François de Sales»;[31] nous n'avons là encore aucune trace de rectification, mais seulement une réfutation de F. Vincent [32] qui, lui, ramenait le salésianisme à un pur moralisme; ce qui n'a jamais été dans la pensée de l'abbé Bremond.

Notre étonnement est grand aussi de voir nommés parmi les «humanistes dévots» Pierre Charron et Guillaume du Vair. Pour celui-là, c'est une erreur manifeste. Pour celui-ci c'est plus plausible, encore que ce jugement exige plus d'une nuance. Le P. Lajeunie d'ailleurs les classe l'un et l'autre sous la rubrique «humanisme indévot.»[33] En fait Pierre Charron enseigne une méthode qui consiste à ménager sa volonté de manière à garder une entière indépendance d'esprit; armé de cette méthode il recherche non pas la véritable religion, mais la véri-

[30] Bremond, *op. cit.*, t. I, p. 127.
[31] *Ibid.*, t. VII, p. 37.
[32] F. Vincent, *Saint François de Sales, directeur d'âmes. L'éducation de la volonté.* Paris, Beauchesne, 1923.
[33] *Saint François de Sales. L'homme, la pensée, l'action*, t. II, p. 191. Paris, ed. Guy Victor, 1967.

table «pru-d'hommie»; il aboutit ainsi à une sorte de morale naturelle, excluant toute révélation, morale qu'il est facile de rendre indépendante, en coupant le fil tenu qui la rattache à Dieu; les apparences, il est vrai, sont sauves; dans le conflit des religions le Christ et le Christianisme paraissent supérieurs; mais c'est un christianisme étrange; la religion ne doit pas gouverner tout l'homme, mais simplement ses relations avec le Seigneur. Loin de commander toutes les vertus, c'est elle qui vient après les autres, et particulièrement après la prudhommie, si bien qu'en fait elle se réduit au déisme. Nous sommes là aux antipodes de l'humanisme chrétien et il n'est pas étonnant qu'un Yves de Paris [34] et qu'un Garasse l'aient fortement combattu.[35] Il est plus étonnant que M. l'abbé L. Cognet l'ait placé parmi les «humanistes dévots.» Le cas de Guillaume du Vair demande plus de nuances. En effet l'influence de cet écrivain a pu s'exercer en deux sens différents: chez les laïcs (c'est certain pour Descartes) elle a pu aboutir à une morale séparée, purement rationnelle, tandisque les ecclésiastiques, réguliers et séculiers surent briser les cadres étroits du stoïcisme et trouver les chemins de la mystique. C'est que pour eux l'homme possède une tendance naturelle à chercher en Dieu seul son vrai bonheur; c'est là leur caractéristique, caractéristique que l'on cherchera en vain dans la *Sagesse* de Charron, que l'on trouvera sans doute dans la *Sainte philosophie* de du Vair, mais qui ne se rencontre pas dans *La philosophie morale des stoïques* du même auteur.[36]

Dans son étude sur les vertus d'après «l'humanisme dévot,» l'abbé L. Cognet cite un grand nombre de noms: le Capucin Yves de Paris, le jésuite Antoine Sirmond, les capucins Léandre de Dijon, Zacharie de Lisieux, les jésuites Binet et Ceriziers, l'oratorien Senault, les jésuites Garasse, Le Moyne et Paul de Bary, le cordelier J. du Bos. Il serait possible d'en donner beaucoup d'autres. Quoi qu'il en soit, ces écrivains ne forment pas un tout compact, uni et indivisible comme un bloc. Diverses tendances secondaires peuvent s'y jouer, qui, à l'occasion se livrent de rudes batailles. Ceci s'explique si l'on songe qu'installé à mi-chemin entre un optimisme béat qui déifie la nature humaine, et un pessimisme foncier qui proclame son entière corruption, ils ont pu se laisser tenter d'un côté ou de l'autre et parfois donner ou avoir l'air de donner dans l'un ou l'autre excès. Il ne faut pas oublier

[34] Cf. C. Chesneau, *Le P. Yves de Paris et son temps*, t. II, *L'apologétique*, p. 125–129.

[35] Cf. J. B. Sabrie, *De l'humanisme au rationalisme. Pierre Charron. (1541–1603). L'homme, l'oeuvre, l'influence*. Paris, Alcan, 1913.

[36] Cf. M. Radouant, *Guillaume du Vair*. Paris, 1908. Julien-Eymard d'Angers, «Du Vair (Guillaume)» dans *Dict. Spir.*, t. III, col. 1856. Paris, 1957).

que Lessius fut l'ami intime de Juste Lipse et que Julien Hayneuve vécut quelque peu dans l'intimité de Lallemant comme le carme Léon de Saint-Jean, autrement dit Jean Macé, dans celle de Jean de Saint-Samson. Dés lors, faire porter sur l'ensemble les déviations de quelques uns, présenter comme trait caractéristique ce qui est exceptionnel, cela n'est pas de bonne guerre et risque de donner une idée fausse d'un mouvement qui se mit sincèrement au service de l'église et des âmes. D'autant plus, que pour compromettre ceux qui sont vraiment de bon aloi, il suffira de montrer un seul côté de leur visage. L'on dira que Zacharie de Lisieux et Léandre de Dijon, Etienne Binet et René Ceriziers, et même l'oratorien Senault donnent dans le volontarisme stoïcien, mais l'on ne dira pas que pour Zacharie de Lisieux stoïcisme égale libertinage, que Léandre de Dijon prend à son compte les accusations portées contre les philosophes, que Binet réfute implicitement les thèses du Portique et met en enfer, à côté d'Aristote, de Platon et de Lucien, ni plus ni moins Marc–Aurèle et Trajan. Quant à Cerisiers, il se montre l'ennemi décidé de l'apathie stoïcienne tandis que Senault reproche aux stoïciens de trouver le bonheur dans la seule vertu. Après tous ces témoignages l'on pourrait dire que le procès est clos et qu'il se termine par un verdict d'acquittement.[37]

Il reprendra cependant en 1966, lorsque l'abbé L. Cognet publiera son *Histoire de la spiritualité moderne*.[38] Cette fois encore saint François de Sales est soigneusement isolé; il n'existe pas au sens propre du terme une école salésienne de spiritualité; sans doute, le salésianisme n'est pas un mythe; il correspond à un apport nettement caractérisé et profond dans le grand courant de spiritualité chrétienne; mais si son influence n'a pas cessé, elle a joué en restant ce qu'elle était; chez beaucoup d'auteurs elle n'est qu'un élément marginal qui, même important, s'inscrit dans un système préconçu. Il ne s'agit donc pas de rattacher, comme l'a fait Bremond, au Docteur de l'amour divin les humanistes dévots; Bremond d'ailleurs a rétracté dans son tome septième ce qu'il avait soutenu dans son tome premier.[39] En fait les deux premiers noms qui se présentent à l'esprit lorsque l'on parle d'humanisme dévot, sont ceux de Guillaume du Vair et de Pierre Charron, l'un qui fait effort pour christianiser le stoïcisme,[40] l'autre qui prône un idéal

[37] Cf. Julien-Eymard d'Angers, «L'humanisme chrétien du XVII° siècle à la lumière d'ouvrages récents,» dans *Studi francesi*, 1962, t. XVIII, p. 437–438.

[38] Paris, Aubier, 1966. (*Histoire de la spiritualité chrétienne*, t. III).

[39] *Op. cit.*, p. 299.

[40] Sur le stoïcisme de G. du Vair, cf. L. Zanta, *La renaissance du stoïcisme au XVI° siècle*. Paris, Champion, 1914; Julien-Eymard d'Angers, «Le stoïcisme en France dans la pre-

humain d'équilibre et de modération d'où tout dépassement est exclu.[41] Quatre écrivains sont ensuite nommés, qui sont tous jésuites: L. Richeome, Et. Binet, P. de Bary et P. Coton. Richeome s'en tient au niveau d'un moralisme assez terre à terre, et, si à l'occasion il se montre exigeant, dans l'ensemble sa religion a quelque chose de primaire et presque de puéril.[42] Binet enseigne parfois une piété simple, où des souvenirs salésiens sont liés à des traditions ignatiennes; l'on trouve même dans le *Recueil des oeuvres spirituelles* qu'il publia en 1620 un *Traité de la perfection* qui n'est qu'une traduction du *Breve Compendio* de Gagliardi; l'on trouve aussi une page magnifique où se manifeste un amour profond pour le Verbe incarné; mais il y en lui du pire et du meilleur, sa pensée demeurant peu claire et peu cohérente.[43] Paul de Bary, victime de Pascal, moraliste exigeant jusqu'au tatillonnage, surtout célèbre par un ouvrage sur la dévotion à la Mère de Dieu, ne laisse pas d'être déconcertant parce qu'il accumule dans son manuel des pratiques dont l'efficacité est affirmée sans ambage et dont l'accumulation dégrade la piété due à la Vierge Marie.[44] Enfin Pierre Coton, le célèbre confesseur d'Henri IV, se rattache au mouvement humaniste par son optimisme qui se révèle non seulement dans son goût de la création matérielle, mais surtout dans cette thèse que les vertus des païens sont les effets de la Passion du Sauveur et les premiers fruits de la Rédemption; mais l'on dénote aussi chez lui des expressions énergiques et assez sombres, des traces d'influence canfeldienne et des passages remarquables par leur ton bérullien; avec lui donc nous glissons hors des limites de l'humanisme pour pénétrer dans la région que fréquentent les jésuites mystiques français.[45] En somme nous avons ici comme un vaste et habile mouvement tournant. M. l'abbé L. Cognet part de l'humanisme littéraire qu'il distingue de l'humanisme doctrinal, mais qui cependant a bon gré mal gré véhiculé certaines attitudes intellectuelles assez répréhensibles; puis de là il va du naturaliste Du Vair, au

mière du XVII° siècle. Les origines 1575–1616),» dans *Etudes franc.*, nouv. ser., t. II, 1951, p. 398–405.

[41] Sur la pensée religieuse de P. Charron cf. JULIEN-EYMARD D'ANGERS, *art. cit.*, p. 389–404; R. H. POPKIN, *The history of Scepticism from Erasmus to Descartes*, p. 56–63, 116-123. Assen, Van Gorcum, 1960.

[42] Cf. H. BREMOND, *op. cit.*, t. I, p. 18–63; R. BADY, *L'homme et son «institution» de Montaigne à Bérulle*, p. 247–250.

[43] Cf. sur Et. Binet: H. BREMOND, *op. cit.*, t. I, p. 128–148; R. BADY, *op. cit.*, p. 311–315, 330–332.

[44] Cf. sur P. de Barry: H. BREMOND, *op. cit.*, t. I, p. 328, 329, t. IV, p. 300, t. IX, p. 250, 264, 266; M. OLPHE-GAILLARD, «P. de Bary,» dans *Dict. spir.*, t. I, col. 1252–1255; J. DE GUIBERT, *La spiritualité de la Compagnie de Jésus*, p. 342; CH. FLACHAIRE, *La dévotion à la Vierge dans la littérature catholique au début du XVII° siècle*, p. 32.

[45] Cf. sur P. Coton: H. BREMOND, *op. cit.*, t. II, p. 36–134.

dangereux Charron, au terre à terre Richeome, à l'exigeant et naïf de Bary, à Binet teinté de couleurs diverses, enfin à Pierre Coton, humaniste par certain côtés, mystique par d'autres et qui nous introduit dans le royaume qui sera bientôt fréquenté par Lallemant, Rigoleuc et Pierre Champion.[46]

Nous n'insisterons pas sur l'isolement de saint François de Sales, non plus que sur l'humanisme dévot de Guillaume du Vair et de Pierre Charron. Nous constaterons simplement que l'enquête menée par l'auteur manque véritablement d'ampleur. Pourquoi se borner aux seuls jésuites? Parmi les jésuites pourquoi se borner à quatre noms? [47] Encore est-il que l'analyse de ces quatre écrivains est bien superficielle, se bornant à quelques ouvrages d'une production parfois surabondante. Il est surtout dommage que l'auteur n'ait pas porté ses recherches en dehors de la Compagnie de Jésus. Il aurait trouvé toute une série d'écrivains de même trempe. Ceux-ci admettent un sentiment naturel de la divinité; ce sentiment comporte non seulement une illumination qui éclaire l'intelligence, mais encore un mouvement qui dirige la volonté vers le souverain bien, seul capable de la remplir; le péché étant intervenu, cette belle droiture s'est estompée, pour faire place à un gauchissement regrettable; la morale établie par les païens est de fait et nécessairement une morale imparfaite et spécialement celle des stoïciens en qui s'incarne, pour ainsi dire, l'idéal de la païenne antiquité; la Rédemption a fait plus que tout remettre en ordre; ce sentiment naturel s'est trouvé élevé au dessus de lui-même, vers une fin qui le dépasse sans doute, mais qui ne lui est pas, non plus, étrangère, car elle le comble dans son élan vers l'infini. Cette doctrine que nous présentons comme un monolithe, se rencontre avec plus d'une nuance chez nos humanistes, les uns insistant sur l'illumination intellectuelle, les autres sur l'élan de la volonté, les autres admettant l'innéisme des idées, les autres le rejetant, les uns recourant sans tarder à la lumière de

[46] L. Cognet, *La spiritualité moderne*, t. I, *L'essor (1500–1650)*, p. 412–425 (*Histoire de la spiritualité, chrétienne*, t. III). Paris, Aubier, 1966.

[47] M. l'abbé L. Cognet cite parmi des jésuites qui se rattachent à l'école de Lallemant, Nicolas Caussin et Julien Hayneuve; pour nous, ils sont plutôt à placer parmi les humanistes chrétiens; il en est de même pour J. B. Saint-Jure, au moins pour les premières parties de son traité *De la connaissance et de l'amour du Fils de Dieu N.S.J.C.*; Cf. Julien-Eymard d'Angers, «Sénèque et le stoïcisme dans la «Cour sainte» de Nicolas Caussin,» dans *Rev. sc. rel.*, t. XXVIII, p. 258–285; «Sénèque et le stoïcisme dans le traité «De l'ordre de la vie et des moeurs» de Julien Hayneuve,» dans *Rech. sc. rel.*, t. XLI, 1953, p. 380–405; «*Etude sur les* citations de Sénèque dans le traité «De la connaissance...» de J. B. Saint-Jure,» dans *Euntes et docete*, t. IX, 1957, p. 122–143; «Naturel et surnaturel dans le traité «De la connaissance...» de J. B. Saint-Jure,» dans *Rev. asc. et myst.*, t. XLII, 1966, p. 359–373; Cf. L. Cognet, *op. cit.*, p. 440, 441–442, 445–452.

la foi, les autres s'adressant d'abord aux discours de la raison; mais tous présentent cette caractéristique d'admettre une inclination naturelle vers le surnaturel tout en tenant un juste milieu entre certains augustiniens qui exagèrent la grâce au point de nier l'homme et certains écrivains de la Renaissance qui exagèrent la puissance humaine au point de nier la nécessité de la grâce tant actuelle qu'habituelle.[48] De cet important mouvement,[49] qui est, non pas un «humanisme dévot» mais purement et simplement un «humanisme chrétien» M. l'abbé L. Cognet n'a nulle connaissance, si bien que son ouvrage comporte une grave lacune, en plus d'une certaine erreur.

De cette erreur nous trouvons comme des relents dans un ouvrage de M. R. Mousnier.[50] L'éminent historien reconnaît que l'humanisme «dévot» renforce le mysticisme et conduit jusqu'au «pur amour» en dégageant l'amour naturel de l'obsession égoïste et basse, en habituant le chrétien à s'oublier lui-même, à se perdre dans les objets qui l'entourent, à se donner jusqu'au sacrifice à une personne chérie. Mais dans l'analyse qu'il fait de cette spiritualité, il insiste sur son optimisme, se contentant de dire que le péché originel n'a pas pu gangrener tout notre être sans ajouter que le coup porté a blessé des passions naturellement bonnes et qu'il faut pour guérir cette blessure pratiquer une ascèse des plus exigeantes. Surtout il n'a pas discerné que pour un «humaniste dévot» (on reconnaît là saint François de Sales) l'homme porte en lui une inclination à aimer Dieu par dessus toutes choses qui lui permet avec le secours indispensable de la grâce de mater son humanité même en aimant Dieu par dessus toutes choses. Aussi bien M. R. Mousnier n'a aucune peine à dire que l'humanisme dévot s'est compromis d'abord par la séparation de la foi et de la vie, ensuite par propres excès. Qu'il y ait eu des excès, cela est certain, encore qu'ils ne fussent pas dans la ligne de la doctrine, puisque l'humaniste chrétien sait distinguer dans l'antiquité païenne à côté des vérités qu'elle professe, les erreurs dont elle s'est rendue coupable. Sa confiance en la raison n'est pas absolue et les sages d'Athènes ou de Rome, s'ils sont imitables par certains côtés, sont par d'autres l'objet d'un blâme sévère, même s'ils s'appellent Platon, Sénèque ou Epictète. Ils n'ont pu élaborer une morale parfaite, cette morale que seul le Christianisme a

[48] Cf. JULIEN-EYMARD D'ANGERS, «L'humanisme chrétien du XVII° siècle à la lumière d'ouvrages récents,» dans *Studi francesi*, 1962, t. XVIII, p. 439–440.

[49] Sur cet important mouvement cf. H. DE LUBAC, *Le mystère du surnaturel*. Paris, Aubier, 1965.

[50] M. R. MOUSNIER, *Histoire générale des civilisations*, t. IV, *Les XVI & XVII° siècles*, p. 201–202. Paris, P.U.F., 1961.

donnée au monde. Dés lors comment peut-on séparer la foi d'avec la vie? Il est possible que le magistrat Bochart de Champigny ait résisté à la vocation religieuse de sa fille, mais c'est oublier que J. P. Camus dans sa Pieuse Julie a flétri une telle conduite.[51] Il est possible aussi que le général des galaires Gondi ait engagé malgré lui dans les ordres le futur Retz, mais c'est oublier que par deux fois Yves de Paris s'est élevé contre les parents qui forcent la volonté de leurs enfants.[52] Faire tomber sur les épaules de ces humanistes «dévots» la responsabilité d'abus qui étaient depuis longtemps dans les moeurs, nous pensons que c'est une erreur qu'il importe de rectifier présentement.

M. J. Le Brun reconnaît, lui aussi, que «l'humanisme dévot» est authentiquement sain à sa source, mais il ajoute qu'il ne peut rester pur qu'en se dépassant dans un théocentrisme. Peut-on parler, dit-il, d'un humanisme de saint François de Sales? Cette réserve montre qu'il n'a pas poussé assez loin son analyse. Il a bien discerné qu'il s'agit d'une «tendance à admirer Dieu le principe et la fin de toute créature et l'homme image et chef d'oeuvre de Dieu: l'homme qui sent Dieu en lui et dans le monde a pour tâche de référer à Dieu la création; même si la faute a bouleversé cette harmonie et cette liberté, la grâce surabonde pour les rétablir.» C'est très juste, mais ce n'est pas suffisant; M. J. Le Brun n'a pas vu que cette tendance comporte une inclination naturelle (cet adjectif est de saint François de Sales) à aimer Dieu par dessus toute chose ou (c'est le point de vue d'Yves de Paris) à le voir tel qu'il est «facie ad faciem.» Ainsi en se dépassant dans un théocentrisme, l'humanisme ne cesse pas d'être lui-même; au contraire il s'accomplit parfaitement. C'est ce qu'il est aisé de lire dans le *Traité de l'amour de Dieu*: «que nous ne pouvons pas être vrais hommes sans avoir inclination d'aimer Dieu par dessus toutes choses, ni vrais chrétiens sans pratiquer cette inclination.» Pour n'avoir pas vu cette essentielle caractéristique. M. J. Le Brun reprend à son compte les erreurs que nous avons signalées chez M. l'abbé Cognet. Il dit que l'abbé H. Bremond «a corrigé dans son tome VII ce qu'il avait dit hâtivement danson tome I, alors que l'abbé Bremond dit expressément que les idées exprimées dans le *Traité de Dieu* (étudiées dans le tome VII) illuminent *l'Introduction à la vie dévote* (étudié dans le tome I).[53] Il cite Charron parmi les «humanistes dévots» en oubliant que si saint François de Sales met la dévotion

[51] Cf. H. BREMOND, *op. cit.*, t. I, p. 296–298.
[52] *Ibid.*, p. 469–471.
[53] *Ibid.*, t. VII, p. 55.

dans la perfection de l'amour de Dieu.[54] Charron, lui, met le souverain bien de l'homme dans la tranquillité d'esprit et donne la piété comme un moyen d'y parvenir.[55] Il a pu se faire que certains écrivains classés parmi ceux que Bremond appelle «humanistes dévots» aient glissé sur la pente de la facilité, qu'ils aient mis ou semblé mettre vertus chrétiennes et vertus païennes sur le même pied, encore que les vertus païennes servent plutôt de marche-pied pour accéder à la perfection demandée par le christianisme, il a pu se faire qu'ils aient fait faire bon ménage à la vie exigée par l'Evangile avec des activités toutes mondaines, encore que saint François de Sales ait autorisé le bal et certains loisirs licites et honnêtes; c'est possible, cela demanderait une longue enquête; mais de là passer jusqu'à une accusation générale contre l'humanisme, c'est commettre, si l'on peut dire, comme une sorte d'abus.[56]

Il est certain maintenant qu'un redressement est nécessaire, pour employer l'expression du P. Cavallera.

C'est à quoi tend l'ouvrage que présentement nous donnons au public. Il est centré sur deux écrivains spirituels, saint François de Sales considéré par beaucoup comme «le prince de l'humanisme chrétien,» Yves de Paris appelé par Bremond «l'archétype de l'humanisme dévot» et que nous nous contentons de placer dans la suite de celui qui s'est appelé «tant homme que rien plus.» Nous entendons montrer que de l'un à l'autre il n'y a pas solution de continuité, mais que tous deux professent à quelques nuances près une même spiritualité. Pour ce faire, nous utilisons des articles publiés au cours des dix dernières années, en indiquant le date et le lieu de publication, ceci pour faire voir que dans nos recherches nous n'avons pas été conduits par des principes «a priori,» mais qu'au contraire ce sont nos recherches qui nous ont permis d'établir certain principes. En conclusion nous élargirons nos vues en jetant un coup d'oeil sur les contemporains de l'évêque de Genève et du capucin français. Ce faisant nous pourrons placer tous ces écrivains les uns par rapport aux autres en les éclairant les uns par les autres. En appendice, nous donnerons des textes dus à des capucins qui sont de même trempe que le P. Yves de Paris.

[54] *Introduction à la vie dévote*, Première partie, chap. I.

[55] *De la Sagesse,* Livre II, chap. XII, «Se maintenir en vraye tranquillité d'esprit, le fruit et la couronne de Sagesse et conclusion de ce livre.»

[56] J. Le Brun, «Le grand siècle de la spiritualité française et ses lendemains,» dans *Histoire spirituelle de la France*, p. 238–240. Paris, Beauchesne, 1964.

CHAPITRE I

DU NATUREL ET DU SURNATUREL DANS L'ŒUVRE DE S. FRANÇOIS DE SALES*

(1567-1622)

Commençons par le vocabulaire et concentrons notre attention sur deux expressions seulement: nature et naturel d'une part, surnature et surnaturel de l'autre; les autres termes seront l'objet d'une explication au cours de notre exposé.

Le mot *nature* et son adjectif correspondant *naturel* sont employés très fréquemment, étant tous les deux d'usage courant en cette fin du XVIe et en ce début du XVIIe siècle; leur sens par suite s'avère multiple et assez difficile à déterminer.

En un premier sens S. François de Sales entend par nature l'ensemble des propriétés que possède un être de par sa condition même ou si l'on veut, de par son essence; est naturel alors ce qui se rapporte à l'une de ces propriétés essentielles; nature et naturel en ce cas se disent de tous les êtres depuis le plus élevé qui est Dieu, jusqu'au plus bas qui est la créature inanimée, en comprenant les êtres abstraits. Ainsi en est-il de la Divinité, en qui le Fils est «l'image et semblance vive et *naturelle* du Père,» «image qui représente la propre substance du Père si vivement, *si naturellement*» que pour cela elle ne peut être que le même Dieu avec lui.[1] Ainsi en est-il pour la vertu, qui est si aimable de sa *nature* que Dieu la favorise partout où il la voit [2] et pour les vertus qui possèdent *naturellement* certaines prééminences et dignités que la grâce élève, mais n'enlève pas.[3] Ce mot dans ce sens s'applique aux choses matérielles, par exemple à propos de la tige qui «communique sa saveur à tous les fruits que les greffes produisent, en telle sorte que chaque fruit ne laisse pas de garder la propriété *naturelle* du greffe duquel il est procédé.»[4]

* Paru dans *Ephemerides Theologicae Lovanienses*, t. XXXII, 1956, p. 464–486.

[1] *Traité de l'Amour de Dieu*, Livre III, chap. XII, dans *Œuvres complètes*, éd. Annecy, t. IV, p. 203. Pour saint François de Sales, à moins d'avis contraire, nous renvoyons à cette édition.

[2] *Ibid.*, Livre XI, chap. I, t. V, p. 235.

[3] *Ibid.*, Livre XI, chap. V, t. V, p. 251.

[4] *Ibid.*, Livre XI, chap. V, t. V, p. 249–250.

La plupart du temps c'est à l'homme que ces deux mots s'appliquent; le mot *nature* désigne alors l'ensemble des propriétés qu'il possède de par sa condition. Le naturel se dit alors par opposition au tempérament particulier d'un chacun et présente un sens très général. Ainsi nous rencontrons ce mot dans l'ordre du savoir: connaissances naturelles,[5] lumière naturelle,[6] raison naturelle,[7] vérités naturelles;[8] nous le rencontrons dans l'ordre de la finalité: appétit naturel,[9] instinct naturel,[10] inclination naturelle,[11] amour naturel,[12] affections naturelles;[13] dans ce cas le naturel s'oppose au raisonnable [14] et au volontaire;[15] nous le rencontrons enfin dans un ordre plus profond que celui du savoir et que celui de la finalité; ainsi nous avons une vie naturelle qui se distingue de la vie sociale et de la vie spirituelle,[16] une loi naturelle,[17] une union naturelle de l'âme et du corps.[18] Ce mot peut s'appliquer à Dieu en qui nous sommes fondés à étudier une Providence naturelle [19] qui s'occupe spécialement de ce qui est naturel à l'homme et dont nous aurons à déterminer exactement l'objet.

Les expressions *nature* et *naturel* s'emploient enfin dans un sens plus restreint, s'appliquant non plus à l'homme pris dans sa généralité, mais à chaque homme pris dans sa singularité; il s'agit en fait du tempérament d'un chacun. Le *Traité de l'amour de Dieu* [20] consacre tout un chapitre à montrer que «le progrès du saint amour ne dépend pas de la complexion naturelle» et il est question dans ces quelques pages de disposition naturelle, de conditions naturelles, de qualités et habilités naturelles. Ces mots seront pris tantôt dans un sens péjoratif, tantôt

[5] *Ibid.*, Livre II, chap. XVIII, t. IV, p. 148.

[6] *Les Controverses*, Partie II, chap. VIII, art. II, t. I, p. 335; *Traité de l'amour de Dieu*, Livre III, chap. IX, t. IV, p. 196; *Ibid.*, Livre IV, chap. II, t. IV, p. 220; *Ibid.*, Livre VII, chap. VI, t. V, p. 27; *Ibid.*, Livre XI, chap. VIII, t. V, p. 262.

[7] *Les Controverses*, Partie II, chap. VIII, art. I, p. 330; *Traité de l'amour de Dieu*, Livre II, chap. XVIII, t. IV, p. 148; *Ibid.*, Livre XI, chap. I, t. V, p. 237.

[8] *Traité de l'amour de Dieu*, Livre III, chap. XIV, t. IV, p. 209.

[9] *Ibid.*, Livre VII, chap. XIV, t. V, p. 55.

[10] *Sermon de vêture*, t. X, p. 19; *Traité de l'amour de Dieu*, Livre I, chap. IX, t. IV, p. 51; *Ibid.*, Livre XI, chap. I, t. V, p. 237.

[11] *Traité de l'amour de Dieu*, Livre I, chap. XVI, t. IV, p. 77–79; *Ibid.*, Livre II, chap. VIII, t. IV, p. 112; *Ibid.*, Livre II, chap. V, t. IV, p. 136, 137; *Ibid.*, Livre X, chap. X, t. V, p. 202.

[12] *Ibid.*, Livre VII, chap. VII, t. V, p. 30; *Ibid.*, Livre XI, chap. XXI, t. V, p. 317.

[13] *Ibid.*, Livre VII, chap. VII, t. V, p. 30.

[14] *Ibid.*, Livre I, chap. V, t. IV, p. 37.

[15] *Ibid.*, Livre I, chap. X, t. IV, p. 54–55.

[16] *Ibid.*, Livre IX, chap. V, t. V, p. 122–123.

[17] *Sermon pour la fête de la Présentation*, t. IX, p. 382; *Sermon pour le troisième dimanche de carême*, t. X, p. 270.

[18] *Sermon pour la fête de la Visitation*, t. X, p. 61.

[19] *Traité de l'amour de Dieu*, Livre II, chap. III, t. IV, p. 97.

[20] *Ibid.*, Livre XII, chap. I, t. V, p. 319 sv.

dans un sens optimiste. Sens péjoratif: «La nature est quelque peu excusable: vous verrez par exemple une fille qui sera mélancolique et qui n'excusera cela?»;[21] S. Paul avait un naturel âpre, rude et revêche;[22] «il en est qui disent: il est vrai que je suis colère, mais que voulez-vous que j'y fasse? C'est mon naturel»;[23] c'est en ce sens qu'en religion «on fait mourir la nature.»[24] Sens optimiste: S. Augustin avait un bon naturel encore qu'il fût corrompu par de mauvaises habitudes; il avait l'esprit non seulement beau mais encore accompagné d'un excellent naturel, bien qu'il «eût planté sur icelui une très mauvaise plante.»[25] Dans les lettres nous constatons ce va-et-vient d'un sens à l'autre; sens péjoratif: l'apôtre sentait un corps d'armée composé de ses humeurs, aversions, habitudes et inclinations naturelles qui avaient conspiré sa mort spirituelle;[26] la promptitude naturelle est la cause de tout le mal, car elle anime la vivacité et la vivacité anime la promptitude;[27] S. Paul montrait bien que sa nature ne servait guère à la grâce et que ses inclinations n'étaient guère soumises aux inspirations;[28] petit à petit l'esprit se forme contre les sens et la grâce contre la nature;[29] deux lois: celle des sens et celle de l'esprit, deux opérations de la nature et de la grâce;[30] couper et trancher ces menues impressions que la nature et le monde vous donnent;[31] danger de se fonder trop sur la nature et trop peu sur la grâce;[32] sens optimiste: voici une fille d'un naturel bon, franc et naïf,[33] une supérieure qui a de très bonnes inclinations naturelles: ce sont des biens «du maniement desquels il faudra rendre compte»;[34] il faut diviniser les vertus que l'on possède naturellement en les dressant toutes à Dieu et à ses bonnes actions.[35] Dans ce conflit c'est l'optimisme qui l'emporte: il n'y a point de naturel si revêche qui par la grâce de Dieu d'abord, puis par l'industrie et diligence ne puisse être surmonté.[36] Nous n'avons pas rencontré une

[21] *Sermon pour la fête de sainte Marie-Madeleine*, t. X, p. 91.
[22] *Sermon pour le jeudi après le second dimanche de Carême*, t. X, p. 260.
[23] *Sermon pour le vendredi dans l'octave de la Pentecôte*, t. IX, p. 150.
[24] *Sermon pour la fête de sainte Marie-Madeleine*, t. X, p. 94.
[25] *Sermon pour la fête de saint Augustin*, t. X, p. 99, 103.
[26] *Lettre à Angélique Arnauld*, t. XIX, p. 51.
[27] *Ibid.*, t. XIX, p. 195.
[28] *Lettre à Mlle Lhuillier de Frouville*, t. XIX, p. 217.
[29] *Lettre à Angélique Arnauld*, t. XIX, p. 270.
[30] *Lettre à la Présidente de Bresse*, t. XIX, p. 272.
[31] *Lettre à Mlle Lhuillier de Frouville*, t. XIX, p. 314.
[32] *Lettre à la Mère de Chantal*, t. XX, p. 215–216.
[33] *Ibid.*, t. XX, p. 248.
[34] *Lettre à une prétendante de la Visitation*, t. XX, p. 291.
[35] *Lettre à la Mère de Chantal*, t. XXI, p. 157.
[36] *Introduction à la vie dévote*, Première partie, chap. XXIV, t. III, p. 67.

seule fois dans S. François de Sales l'expression «nature corrompue,» si familière aux augustiniens.

Le terme *surnaturel* est beaucoup moins employé. Nous ne l'avons rencontré en tout et pour tout que 74 fois, 16 dans les *opuscules* (dont quatre en latin: *supernaturalis*), 8 dans les *Controverses*, 2 dans *L'étendard de la Croix*,[37] 7 dans les *Lettres*, 10 dans les *Sermons*,[38] 1 dans *Les vrais entretiens spirituels*, 30 dans le *Traité de l'amour de Dieu*. *L'Introduction à la vie dévote* ne le contient pas.

En tous ces passages nous avons noté trois sens différents.

Premièrement il s'agit de ce que les théologiens nomment le surnaturel *quoad modum*, c'est-à-dire du miracle. Ceci nous le trouvons dans certains sermons: «Je vous avise tout du commencement, écrit le saint prédicateur, qu'un corps vrai et naturel peut être réellement en un lieu de deux façons. Premièrement surnaturellement et spirituellement, selon une condition spirituelle, mais néanmoins réellement. Exemple: Quand le corps de Notre Seigneur entra en la salle où les disciples étaient, les portes étant fermées, son corps entra et passa réellement au milieu d'eux, mais non pas naturellement, mais surnaturellement et spirituellement, néanmoins très réellement.»[39] Ou encore à propos des phénomènes miraculeux qui accompagnèrent la mort du Christ:«Comme aussi il est question si cette éclipse fut naturelle ou surnaturelle.... Cette éclipse est tout à fait surnaturelle, puisqu'elle est en plein midi et en plein de la lune.»[40] C'est surtout dans les écrits théologiques que ce sens se rencontre. Dans les *Opuscules*, se penchant sur la venue du Christ en ce monde, l'adversaire des protestants en étudie le caractère miraculeux et montre que Notre Seigneur a été conçu surnaturellement, qu'il possède des qualités naturelles et surnaturelles, qu'il jeûne surnaturellement et qu'il a faim naturellement, qu'il naît d'une Vierge surnaturellement et qu'il pleure naturellement, qu'il marche sur les eaux surnaturellement et dans Jérusalem naturellement; et le saint théologien de conclure qu'il y a plusieurs choses surnaturelles au corps du Fils de Dieu.[41]

Deuxièmement il s'agit du surnaturel *quoad essentiam*, c'est-à-dire de

[37] Nous avons rencontré aussi l'expression *supernaturel*, mais il s'agit en fait d'une citation empruntée au *Brief traitté* du pasteur De la Faye, adversaire de saint François de Sales en la circonstance, *De l'estendard de la Croix*, Livre I, chap. IV, t. II, p. 49.

[38] Dans deux de ces dix cas saint François de Sales emploie le terme latin: *supernaturalis* (t. VIII, p. 80, 185); dans un autre il s'agit d'une traduction de saint Bonaventure (t. VIII, p. 429).

[39] *Sermon sur la transubstantation*, t. VII, 223.

[40] *Sermon pour le vendredi saint*, t. X, p. 382.

[41] *Lettres au Ministre Louis Viret*, t. XXIII, p. 32, 33, 37–39.

la grâce, des vertus infuses morales ou théologales, des dons du S. Esprit et de l'habitation de la Sainte Trinité dans l'âme juste. Ici nous rencontrons deux cas différents. D'abord dans un même passage le mot surnaturel est pris successivement dans le sens de miraculeux et de grâce sanctifiante, celui-là étant le symbole de celle-ci. Exemple: «Isaac, Jacob et Joseph furent des enfants surnaturels (quoad modum), car leur, mères étant stériles par nature, les conçurent par la grâce de la bonté céleste: c'est pourquoi ils furent établis maîtres de leurs frères. Ainsi l'amour sacré est un enfant miraculeux, puisque la volonté humaine ne le peut concevoir si le Saint Esprit ne le répand dans nos cœurs; et comme surnaturel (quoad essentiam), il doit présider et régner sur toutes les affections, voire même sur l'entendement et sur la volonté.»[42] La plupart du temps dans le même passage il n'y a que le seul sens étudié en ce paragraphe. Nous nous bornerons à quelques citations: dans les sermons: «Il faut qu'ils (les intellectuels) ferment le vanteau en quittant cette lumière naturelle ou imaginaire, à fin de recevoir la surnaturelle que Dieu communique en l'obscurité de l'humilité intérieure»;[43] dans les lettres: «L'humilité et la fidélité intérieure, jointes à la vraie charité et constance au bien, sont les véritables marques des véritables grâces surnaturelles»;[44] *Traité de l'amour de Dieu*: «Cette portion supérieure peut discourir de deux façons: ou bien selon la lumière naturelle, comme ont fait les philosophes et tous ceux qui ont discouru par science; ou selon la lumière surnaturelle, comme font les théologiens et les chrétiens.»[45] Ces quelques exemples suffiront.[46]

Enfin troisième sens, extrêment rare (nous ne l'avons rencontré que deux fois): surnaturel égale mystique et s'oppose non seulement à naturel mais encore à chrétien; dans le *Traité de l'amour de Dieu*,[47] S. François de Sales distingue quatre sortes d'affections, les unes qui sont

[42] *Traité de l'amour de Dieu*, Livre I, chap. VI, t. I, p. 38–39.

[43] *Sermon pour la fête de saint Luc*, t. X, p. 125–126. Voir encore; *Sermon pour la fête de l'Annonciation*, t. X, p. 56.

[44] *Lettre à la Mère de Chantal*, t. XVI, p. 73. Voir encore; *Lettre à Eustache de Saint-Paul Asseline*, t. XV, p. 120; *Lettre à Madame de Puyzieu*, t. XVII, p. 8; *Lettre à la Mère de Monthoux*, t. XX, p. 110; *Lettre à la sœur Fichet*, t. XXI, p. 1; *Lettre à un gentilhomme*, t. XXI, p. 13.

[45] Livre I, chap. XI, t. IV, p. 63. Voir encore: Livre II, chap. IV, «De la providence surnaturelle que Dieu exerce envers les créatures raisonnables»; Livre III, chap. VII; Livre II, chap. XII; Livre III, chap. I; Livre IV, chap. VI; Livre IV, chap. IX; Livre V, chap. IV: t. IV, p. 99–102, 109, 111, 164–165, 169, 232, 248, 270; Livre VII, chap. VII; Livre VIII, chap. VII; Livre XI, chap. VIII; Livre XI, chap. XI; Livre XI, chap. XV; Livre XII, chap. I; Livre XII, chap. XI: t. V, p. 20, 78–79, 262–263, 276, 291–292, 319–320, 342.

[46] Cf. *Les Controverses*, Partie I, chap. III, art. VII, t. I, p. 104; *Ibid.*, Partie III, chap. I, art. III, t. I, p. 360; *Opuscules*, Première série, «Études et vie intime,» t. XXII, p. 9, 10, 36–37; *Ibid.*, Troisième série, «Controverses,» t. XXIII, p. 3.

[47] *Traité de l'amour de Dieu*, Livre I, chap. V, t. IV, p. 37.

naturelles, les autres qui sont raisonnables, les troisièmes qui sont chrétiennes «parce qu'elles prennent leur naissance des discours tirés de la doctrine de Notre Seigneur.» «Mais, ajoute le saint docteur, les affections du suprême degré sont nommées divines et surnaturelles, parce que Dieu lui-même les répand en nos esprits, et qu'elles regardent et tendent en Dieu sans l'entremise d'aucun discours ni d'aucune lumière naturelle; selon qu'il est aisé de concevoir par ce que nous dirons après des acquiescements.» Il est vrai que le même écrivain change de terminologie lorsqu'il parle des acquiescements:[48] «En la partie supérieure de la raison, dit-il, il y a deux degrés; en l'un desquels se font les discours qui dépendent de la loi et lumière surnaturelle, et en l'autre se font les simples acquiescements de la foi, de l'espérance et de la charité.» Il est aisé de voir que dans le premier passage S. François de Sales appelait simplement chrétiens les discours que dans le second il dit dépendre de la lumière surnaturelle, et que dans le second il appelle simples acquiescements ce que dans le premier il nomme surnaturel et divin. Dont acte.

En tous ces cas le mot surnaturel est pris comme adjectif accolé à un mot. Nous avons trouvé deux phrases où il est pris absolument comme substantif. Les voici: «Une autre (fille) sera tendre à pleurer, ce qui est encore pardonnable, pourvu qu'on ne nourrisse pas ces imperfections, ainsi qu'on les mortifie pour faire vivre le surnaturel.»[49] «Je compatis infiniment à cette bonne dame; elle n'est que de trop bon naturel, ou du moins son naturel n'est pas assez dompté par le surnaturel en elle.»[50]

Tels sont les deux termes principaux qu'il nous fallait expliquer au début d'une étude, dont il nous faut maintenant dessiner le plan. Deux grandes idées, croyons-nous, dirigent S. François de Sales lorsqu'il aborde non pas directement et pour lui-même, mais en raison de son ascèse et de sa mystique le problème du surnaturel. C'est d'abord l'idée de la finalité; l'homme est fait pour Dieu et se dirige vers lui comme vers son bien, comme vers le bien; nous devons voir jusqu'à quel point. C'est ensuite l'idée de la causalité: l'homme ne peut aller à Dieu sans le secours de Dieu, tout en étant libre de le rejeter ou d'y collaborer; nous devons voir comment s'opère cette collaboration.

Finalité, causalité, telle sera notre division.

[48] *Ibid.*, Livre I, chap. XII, t. IV, p. 69.
[49] *Sermon pour la fête de sainte Marie-Madeleine*, t. X, p. 91.
[50] *Lettre à la Mère de Chatel*, t. XX, p. 205.

I. LA FINALITÉ DE L'HOMME

Le *Traité de l'amour de Dieu* nous renseigne exactement sur la nature humaine et sur sa place dans l'ordre universel. L'homme, est-il dit en substance, est d'une nature moyenne [51] entre les anges et les bêtes, participant de la nature angélique en sa partie intellectuelle et de la nature bestiale en sa partie sensitive; il possède également la possibilité de se déloger de cette moyenne condition et c'est alors que se produit comme deux sortes d'extases, l'une inférieure qui ravale au rang des bêtes la créature humaine, l'autre supérieure qui élève l'homme au rang des anges.[52] Laissons de côté l'inférieure qui ne nous intéresse guère, pour nous tourner vers la supérieure et pour en discerner la portée.

Une question préalable se pose: existe-t-il à l'intérieur de ces deux limites un ordre où l'homme sans avoir à sortir de lui-même peut se réaliser pleinement en tant qu'homme et savourer un bonheur qui soit de sa taille, un bonheur qui ne le dépasse pas.

Les écrits de jeunesse semblent répondre par l'affirmative. Nous y trouvons en effet l'expression *in puris naturalibus* dont il faut chercher la signification. S. François de Sales se pose la question suivante: En quel acte consiste la béatitude formelle de la vie présente, de l'homme existant *in puris naturalibus*. Pour répondre à cette question il pose cette thèse: la béatitude de l'homme *in puris naturalibus* requiert la connaissance, l'amour et la délectation naturelle de Dieu.[53] Cette thèse qui est donnée comme *satis communis* est prouvée de la façon suivante: la béatitude naturelle de l'homme consiste dans la réalisation de sa fin naturelle; or cette fin naturelle n'est autre que l'atteinte naturelle de Dieu, le souverain bien, ce qui requiert la connaissance, l'amour et la connaissance naturelle du Très-Haut, d'où il est nécessaire que naisse une grande délectation.[54] S. François de Sales se demande laquelle de ces trois conditions constitue l'essentiel de la béatitude et il se prononce pour Aristote [55] et S. Thomas,[56] qui le mettent dans la connaissance.

[51] Cette idée de la «mitoyenneté» de l'homme était courante au XVIIe siècle. Cf. C. Chesneau, *Le P. Yves de Paris et son temps*, t. II, p. 411 sv. Paris, 1946.

[52] *Traité de l'amour de Dieu*, Livre I, chap. X, t. IV, p. 57–58.

[53] *Opuscules*, Première série, *Études et vie intime*, t. XXII, p. 8–10: «In quo actu consistat beatituto formalis praesentis vitae hominis existentis in naturalibus... Respondeo... beatitudinem hominis in puris naturalibus existentis et in praesenti vita necessario requirere veram Dei cognitionem, amorem et delectationem naturalem.»

[54] *Ibid.*: «Beatitudo consistit in consecutione naturali Dei,... quatenus est ultimus finis naturae et bonum summe dilectum. Ergo illa beatitudo requirit necessario amorem Dei naturalem et eiusdem cognitionem, ex quibus necesse est ut oriatur magna delectatio.»

[55] *I Ethic.*, c. 7; *VI Ethic.*; *VII Polit.*, c. 3; *XII Met.*, tit. 36.

[56] *Summa theologica*, Supplementum, Q. III, art. V, Ia IIae, Q. CLXXXII, art. I.

Ce qui nous intéresse dans cette nouvelle argumentation, c'est une preuve tirée d'un parallèle entre le naturel et surnaturel; de même que la vision béatifique constitue l'essentiel du bonheur surnaturel, ainsi la connaissance naturelle de Dieu doit constituer l'essentiel du bonheur naturel.[57] Il ressort de là que dans ses jeunes années le futur docteur de l'Église admettait deux ordres complets en eux-mêmes, ayant chacun sa fin propre et indépendants l'un de l'autre. Cette conclusion est confirmée par une réponse aux protestants sur le sort réservé aux enfants morts sans baptême, qui «sont condamnés à la peine du dam seulement, non à celle du sens» et qui «jouissent d'un bonheur naturel le plus grand possible, en sorte qu'ils rendent gloire à Dieu pour sa justice non seulement vindicative mais encore distributive.»[58]

Plus tard S. François de Sales semble avoir abandonné cette position première. Les deux ordres certes sont véritablement distincts et nullement confondus; la lumière naturelle de la raison a son champ bien déterminé: ne point dérober, ne point mentir, ne point commetre de luxure, prier Dieu, ne point jurer en vain, aimer et honorer son père et sa mère, ne point tuer c'est vivre selon la raison naturelle de l'homme;[59] de même pour la volonté: la liberté est naturelle à l'homme, pouvoir résister est la condition naturelle de notre vouloir;[60] il existe une Providence naturelle.[61] Mais entre ces deux ordres nettement distincts, pas de cloison étanche; l'inférieur débouche sur le supérieur: s'il est question de félicité naturelle,[62] c'est pour parler immédiatement du bonheur qui la dépasse; s'il est question de Providence naturelle, celle-ci ne va pas au-delà du temporel et il n'est pas traité à son propos de l'état de l'âme après la mort; l'expression *nature pure* a complètement disparu.[63] L'homme est créé pour le Ciel. Voilà le fait. Il faut en examiner la portée.

[57] *Opuscules*, Première série, *Études et vie intime*, t. XXII, p. 9–10: «Probo ex proportione huius beatitudinis cum supernaturali... Quia supernaturalis beatitudo, secundum communiorem sententiam theologorum et meo iudicio veriorem, essentialiter in clara visione qua clare Deus a Beatis videtur...»

[58] *Opuscules*, Troisième série, *Controverses*, t. XXIII, p. 92: «Mitissima tamen apud catholicos sententia illa est, quod non baptisati infantes, quibus nullum praeter originale peccatum imputari potest, damnantur paena damni tantum, non etiam sensus, gaudentque naturali felicitate, qualis quantaque maxima esse potest, ita ut etiam suo modo dent laudem Deo, quantum ad iustitiam eius, non modo vindicativam, sed etiam distributivam.»

[59] *Traité de l'amour de Dieu*, Livre VII, chap. VI, t. V, p. 27.

[60] *Ibid.*, Livre II, chap. XII, Livre VII, chap. VI, t. IV, p. 126, t. V, p. 27.

[61] *Ibid.*, Livre II, chap. III, t. IV, p. 97.

[62] *Ibid.*, Livre XI, chap. VIII, t. V, p. 262; Livre XI, chap. XV, t. V, p. 291. A noter dans ce dernier passage un certain parallélisme salésien, l'ordre naturel comprenant sept dons de l'intelligence et du cœur, comme l'ordre surnaturel comprend les sept dons du Saint-Esprit.

[63] On pourrait même dire qu'il est exclu. Dans un de ses sermons, saint François de

D'abord le fait. Il nous est signalé déjà dans les *Sermons*: «J'ai bien observé en moi un instinct naturel qui me porte et qui me fait tendre au bonheur... Le Psalmiste s'écrie: O mon Dieu, mon cœur s'est toujours réjoui quand il a su que vous étiez sa félicité;[64] et notre Père Saint Augustin disait: «O Dieu, mon cœur est créé pour vous; il n'aura jamais repos ni félicité qu'en vous.»[65] Nous voyons par ces paroles que le cœur humain tend naturellement à Dieu qui est «sa béatitude.»[66] Et encore: «Il est vrai que l'homme est créé pour la félicité et la félicité pour l'homme; car l'homme ne peut être content que s'il ne jouit de la félicité, et la félicité, ce semble, ne peut être félicité que si l'homme ne la possède. Elle a une telle convenance avec le cœur de l'homme qu'il ne saurait trouver de repos qu'en la possédant; de même, si je l'ose dire, elle, par un amour réciproque, ne semble pas être vraie félicité qu'en tant que l'homme la possède, car Dieu l'a faite pour la jouissance de l'homme et la lui a tellement promise qu'il s'est obligé de la lui donner.»[67]

Le *Traité de l'amour de Dieu* est aussi explicite et plus car il donne non seulement le fait mais les raisons du fait. Il affirme dans un célèbre chapitre que nous avons une inclination naturelle d'aimer Dieu par dessus toutes choses, de sorte que c'est l'appel à la vie mystique que l'homme porte en lui dès sa naissance avant son baptême, de par sa nature même, Dieu ayant planté dans le cœur de l'homme une spéciale inclination naturelle, non seulement d'aimer le bien en général, mais d'aimer en particulier et sur toutes choses sa divine bonté.[68] Le fondement de cette inclination naturelle est double. D'abord un rapport de similitude, qui, sans faire partie de l'essence de l'amour, se rencontre singulièrement dans l'homme dont l'âme est créée à l'image du Créateur:[69] spirituelle, indivisible, immortelle; entendant, voulant et voulant librement, capable de juger, de discourir, de savoir, d'avoir des

Sales écrit: «Nous autres, tant que nous sommes, avons trois natures ou trois sortes de vie, s'il faut ainsi dire, dont l'une est négative. C'est celle que nous avons reçue en la personne de notre premier père Adam, en laquelle nous pouvions mourir ou ne mourir pas; car étant au Paradis terrestre où se trouvait l'arbre de vie, nous pouvions en mangeant de son fruit, nous empêcher de mourir, sous la condition néanmoins de nous abstenir du fruit défendu.. En la seconde nature qui est celle que nous avons depuis la faute d'Adam..., nous pouvons mourir, mais nous ne pouvons pas ne point mourir... La troisième nature est celle que nous aurons au ciel, si Dieu nous fait la miséricorde d'y arriver» (*Sermon pour le Vendredi saint*, t. X, p. 366–367). Comme on le voit, il n'est pas question d'une nature pure hypothétique, où l'homme en raison de sa constitution même, sans intervention du péché, n'aurait pas pu ne point mourir.

[64] *Psaume* XV, 8–11.

[65] SAINT AUGUSTIN, *Confessions*, I, 1.

[66] *Sermon pour la fête de sainte Brigitte, vierge*, t. X, p. 19.

[67] *Ibid.*, p. 20.

[68] *Traité de l'amour de Dieu*, Livre I, chap. XVI, t. IV, p. 77.

[69] *Genèse* I, 26.

vertus, résidente en tout son corps et toute en chacune des parties «d'icelui,» elle ressemble à la Divinité, qui est toute en tout le monde et toute en chacune des parties du monde.[70] Ensuite un rapport de correspondance, car d'une part Dieu a grande abondance et grande inclination pour donner; il est une «libérale affluence» et rien n'est si agréable à une libérale affluence qu'une nécessiteuse indigence; c'est à lui que s'applique surtout le mot de Notre Seigneur: C'est chose plus heureuse de donner que de recevoir;[71] de l'autre l'homme a grand besoin et capacité de recevoir du bien; il possède un interminable désir de savoir, qui ne peut être assouvi, et il tend de toutes ses forces vers celui qui peut l'assouvir.[72] En somme nous voici devant ce fait que S. François de Sales signale encore dans un de ses sermons: «Rien de moins que ce qui est Dieu, ne peut remplir une âme capable de posséder Dieu.»[73]

Tel est le fait. Voyons en maintenant la portée.

Nous constaterons que le désir naturel d'aimer Dieu par dessus toutes choses est doublement limité: dans le domaine de la puissance d'abord, dans celui de la connaissance ensuite.

Dans le domaine de la puissance: par ses seules forces naturelles l'homme ne peut pas réaliser son désir inné. Pour le prouver S. François de Sales se place uniquement du point de vue historique. Dans le *Traité de l'amour de Dieu*, l'un des chapitres s'intitule: *Que nous n'avons pas naturellement le pouvoir d'aimer Dieu par dessus toutes choses.*[74] La preuve apportée repose non pas tant sur une étude de la nature humaine en tant que telle, que sur une série de témoignages empruntés à l'histoire; en effet, si notre entendement peut voir combien Dieu est aimable, notre volonté est si fortement débilitée par le péché que seule elle ne peut s'élever jusqu'à cette hauteur; tous les philosophes de l'antiquité païenne ont connu cette tendance vers le divin; aucun d'eux n'a pu la réaliser. Et la conclusion porte non pas sur la volonté humaine en tant que telle, mais sur la volonté humaine navrée par le péché, volonté semblable au palmier, qui fait voir des productions imparfaites et comme des essais de ses fruits, volonté qui ne produit qu'un

[70] *Traité de l'amour de Dieu*, Livre I, chap. XV, t. IV, p. 74.
[71] *Actes des Apôtres*, XX, 35.
[72] *Traité de l'amour de Dieu*, Livre I, chap. XV, p. 75–76.
[73] *Sermon pour le deuxième dimanche de carême*, t. VIII, p. 279: Animam Deo capacem quicquid minus Deo implere non potest. (Cette affirmation est posée après une citation de *Jean*, III, 2, de I *Cor.*, XIII, 12, et de la *Genèse* XV, 1.)
[74] *Traité de l'amour de Dieu*, Livre I, chap. XVII, p. 80–83.

vouloir paralytique, un vouloir stérile, un vouloir qui n'est qu'un avorton de la bonne volonté; c'est l'illustration du mot de S. Paul: Le vouloir est bien en moi, mais je ne trouve pas le moyen de l'accomplir.[75]

Limitée dans l'ordre de la puissance, notre inclination vers l'amour suprême de Dieu l'est aussi dans l'ordre de la connaissance. Cette fois l'histoire n'entre pas en jeu pour démontrer cette thèse; il n'est pas fait appel comme chez certains apologistes [76] à l'impuissance historique des philosophes devant le vrai; mais nous n'avons pas davantage une analyse profonde de l'humaine intelligence et de son objet; la simple affirmation d'un fait c'est cela seulement qui nous est donné: «Le cœur humain tend à Dieu par son inclination naturelle, sans savoir bonnement quel il est»; «notre cœur ayant eu si longuement inclination à son souverain bien, il ne savait à quoi ce mouvement tendait»; «notre cœur, par un profond et secret instinct, tend en toutes ses actions et prétend à la félicité, et la va cherchant çà et là comme à tâtons, sans savoir toutefois ni où elle réside, ni où elle consiste»[77]; de cette ignorance naturelle, qui est de soi invincible, résulte une inquiétude, une angoisse qui n'a son apaisement qu'au moment où la Foi représente à notre esprit ce bel objet de notre inclination naturelle; lors, nous sommes semblables à l'épouse du *Cantique des cantiques* qui s'écrie: Que vous êtes beau mon bien-aimé, que vous êtes beau;[78] nous sommes semblables au faucon auquel le fauconnier ôte le chaperon et qui «ayant la proie en vue s'élance soudain au vol.»[79] Bien plus, la Foi elle-même ne suffit pas pour atteindre les sommets de la connaissance suprême; il y faut la lumière de gloire, car notre entendement a besoin d'être «préparé, revigoré et habilité pour recevoir une vue si éminente et si disproportionnée à sa condition naturelle, comme est la vue de la Divinité.»[80] Sur ce point, si la question n'est pas étudiée du point de vue historique, comme précédemment, elle l'est du point de vue expérimental et concret, c'est-à-dire non d'après ce que l'homme pourrait être dans un hypothétique état de nature pure, mais d'après ce qu'il est maintenant.

Cet homme concret d'ailleurs nous livre le secret de sa double impuissance dans l'ordre du pouvoir comme dans celui du savoir. Nous

[75] *Romains* VII, 18.

[76] Cf. C. Chesneau, *op. cit.*, t. II, *L'apologétique*, p. 220 (Polycarpe de la Rivière), 223 (Jean Boucher), 224 (N. Caussin), p. 271 (Louis G. de Balzac), p. 272 (D. Petau), p. 277 (Bossuet), p. 235 (Pascal).

[77] *Traité de l'amour de Dieu*, Livre II, chap. XV, p. 136–139.

[78] *Cantique des Cantiques*, I, 15, IV, 1.

[79] *Traité de l'amour de Dieu*, Livre II, chap. XVI, p. 139.

[80] *Ibid.*, Livre III, chap. XIV, p. 209.

avons vu d'après le *Traité de l'amour de Dieu*[81] que l'être humain a une double convenance avec Dieu, l'une qui provient de sa ressemblance, l'autre de sa correspondance avec lui. Or les sermons nous montrent les limites dans l'un et l'autre cas. S'il s'agit de la ressemblance, nul ne peut douter «que l'image de Dieu qui était en nous avant l'Incarnation du Sauveur (notons ce point de vue historique) ne fut grandement distante de la vive ressemblance de Celui que nous représentions et duquel nous étions les portraits; car quelle proportion y a-t-il, je vous prie, entre Dieu et les créatures?»[82] S'il s'agit de la convenance, il ne faut pas oublier que l'homme a une double extraction, l'une qui est Dieu premier principe de tous les êtres, l'autre qui est le néant, duquel tout a été tiré; en tant que Dieu est notre principe, nous portons en nous quelque chose de la bonté divine; en tant que le néant est notre principe, nous portons quelque imperfection; et cette dualité se rencontre dans toutes les créatures, à l'exception du Christ qui n'était pas simple créature, étant Dieu et homme tout ensemble, et de la Vierge qui fut privilégiée entre toutes.[83] Bien que S. François de Sales ne l'ait point fait, il est aisé d'appliquer cette dualité à l'inclination naturelle que nous avons d'aimer Dieu par dessus toutes choses; en tant que nous sommes du Créateur, nous sommes portés vers lui; en tant que nous sommes du néant, nous sommes bornés dans notre élan, aussi bien dans l'ordre du connaître que dans celui du pouvoir. Le fait toutefois que dans son *Traité de l'amour de Dieu* le saint docteur n'ait point songé à tirer les conclusions de ces prémisses, nous montre que sa grande préoccupation n'est point d'étudier l'homme en tant que tel, mais l'homme tel qu'il nous apparaît à la lumière de l'expérience, de l'histoire et de la Révélation.

A la suite de cette analyse, nous pouvons dire que notre inclination vers Dieu est en même temps et sous divers aspects naturelle et surnaturelle. Ici S. François de Sales distingue deux cas: celui de la justice originelle et celui de la nature rachetée.

Dans l'état de justice originelle:[84] 1° l'homme avait l'inclination d'aimer Dieu par dessus toutes choses; 2° il pouvait réaliser naturellement cette si juste inclination; la raison en est que Dieu donne les moyens nécessaires à l'obtention de la fin; 3° le secours reçu pour réa-

[81] Cf. *supra* notes 68, 72.
[82] *Sermon pour le IIIème dimanche de carême*, t. X, p. 273.
[83] *Sermon pour le dimanche des rameaux*, t. X, p. 342-344.
[84] *Traité de l'amour de Dieu*, Livre I, chap. XVI, t. IV, p. 77-78.

liser ce désir était à la fois naturel et surnaturel, c'est-à-dire spécial et gratuit: naturel comme convenable à la nature et tendant à Dieu en tant que maître et auteur de nature, surnaturel en tant que correspondant non à la nature simple de l'homme, mais à la nature ornée de la justice originelle, qui est une qualité surnaturelle procédant d'une très spéciale faveur de Dieu; 4° l'amour pratiqué avec ce secours était naturel parce qu'il tendait à Dieu «selon qu'il est reconnu auteur, seigneur et souveraine fin de toute créature par la seule lumière naturelle et par conséquent aimable et estimable sur toutes choses par inclination et propension naturelle.»[85]

Deuxièmement dans l'état de nature rachetée: 1° avant la justification la corruption n'est pas telle que toute trace de Dieu soit disparue au cœur de l'homme; la sainte inclination d'aimer Dieu sur toutes choses demeure ainsi que la lumière naturelle qui fait connaître sa souveraine bonté; 2° cette lumière naturelle suscite au fond du cœur un certain élan d'amour par lequel la volonté est prévenue et se sent excitée à se complaire en lui;[86] 3° cet élan de la volonté sert à Dieu comme d'anse pour nous pouvoir plus suavement prendre et tirer à soi;[87] à partir de ce moment nous passons d'un ordre à l'autre, car, quoique nous ayons cette inclination sainte et naturelle d'aimer la divinité sur toutes choses, nous n'avons pas la force de la pratiquer, si cette même divinité ne répand surnaturellement en nous sa très sainte charité,[88] si bien qu'il importe peu que l'on soit disposé naturellement à l'amour; il s'agit d'un amour surnaturel, par lequel on agit surnaturellement;[89] 4° cette tendance surnaturalisée par la grâce ne laisse pas d'être profondément humaine; c'est elle au contraire qui nous permet de nous réaliser plus que pleinement, si bien que S. François de Sales a pu écrire: «Quant à nous, nous voyons que nous ne pouvons pas être vrais hommes sans avoir inclination d'aimer Dieu par dessus toutes choses, ni vrais chrétiens sans pratiquer cette inclination.»[90]

[85] Pour saint François de Sales l'état de justice originelle est distinct de l'état de grâce sanctifiante, bien qu'en fait Adam et Ève aient été créés en état de grâce. Cf. *Sermon pour la fête de la Purification*, t. X, p. 171: «Dieu avait créé l'homme et la femme en la justice originelle, ce qui les rendait extrêmement beaux et tellement *capables de la grâce* qu'il n'y avait point en eux de péché, ni par conséquent de rébellion de la chair à l'esprit... Ils vivaient avec une pureté et innocence très grande, non pas en une pureté et innocence simple, mais *revêtue de la grâce*.»

[86] *Ibid.*, p. 78–79.

[87] *Ibid.*, Livre I, chap. XVIII, p. 84.

[88] *Ibid.*, Livre X, chap. X, t. V, p. 201.

[89] *Ibid.*, Livre XII, chap. I, p. 319–320.

[90] *Ibid.*, Livre X, chap. X, p. 203.

Une dernière question est à résoudre: comment pouvons-nous qualifier ce désir naturel que nous avons du surnaturel?

S. François de Sales nous donne lui-même sa terminologie. Il distingue en effet deux sortes de désirs: ceux qui sont imparfaits et ceux qui sont vrais. Les premiers sont des mouvements d'amour par lesquels nous n'attendons ni ne prétendons nullement les choses que nous désirons, comme quand nous disons: plût à Dieu que je fusse plus jeune; ce ne sont que des souhaits ou suivant les scolastiques des velléités. Les seconds ne s'expriment pas de la sorte; ils ne souffrent pas le conditionnel mais ils exigent l'indicatif; ils ne s'énoncent pas par un «je voudrais,» mais par un «je désire», ou même par un «je veux.» La question qui se poserait pour S. François de Sales, si jamais il se l'était posée, serait donc la suivante: l'homme devant le surnaturel se dit-il je voudrais ou je veux, je désirerais ou je désire? [91]

Il nous faut préciser encore et ajouter que le saint docteur se place toujours du point de vue historique et concret. Le chapitre consacré à la Providence surnaturelle est manifeste à cet égard. Ce qui se déroule à nos yeux dans ces pages vraiment très belles, n'est autre chose que le plan divin dans toute sa splendeur. Le principe qui préside à l'œuvre de la création, n'est autre que le Verbe incarné et c'est pour lui que paraissent successivement et les anges et les hommes; entre toutes les façons dont le Verbe pouvait s'incarner, le Créateur choisit la génération miraculeuse par l'entremise d'une mère qui en même temps est vierge; anges et hommes, doués les uns et les autres de libre arbitre, ont à faire eux-mêmes leur destinée en s'inclinant ou en refusant de se courber devant ce Dieu fait homme. Les anges ou se sauvèrent ou se damnèrent dans le seul instant de leur choix. Pour les hommes il n'en fut pas ainsi. Le père du genre humain prévariqua, entraîna toute sa race dans sa chute; mais la perte ne fut pas cette fois irrémédiable; à chacun est réservée la possibilité du salut par la reconnaissance et l'amour du Rédempteur, le Verbe incarné rachetant les hommes par son obéissance poussée jusqu'à la mort sur la Croix.[92] Ainsi par cette «rédemption copieuse,»[93] se montraient les «richesses de la bonté» divine,[94] rédemption si abondante que «personne n'a jamais pu se douloir que la grâce lui ait manqué.»[95]

La question telle que S. François de Sales devait se la poser, ne devait

[91] *Ibid.*, Livre I, chap. VII, t. IV, p. 44–45.
[92] *Philippiens* II, 8.
[93] *Psaume* CXXIX, 7.
[94] *Romains*, II, 4, IX, 23.
[95] *Traité de l'amour de Dieu*, Livre II, chap. IV, t. IV, p. 99–102.

donc pas prendre une forme abstraite, mais concrète. Il ne devait donc pas se dire: l'homme, considéré en tant qu'homme c'est à dire dans sa nature pure, a-t-il de la vision béatifique un désir parfait ou un désir imparfait, un vouloir ou une vélléité? Ainsi posée, pour lui, du moins à ce qu'il nous semble, cette question n'aurait pas de sens. Ce qu'il va se demander, c'est si chaque homme pris en particulier, sous la poussée de cette inclination vers Dieu, va exprimer un désir vrai ou un désir imparfait de l'éternelle félicité telle qu'elle est manifestée dans le plan divin. Il ne pouvait guères en être autrement pour celui qui est un directeur d'âmes et un praticien de la mystique avant d'être un théologien assis dans une chaire d'université.[96]

Mais, s'il en est ainsi, il est aisé de voir que le problème se déplace; il ne s'agit plus maintenant de la finalité humaine mais de la coopération à l'œuvre divine; nous passons de l'ordre des fins à celui des moyens; nous sommes maintenant dans l'ordre de la causalité.

2. LA CAUSALITÉ DE DIEU

Demandons-nous d'abord quelle est la cause méritoire de cette grâce surnaturelle qui nous est absolument nécessaire pour être élevé jusqu'aux vérités de la Foi.

La réponse est nette et le principe de la gratuité est clairement posé. Dans un sermon que nous avons déjà cité,[97] S. François de Sales décrit la soif de bonheur qui tenaille les humains et qui ne peut avoir qu'en Dieu son apaisement. L'on s'attendrait en suite de cette description que le docte prédicateur nous montre en réponse à cette soif un Dieu tenu en justice de la satisfaire. C'est le contraire qui se produit; Dieu n'est tenu qu'en vertu de sa promesse, qui est de pure miséricorde: la félicité est tellement faite pour l'homme et Dieu la lui a tellement promise qu'il s'est obligé de la lui donner. «Mais il ne lui a pas fait cette promesse

[96] Ce souci de se placer au point de vue historique et pratique paraît encore dans ce passage d'un sermon *Pour le IVe dimanche après Pâques*, t. VII, p. 244: «C'est un vieil axiôme entre les philosophes que tout homme désire de savoir: *Omnis homo natura scire desiderat*, dit Aristote (*Métaph.* I, 1); en quoi l'esprit humain est si ardent, que l'ennemi ne sut trouver tentation plus grande pour décevoir notre premier père que de lui proposer: *Eritis sicut dii, scientes bonum et malum* (*Genèse*, III, 5). C'est ce grand désir qui apprivoisa l'homme avec son ennemi capital par les arts divinatoires et qui baille crédit à tant de pronostiqueurs. Ce fut ce grand désir qui fit sortir d'Athènes et tant courir ce grand Platon, comme dit saint Jérôme (*Epist. ad Paulinum Presb.*); qui fit aller dès le bout de la France et d'Espagne à Rome vers Tite-Live. Ce fut ce désir qui fit renoncer ces anciens philosophes à leur commodité corporelle. Et c'est à ce désir naturel de l'homme auquel Notre Seigneur a égard aujourd'hui, quand pour consoler ses apôtres de son absence il leur promet le très saint Esprit pour leur apprendre toute vérité (*Jean*, XVI, 12–14).»

[97] Cf. *supra*, note 66, 67.

pour aucun sien mérite, ni étant mu ou excité par aucune chose sinon par sa seule bonté et miséricorde.» Sans doute il était raisonnable que Dieu donnât cette félicité, en raison de la convenance qu'elle a avec l'homme; sans doute il y avait de la bienséance que l'homme la possédât. Il n'en est pas moins vrai que le Seigneur a dû s'obliger luimême et que cette obligation n'a d'autre fondement que la bonté. Une fois la promesse formulée, il s'en est suivi une obligation de justice, «mais d'une justice toute miséricordieuse, car c'est par pure miséricorde que Dieu s'est engagé de donner sa gloire à sa créature, gloire qui n'est autre que l'union de nos âmes avec lui.»[98]

Le grand caractère de cette rédemption gratuite n'est autre que l'abondance. Là dessus S. François de Sales est intarissable et l'on peut dire que c'est l'un de ses développements préférés. Cette abondance a sa source non point dans la misère humaine qui réclamerait une rédemption, mais dans la seule nature divine tant de la part du Fils que du Père. Le Fils voit que son Père a extrêmement à cœur la nature humaine; alors sans calculer, sans s'informer ni du prix, ni d'autre chose, il présente un prix que ne valent ni les anges, ni les hommes, une satisfaction beaucoup plus grande que tous les péchés du monde n'avaient pu mériter; d'où S. Paul déclare: Vous avez été rachetés avec un grand prix;[99] le prix certes est grand au regard de la chose.[100] Le Père de son côté regarde avec amour l'excellence du Sauveur qu'il a donné au monde; il voit celui qui est l'aîné de toutes créatures,[101] en qui toutes choses sont faites [102] et qui est le premier dans les divines intentions, celui qui est mort pour tous, car tous étaient morts;[103] dès lors qui doutera de l'abondance des moyens de salut, puisque nous avons un si grand Sauveur? La «débonnaireté divine» s'est revigorée et comme ramassant ses forces, elle a fait surabonder la grâce où l'iniquité avait abondé,[104] de telle sorte que la nature humaine a reçu plus de grâces par la Rédemption du Christ qu'elle n'en eût reçu par l'innocence d'Adam si celui-ci avait persévéré dans l'état où son Seigneur l'avait créé.[105]

Il va de soi dès lors qu'avant la justification l'homme est absolument incapable de mériter en stricte justice les grâces obtenues sur l'arbre de

[98] *Sermon pour la fête de sainte Brigitte*, t, X, p. 20–21.
[99] *I Cor.*, VI, 20.
[100] *Sermon pour le douzième dimanche après la Pentecôte*, t. VII, p. 67–68.
[101] *Coloss.*, I, 15.
[102] *Eccli.*, XXIV, 14.
[103] *II Cor.*, V, 14–15.
[104] *Rom.*, V, 20.
[105] *Traité de l'amour de Dieu*, Livre II, chap. VI, t, IV, p. 102–106.

la croix. Non pas certes que toutes les actions des infidèles soient des péchés: «L'apôtre [106] nous assure que les païens, qui n'ont pas la Foi, font naturellement ce qui appartient à la loi; et quand ils le font, qui peut douter qu'ils ne fassent bien et que Dieu n'en tienne compte?» Cependant ces actions bonnes ne sont pas strictement méritoires du moins dans l'ordre de la grâce; elles sont payées «de monnaie civile et humaine, c'est à dire de commodités naturelles.»[107] Et c'est ainsi que S. François de Sales a pu dire dans un de ses sermons: «Nul ne peut être sauvé en se faisant des lois selon son caprice ou fantaisie, ou se contentant de la loi naturelle.»[108]

Est-ce à dire que ces actions naturellement bonnes ne sont pas d'elles-mêmes une certaine orientation vers le surnaturel? Assurément oui. Dès sa jeunesse le futur docteur de l'Église a soutenu cette thèse. Dans ses notes théologiques il se demande si l'homme par la force de la nature peut faire une œuvre moralement bonne; il répond par l'affirmative et il ajoute: «et même conduisant à la vie éternelle,» se référant au concile d'Orange [109] et au concile de Trente;[110] il précise en ajoutant: «Quand nous parlons de salut auquel conduit l'œuvre moralement bonne, nous voulons dire qu'un empêchement majeur est supprimé: l'homme a moins d'entraves pour arriver au salut puisqu'il agit moralement bien» et il appuie son dire d'un texte de S. Mathieu: *Nonne et ethnici hoc faciunt*? [111] Dans la suite la pensée de S. François de Sales ira s'éclairant. Il ne faut pas toutefois oublier à son endroit qu'il n'est pas un théoricien qui expose des thèses, mais un apôtre qui veut sauver des âmes, un directeur de conscience qui veut les mener à la perfection de l'amour.

Une série de quatre sermons sur la prière, donnés en 1615, un an avant le *Traité de l'amour de Dieu*, nous donnera une suffisante solution. Parlant de la cause efficiente de la prière, le prédicateur déclare que tous les hommes, même les hérétiques, peuvent prier et il allègue l'exemple de ce païen (il s'agit du centurion Corneille) qui fit une oraison si excellente qu'elle mérita d'être présentée devant le trône de la divine Majesté;[112] le terme *mériter* s'y trouve et il ne faut pas le négliger, car il insinue qu'avant même d'être en état de grâce, le païen

[106] *Rom.*, II, 14.
[107] *Traité de l'amour de Dieu*, Livre XI, chap. I, t. V, p. 237.
[108] *Sermon pour la fête de la Présentation*, *O.C.*, t. IX, p. 382.
[109] Conc. 2 Araus., c. 22, 23, 25.
[110] Trid. Sess. 6, c. 7 et 21.
[111] *Opuscules*, Troisième série, *Controverses*, t. XXIII, p. 9; *Matthieu*, V, 47.
[112] *Actes*, X, 4, 30, 31.

peut faire un acte qui soit en quelque façon méritoire. Mais un peu plus loin, mentionnant les conditions d'une bonne prière, S. François de Sales déclare que pour bien faire oraison il faut être enté sur Jésus-Christ crucifié; les preuves apportées à l'appui de cette thèse sont toutes d'ordre scripturaire.[113] Serions-nous devant une antinomie?[114] Rassurons-nous; une distinction va nous apporter un peu de clarté; il existe en effet trois sortes de pécheurs: les impénitents, les pénitents et les justifiés; les premiers, n'étant pas en état de grâce, ne sont pas exaucés; les seconds ne sont pas encore en état de grâce, car le Saint-Esprit n'est pas encore dans leur cœur par résidence; ils ne laissent pas cependant d'être exaucés, car le Saint-Esprit est dans leur cœur par assistance, puisque, suivant la Sainte-Écriture [115] toute bonne pensée pour le salut ne peut venir que de lui; ainsi le publicain sortit justifié du temple où il était entré pécheur.[116] Ainsi se résoudrait l'antinomie précédente; le pécheur peut faire une action méritoire au moins dans une certaine mesure, sans être encore en état de grâce, parce qu'il est déjà enté sur Jésus-Christ par l'assistance qu'il reçoit.[117]

Une telle théorie se rattache aux thèses molinistes sur la prédestination. Dans une fameuse lettre du 26 août 1618, adressée au P. Léonard Lessius, de la Compagnie de Jésus, S. François de Sales félicitait ce docteur en théologie d'avoir soutenu cette doctrine «qui a pour elle l'antiquité, le charme propre et le pur sens de l'Écriture, de la prédestination à la gloire en suite de la prévision des œuvres.»[118] Référence est donnée au *Traité de l'amour de Dieu*, et voici ce qui nous y lisons. D'abord l'ordre ascendant de l'œuvre moralement bonne jusqu'à la gloire: «Dieu voulut le salut de tous ceux qui voudraient contribuer leur consentement aux grâces et faveurs qu'il leur préparerait, offrirait et départirait à cette intention. Or entre ces faveurs il voulut que la vocation fut la première, qu'elle fut tellement attrempée à notre liberté, que nous la puissions accepter ou rejeter à notre gré. Et à ceux desquels il prévit qu'elle serait acceptée, il voulut fournir les sacrés mouvements de la pénitence; et à ceux qui seconderaient ces mouvements, il disposa de donner la sainte charité; et à ceux qui auraient la charité, il délibéra de donner les secours requis pour per-

[113] *Cant.*, II, 2, 3; *Heb.*, V, 7; *Rom.*, XIII, 14; *Genèse*, XXVII, 9–29; I *Pierre*, I, 19.

[114] *Sermon pour le IVe dimanche de carême*, t. IX, p. 51-56.

[115] II *Cor.*, III, 5.

[116] *Luc.*, XVIII, 12–14.

[117] *Sermon pour le dimanche de la Passion*, t. IX, p. 57–58.

[118] *Lettre à Léonard Lessius*, t. XVIII, p. 272–273: «Cognovi tamen Paternitatem vestram sententiam illam antiquitate, suavitate ac scripturarum nativa authoritate nobilissimam de praedestinatione ad gloriam post praevisa opera amplecti ac tueri.»

sévérer; et à ceux qui emploieraient ces divins secours, il résolut de donner la finale persévérance et glorieuse félicité de son amour éternel.» Ensuite l'ordre descendant de la gloire à l'œuvre moralement bonne: «La divine bonté donne la gloire ensuite des mérites, les mérites en suite de la charité, la charité en suite de la pénitence, la pénitence en suite de la fidélité à la vocation et la vocation en suite de la Rédemption du Sauveur.»[119] Nous pouvons ainsi résumer les étapes: 1) vocation, 2) pénitence, 3) charité, 4) persévérance, 5) gloire; or les deux premières étapes se déroulent lorsque l'âme n'est pas encore en état de grâce; il y a donc déjà une certaine manière de mériter. Mais ces mérites eux-mêmes proviennent du divin crucifié; la Croix domine tout.

A la lumière de ce passage, il sera aisé d'expliquer certains chapitres du *Traité de l'amour de Dieu.* Prenons par exemple celui qui est consacré aux diverses sortes de pénitence.[120] S. François distingue la pénitence mauvaise et la pénitence vertueuse; celle-ci comporte trois degrés: une qui est purement morale et humaine, comme celle de Socrate qui au dire de S. Augustin [121] pleura de ne pas être ce qu'il devait être; une qui est morale et religieuse, car elle procède de la connaissance naturelle que l'on a d'avoir offensé Dieu en péchant; enfin la pénitence chrétienne. Ceux qui appartiennent à la première catégorie de pénitents (pénitence mauvaise) n'ont aucun mérite et sont l'objet d'une réprobation. Parmi ceux qui appartiennent à la seconde catégorie (pénitence vertueuse), il faut distinguer; ceux qui se contentent de la pénitence morale et humaine auront certes des mérites mais seulement dans l'ordre temporel; c'est ce que S. François de Sales déclare dans sa digression sur les vertus des païens;[122] dans l'ordre du salut rien de gagné; mais en est-il de même de ceux qui pratiquent une pénitence morale et religieuse? N'ont-ils pas déjà répondu à leur vocation, réponse qui est le premier pas vers la gloire? A la vérité, ceux-là sont peu nombreux dans la gentilité. S. Paul dit des philosophes antiques, qu'ayant connu Dieu, ils ne l'ont pas reconnu comme Dieu,[123] ni Sénèque, ni Platon n'ont su élever leurs mœurs à la hauteur de leur savoir, tant la volonté est faible malgré la lumière de la raison. Il en est un cependant qui fait exception, c'est le bonhomme Épictète qui fait un souhait de mourir en vrai chrétien (comme il est fort probable qu'aussi fit-il) en sorte que dans la pensée salésienne ce sage de l'anti-

[119] *Traité de l'amour de Dieu,* Livre III, chap. V, t. IV, p. 185.
[120] *Ibid.,* Livre II, chap. XVIII, t. IV, p. 146–151.
[121] *De civitate Dei,* XIV, 8.
[122] *Ibid.,* Livre XI, chap. X, t. V, p. 269–272.
[123] *Rom.,* I, 21.

quité doit se rattacher au centurion des *Actes* et au publicain de l'Évangile. Il est aisé de reproduire son itinéraire spirituel. En prévision de ses mérites et par la vertu de la Croix, Épictète correspond à la grâce de la vocation, puis en vertu de cette correspondance à celle de la pénitence; jusqu'ici il est dans l'ordre naturel, mais voisin du surnaturel; il y rentre par l'infusion de la charité dans la vertu du Saint-Esprit; à partir de ce moment ses actes sont surnaturellement méritoires, pourvu toutefois qu'ils soient accomplis sous l'influence de l'amour divin.[124] Et tout ceci se termine grâce au don de persévérance par l'entrée dans la gloire; un philosophe païen a dû parvenir au Ciel.

Mais déjà se pose une nouvelle question, non plus dans l'ordre du mérite, mais dans celui de la causalité.

Le vocabulaire salésien nous donnera peu de renseignements utiles, car S. François de Sales est avare d'épithètes quand il s'agit de qualifier la grâce, en tant qu'elle est un secours d'en haut. La preuve en est la désinvolture avec laquelle il expédie la terminologie courante: «Je sais bien, dit-il, qu'il y a de la différence entre la grâce efficace et la grâce suffisante, comme disent les théologiens, mais je ne suis pas en ce lieu pour prouver et disputer si cette inspiration du *peccavi* de Judas fut efficace aussi bien que celle de David, ou seulement suffisante; elle fut certainement suffisante.»[125] Il préfère parler de grâce prévenante, qu'il identifie une fois avec la grâce suffisante [126] et de grâce coopérante ou concomittante qu'il n'appelle jamais grâce efficace [127] et qu'il confond avec la grâce consommante.[128] La grâce prévenante a pour rôle de charmer l'oreille, c'est-à-dire l'esprit et la volonté de celui qu'elle touche; elle est dans le langage de l'Écriture une attraction,[129] une vocation,[130] une prévenance,[131] une illumination,[132] un coup,[133] une

[124] *Traité de l'amour de Dieu*, Livre XI, chap. XI, t. V, p. 275–279.

[125] *Sermon pour le Vendredi saint*, t. X, p. 377.

[126] *Sommaire d'un sermon pour le deuxième dimanche de carême*, t. VIII, p. 359: «Dieu envoie sa grâce suffisante: *Ne dicas, per Deum abest* (I *Timoth.* II, 4; II *Pierre*, III, 9). Cette grâce est prévenante; elle est de trois espèces, prévenante pour la conversion, prévenante à l'action et prévenante au genre de vie.»

[127] Nous avons relevé seulement cette expression: «Recevoir efficacement la grâce» (*Sermon pour la fête de la Visitation*, t, X, p. 69).

[128] *Sermon pour le mardi après le deuxième dimanche de carême*, t. VIII, p. 364: «B. Bernard., *Ser. Parvi* 39: «Triplex nobis est necessaria benedictio: praeveniens, adiuvans, consummans. Prima misericordiae, 2. gratiae, 3 gloriae.» Ego paulisper immuto divisionem, nam consummantem in perficientem rejicio.»

[129] *Trahe me post te* (*Cant.*, I, 3).

[130] *Multi vocati* (*Matth.*, XX, 16).

[131] *Misericordia eius praeveniet me* (*Psaume* LVIII, 11).

[132] *Exurge qui dormis, et illuminabit te Christus* (*Eph.*, V, 14).

[133] *Sto ad ostium et pulso* (*Apoc.*, III, 20).

flèche,[134], une inspiration,[135] une invitation;[136] tout cela signifie qu'elle met la volonté en action suivant le mot de S. Paul: «Dieu opère en nous le vouloir et le faire.»[137] La grâce coopérante comprend les trois services rendus par l'ange à Tobie; elle dirige directement et indirectement au-dedans et aux dehors; elle protège et défend contre le mal; elle soutient comme Raphaël qui fournit des aliments;[138] ce qui nous donne trois espèces de grâces *cooperans*, *subsequens* et *adiuvans*. Cette terminologie impressionnante ne se rencontre guère que dans une série de sermons consacrés à la conversion de S. Pierre.[139] Ailleurs elle n'apparaît que de loin en loin;[140] c'est dire que S. François de Sales y ajoute peu d'importance. A noter que dans le *Traité de l'amour de Dieu* l'expression *grâce prévenante* est remplacée par *inspiration*.[141] En somme pour connaître la doctrine, le vocabulaire nous est d'un faible secours.

Ceci noté, nous devons souligner un premier principe qui commande cette doctrine salésienne: il est impossible à un homme quel qu'il soit de faire un acte salutaire sans l'action préalable de la grâce: «Sans la grâce nous ne pouvons rien faire, ainsi que nous l'assure la divine amante, quand elle dit: *Trahe me*, *tirez-moi*, à quoi elle ajoute: *Curremus*, nous courrons.»[142] «C'est un avertissement que le grand S. Augustin donnait à tout le monde en général de ne se point appuyer sur ses propres mérites ni de penser que l'on puisse entrer au Ciel par sa propre industrie, sans être aidé de la grâce divine.»[143] D'où l'expression: *moyennant la grâce* qui revient presque chaque fois que le saint directeur des âmes donne un conseil.[144]

[134] *Sagittae tuae acutae* (*Psaume* XLIV, 6); *Posuit me sagittam electam* (*Isaïe*, XLIX, 2).

[135] *Inspiravit in faciem eius spiraculum vitae* (*Genèse*, II, 7).

[136] Saint François de Sales ne donne ici aucune référence à la Sainte Écriture; il ajoute que cette expression *invitatio* est employée pour montrer la liberté laissée au libre arbitre.

[137] *Rom.*, VII, 18, *Philip.*, II, 13.

[138] *Tobie*, VIII–X.

[139] t. VIII, p. 358–369.

[140] 1) Grâce prévenante: *Sermon pour la fête de la Présentation*, t. IX, p. 134; 2) Grâce concomitante, *ibid.*

[141] Livre II, chap, IX, X, XI, XIII, Livre III, chap. IV, Livre VIII, chap III, t. IV, p. 116–118, 120–122, 129, 182, t. V, p. 65. On trouve encore le mot *inspiration* non pas dans le sens général de grâce prévenante, mais dans celui plus précis de signification spéciale de la volonté de Dieu: *Ibid.*, Livre VII, chap. VI, Livre VIII, chap. X, XI, XII, XIII, t. V. p. 89–104.

[142] *Sermon pour la fête de l'Annonciation*, t. X, p. 54. Cf. *Cant.*, I, 3.

[143] *Sermon pour la fête de saint Augustin*, t. X, p. 113. Cf. *Entretiens spirituels*, VII, *De trois lois spirituelles*: «La sainte Église le chante en chaque fête des saints confesseurs: *Dieu a honoré* vos *travaux* en faisant que vous en tirassiez du fruit (*Sagesse*, X, 10); pour montrer que de nous-mêmes nous ne pouvons rien sans la grâce de Dieu, en laquelle nous devons mettre notre confiance, n'attendant rien de nous-mêmes.» t. VI, p. 108.

[144] *Introduction à la vie dévote*, Première partie, chap. VII, chap. XXI, Seconde partie, chap. I, Cinquième partie, chap. II, VII, t. III, p. 33, 60, 70, 341, 351; *Lettre à la baronne de Chantal*, juin 1605; *Lettre à la même*, 2 juillet 1607; *Lettre à Madame de la Fléchère*, avril ou mai

Deuxième principe: cette grâce nécessaire n'est refusée à personne, en sorte que nul n'est damné que par sa faute: «Dieu la (grâce) donne toujours suffisante à quiconque veut la recevoir; ceci est une chose toute claire, tous les théologiens en sont d'accord et le Concile de Trente [145] a déclaré que jamais la grâce ne nous manque, mais que c'est nous qui manquons à la grâce, ne la voulant recevoir ou lui donner notre consentement. Les damnés seront contraints de confesser, comme l'écrit saint Denis l'aréopagite,[146] que c'est par leur faute et non par celle de la grâce qu'ils ont été précipités et condamnés aux flammes éternelles, parce qu'ils ont manqué à la grâce et non point parce qu'elle leur a manqué.»[147]

Cette grâce nécessaire, accordée à tous les hommes, ne contraint nullement la volonté, mais nous laisse libre de donner ou de refuser notre consentement. Dans un sermon pour le mardi de Pâques, S. François de Sales fait le dénombrement des soldats qui sont à notre disposition dans le combat que nous devons mener pour acquérir la paix dont parle le Seigneur dans l'Évangile.[148] Le premier est l'entendement, le second la mémoire, mais le troisième et le plus fort de tous c'est la volonté, car nul ne peut surmonter la liberté de la volonté humaine; Dieu même qui l'a créée ne veut en façon quelconque la forcer ni la violenter.[149] Cette thèse se trouve aussi fortement exprimée dans le *Traité de l'amour de Dieu*; l'homme, est-il dit, peut ou suivre la volonté de Dieu par obéissance ou lui résister par désobéissance; car Dieu fait trois actes de sa volonté pour ce regard: il veut que nous puissions résister, il désire que nous ne résistions pas, et permet néanmoins que nous résistions si nous voulons, et, si notre résistance vient de notre malice, notre possibilité de résister vient de notre naturelle condition et liberté, car Dieu laisse notre vouloir en la main de notre franc arbitre [150] et permet qu'il choisisse le mal.[151] Ainsi est formulée la doctrine du saint concile de Trente [152] qui affirme: Si quelqu'un disait

1608; *Lettre à Claudine Châtel*, 18 mai 1608; *Lettre à Madame de la Fléchère*, 16 juillet 1608; *Lettre à la baronne de Chantal*, 7 décembre 1608; *Lettre aux religieuses de la Visitation d'Annecy*, 1 avril 1612; *Lettre à la sœur Favre*, 14 mai 1615; *Lettre à la même*, fin novembre 1615, t. XIII, p. 52, 295, t. XIV, p. 7, 20, 54, 91, t. XV, p. 207, t. XVI, p. 863, t. XVII, p. 94.

[145] Session VI, chap. XIII.

[146] *De Eccles. Hierarc.*, chap. VII, §, 2.

[147] *Sermon pour le jeudi après le deuxième dimanche de carême, coïncidant avec la fête de S. Matthias*, t. X, p. 248–249.

[148] *Luc*, XXIV, 36–39.

[149] t. IX, p. 287–288.

[150] *Eccli.*, XV, 14.

[151] *Traité de l'amour de Dieu*, Livre VIII, chap. III, t. V, p. 65.

[152] Sess. VI, can. 4.

que le franc arbitre de l'homme, étant mu et incité de Dieu, ne coopère en rien à Dieu qui l'émeut et l'appelle afin qu'il se dispose et prépare pour obtenir la grâce de la justification, et qu'il ne peut n'y consentir s'il veut, certes, un tel serait excommunié.[153]

Essayons maintenant de suivre S. François de Sales dans cette analyse de la collaboration humano-divine. Nous aurons ainsi l'occasion de noter sinon sa dérobade, au moins ses imprécisions. Notre guide en cette recherche se trouve dans les fameux chapitres du *Traité de l'amour de Dieu* où cette question est traitée.[154]

Première étape: l'homme avant la justification, soit qu'il n'ait pas encore la Foi, soit qu'il ait perdu la grâce par le péché mortel, par rapport au surnaturel est dans une impuissance relative, relative parce qu'il possède de quoi être élevé (inclination naturelle à aimer par dessus toutes choses),[155] mais réelle car il est incapable à lui seul de se déprendre du péché et de se lancer ou relancer au vol de la sacrée dilection; c'est la fameuse comparaison de l'apode, cet oiseau qui certes possède des jambes, mais extrêmement courtes, des pieds mais sans force, et qui ne s'en sert non plus que s'il n'en avait point.[156]

Deuxième étape: la grâce prévenante ou inspiration, qui par les mérites de la rédemption n'est refusée à personne, se présente non par manière de cause déterminante, ni par manière de délectation victorieuse, mais par manière d'attrait; c'est un premier élan ou ébranlement que Dieu donne en nos cœurs pour les inciter à leur bien et qui se fait vraiment en nous, mais sans nous.[157]

Troisième étape: Ici il faut distinguer deux hypothèses: 1° Refus de la volonté libre; sur ce point il faut noter avec force que la faute incombe à l'homme seul et que la grâce n'y est pour rien; car elle est assez d'elle-même pour assurer le succès si l'homme donnait son consentement. 2° Acceptation de la volonté; nous rencontrons trois sortes de verbes: *a*) verbes qui marquent l'action humaine: «C'est à

[153] *Traité de l'amour de Dieu*, Livre II, chap. XI, XIII, XVIII, t. IV, p. 122, 128, 161. Ainsi à quarante pages d'intervalle le décret du Concile de Trente qui consacre la liberté humaine, est cité trois fois. C'est montrer l'importance qu'y attache S. François de Sales.

[154] Livre II, chap. IX, «Comme l'amour éternel de Dieu envers nous prévient nos cœurs de son inspiration afin que nous l'aimions»; chap. X, «Que nous repoussons bien souvent l'inspiration et refusons d'aimer Dieu»; chap. XI, «Qu'il ne tient pas à la divine bonté que nous n'ayons un excellent amour»; chap. XII, «Que les attraits divins nous laissent en pleine liberté de les suivre ou les repousser»; chap. XIII, «Des premiers sentiments d'amour que les attraits divins font en l'âme avant qu'elle ait la foi,» t. IV, p. 115–133.

[155] *Ibid.*, Livre I, chap. XVI–XVIII, t. IV, p. 77–86; cf. la première partie de ce chapitre sur cette inclination naturelle et sa portée.

[156] *Ibid.*, Livre II, chap. IX, XII, XIII, t. VI, p. 115–116, 182, 129.

[157] *Ibid.*, Livre II, chap. IX, t. IV, p. 116–117.

nous de *consentir* aux inspirations pour les seconder;»[158] notre esprit sentant «les ailes de son inclination *émues*, *dépliées*, *étendues*, *poussées* et *agitées* par ce vent céleste, *contribue* tant soit peu à son *consentement*;»[159] *b*) verbes qui marquent l'action divine: *communiquer* la force sans *ôter* la liberté, *ajuster* la puissance et *maintenir* puissamment la liberté, *provoquer* à demander sans *forcer*, ni *nécessiter*;[160] *c*) verbes qui marquent l'étroite union de l'une et l'autre action: «La même inspiration qui nous a saisi, *mêlant* son action avec notre consentement, animant nos faibles mouvements avec la force du sien, et vivifiant notre imbécile coopération avec la force de son opération, elle nous aidera, conduira et accompagnera d'amour en amour jusqu'à l'acte de la très sainte foi, requis pour notre conversion.»[161] Dans cette mêlée, l'action de la grâce est prédominante, sans être déterminante; celle de l'homme est subséquente, sans être déterminée; il n'est pas dit d'elle non plus qu'elle rend efficace le concours divin, qui de lui-même a une force suffisante pour attirer et soutenir la volonté. Nous ne sommes certainement pas dans la prémotion physique des thomistes. Sommes-nous dans le concours simultané des molinistes? Ce n'est pas tellement certain. Pour notre compte, nous croyons que S. François de Sales a savamment choisi ses termes pour n'avoir l'air de se prononcer.[162]

Quatrième étape: La justification obtenue par la coopération de la grâce et de la volonté libre, la possibilité demeure d'une chute qui peut

[158] *Ibid.*, Livre II, chap. XII, t. IV, p. 129.
[159] *Ibid.*, Livre II, chap. XIII, t. IV, p. 129.
[160] *Ibid.*, Livre II, chap. XII, t. IV, p. 127, 128.

Le concours divin		Le concours humain	
portée	limite	portée	limite
communiquer la force	sans ôter la liberté	consentir aux inspirations pour les seconder	Les inspirations nous préviennent
ajuster la puissance	et maintenir puissamment la liberté	contribuer tant soit peu son consentement	les ailes... poussées et agitées

[161] *Ibid.*, Livre II, chap. XIII, t. IV, p. 129–130.
[162] Cf. F. Vincent, *S. François de Sales directeur d'âmes*, p. 48. Paris, 1923; M. D. Chenu, «Bulletin d'histoire des doctrines chrétiennes. Période moderne,» dans *Revue des sciences philosophiques et théologiques*, t. XII, 1923, p. 252–253; H. Bremond, *Histoire littéraire du sentiment religieux en France*, t. I, *L'humanisme dévot*, p. 84–92. Paris, 1929; J. Leclercq, *Saint François de Sales docteur de la perfection*, p. 40–44. Paris, 1948.

même devenir irrémédiable [163] et que le *Traité de l'amour de Dieu* décrit longuement;[164] la possibilité demeure aussi d'une longue montée que nous n'avons pas à dépeindre ici. Disons simplement que cette montée est à la fois en ligne droite et en ligne interrompue (nous ne disons pas en ligne brisée): en ligne droite parce qu'elle a son point de départ dans l'inclination naturelle de l'homme vers Dieu, inclination dont la perfection chrétienne est le véritable épanouissement, en ligne interrompue parce qu'en fait les hommes, philosophes compris, se sont révélés impuissants à se maintenir dans la vertu et la vérité, parce que toute créature est composée d'être et de privation et que par ses puissances son pouvoir n'est pas sans limite. Quoi qu'il en soit il n'y a pas d'opposition entre la grâce et la nature, l'une est dans l'ordre actuel l'achèvement de l'autre, si bien que commencée dans l'ombre et la peine la vie humaine se termine dans la pleine et béatifiante vision d'un Dieu qui nous comble à jamais.

Notre conclusion sera brève et portera sur deux points.

Premièrement, quelles sont les sources de S. François de Sales? Il faut se rappeler que l'évêque de Genève, comme nous l'avons dit fort souvent, n'a rien d'un théologien professionnel; il veut conduire les âmes à la perfection et pour cette raison prend son bien où il le trouve. Nous aurons donc des sources diverses et prises dans des directions opposées. Ainsi l'inclination vers l'amour parfait de Dieu est fondé à la fois sur la ressemblance de l'âme à son Créateur (nous songeons alors à l'école franciscaine) [165] et sur la correspondance du Créateur à l'âme humaine (nous songeons alors à S. Thomas) [166]. La théorie salésienne de la cause méritoire est, nous l'avons vu, empruntée à Lessius.[167] Quant à la coopération de la grâce et de la volonté libre, nous retrouvons constamment le nom de S. Augustin, dont il est fait sur ce point précis un très grand éloge.[168] La description de la grâce prévenante ou

[163] *Plan d'un sermon pour le troisième dimanche carême*, t. VIII, p. 307–308. Il s'agit dans ce sermon du péché contre le Saint-Esprit.

[164] *Traité de l'amour de Dieu*, Livre IV, *De la décadence et ruine de la charité*, t. IV, p. 215–301.

[165] Cf. H. DE LUBAC, *Le surnaturel*, p. 162 sv. Paris, 1945.

[166] *Traité de l'amour de Dieu*, Livre I, chap. XV, «De la convenance qui est entre Dieu et l'homme,» t. IV, p. 75, 76. Le chapitre commence par une citation d'Aristote: «Notre entendement n'a jamais tant de plaisir qu'en cette pensée de la Divinité, de laquelle la moindre connaissance, comme dit le prince des philosophes (*De part. Animal.*, I, c. V), vaut mieux que la plus grande des autres choses.» Bien que S. Thomas ne soit pas nommé, la fin du chapitre est visiblement inspirée de la Ie IIae de la *Summa theologica*.

[167] Cf. *supra*, note 118.

[168] *Sermon pour la fête de S. Augustin*, t. IX, p. 331.

inspiration dans le *Traité de l'amour de Dieu*[169] est inspirée des dissertations augustiniennes sur S. Jean mais le climat n'est pas complètement le même: l'optimisme salésien a pris le pas sur le pessimisme augustinien, la grâce abondamment répandue se concilie difficilement avec la *massa damnata*, le pélagianisme n'est plus l'erreur à combattre mais le protestantisme et si le souci de sauvegarder la prédominance de la grâce existe encore, il est largement compensé par celui de donner sa juste place au libre arbitre. S. François de Sales a mis sa marque originale sur chacun de ses emprunts.

Deuxièmement, S. François de Sales ne peut guère être pour nous qu'un témoin d'une tradition à laquelle il donne le poids de son autorité doctorale; avec lui nous pouvons omettre de mentionner l'hypothétique nature pure et nous mettre non sur le plan purement philosophique mais principalement historique; avec lui nous pouvons parler d'une inclination naturelle vers la perfection de l'amour divin, inclination de soi inefficace et dont l'homme ne saisit toute la portée que dans la lumière de la Foi et sous la poussée de l'espérance. Mais il ne faut pas lui demander de résoudre les problèmes qui nous tracassent de nos jours; pas plus que les auteurs spirituels ses contemporains il ne cherche à concilier l'antinomie grâce nécessaire et grâce gratuite; il se contente de constater que dans le monde tel qu'il se présente dans l'ordre de la Providence surnaturelle l'idéal humain se réalise sur un plan surhumain, de telle sorte que pour l'atteindre il faut avoir un secours qui cependant n'est pas dû. Comment cela se peut-il faire? Cette question qui nous tourmente, S. François de Sales ne se la pose pas. A chaque époque suffit son mal.

169 *Traité de l'amour de Dieu*, Livre II, chap. XII, XXI, t. IV, p. 126, 128, 159. Cf. S. Augustin, *Tractatus in Ioannem*, XXVI, 5, XV, 12, XXVI, 2.

CHAPITRE II

LES DEGRÉS DE PERFECTION* D'APRÈS SAINT FRANÇOIS DE SALES

Dans un sermon prononcé pour la fête de saint Thomas, le 21 décembre 1622, c'est-à-dire quelques jours avant sa mort, saint François de Sales écrit: «Il faut remarquer une chose de très grande importance, qui est que l'homme ne monte pas à la perfection tout d'un coup, mais petit à petit, de degré en degré. De même en est-il pour ce qui est de déchoir d'icelle et de tomber en quelque péché et imperfection: l'on ne tombe pas tout à coup, mais des petites fautes l'on vient aux plus grandes.»[1]

Il serait invraisemblable que cette «chose de très grande importance» n'ait pas laissé de trace dans l'œuvre salésienne. Il ne faut pas oublier cependant que le docteur du pur amour n'a rien d'un professeur; il n'entend nullement donner un cours magistral, clairement composé, froidement développé, lumineux et sans chaleur. Pasteur d'âmes avant tout, il entend sans doute instruire mais il veut principalement entraîner dans un vaste élan vers les cimes de la charité; il n'a souci de compter les marches et si, d'aventure, une de ses philothées désire savoir où elle en est, il lui conseille l'indifférence en ce qui regarde son avancement dans la vertu.[2] Donc, chez lui, nulle description voulue et suivie des divines demeures qui constituent le château de l'âme. C'est à travers toute l'œuvre qu'il faudra chercher, glaner de-ci un trait, de-là un autre, pour élaborer à la fin une magnifique synthèse.

Le *Traité de l'amour de Dieu* toutefois nous donne le point de départ et le point d'arrivée. Le point de départ n'est autre que l'inclination naturelle que nous avons d'aimer Dieu par dessus toutes choses, inclination qui n'est nullement détruite par le péché, et dont Dieu se

* Paru dans *Revue d'ascétique et de mystique*, t. XLIV, p. 11–32 (1968).

[1] t. X, p. 407.

[2] *Traité de l'amour de Dieu*, Livre IX, chap. VII, t. V, p. 129.

sert comme d'une «anse» pour nous élever jusqu'à lui. Le point d'arrivée n'est autre que cette même inclination parvenue à son point de perfection suprême car «nous voyons bien que nous ne pouvons être vrais hommes sans avoir inclination d'aimer Dieu plus que nous-mêmes, ni vrais chrétiens sans pratiquer cette inclination,» en sorte que la perfection de l'homme ne se réalise vraiment que dans celle du chrétien.[3] Mais de l'une à l'autre il y a place pour une longue montée, dont il nous faut maintenant déterminer les degrés.

Pour ce faire, nous bornerons notre enquête aux deux grands ouvrages salésiens: l'*Introduction à la vie dévote* et *le Traité de l'amour de Dieu.*

I. L'INTRODUCTION À LA VIE DÉVOTE

En lisant attentivement l'*Introduction à la vie dévote* pour y discerner les degrés de perfection, nous trouvons, dès le début de l'ouvrage, une distinction importante. A sa manière habituelle, le saint docteur procède par comparaison; et nous savons l'importance qu'il attache aux métaphores et aux images.[4]

> Les autruches ne volent jamais; les poules volent, pesamment toutefois, bassement et rarement; mais les aigles, les colombes et les arondelles volent souvent, vistement et hautement.[5]

L'explication suit immédiatement:

> Ainsy les pécheurs ne volent point en Dieu, ains font toutes leurs courses en la terre et pour la terre; les gens de bien qui n'ont pas encor atteint à la dévotion volent en Dieu par leurs bonnes actions, mais rarement, lentement et pesamment; les personnes dévotes volent en Dieu fréquemment, promptement et hautement.

En somme trois degrés que l'on pourrait transcrire en ces termes: le péché, la tiédeur, la ferveur.

Cette division, nous la retrouvons objectivement, c'est-à-dire en considérant non plus l'état des âmes, mais l'objet qui se présente au cours de notre existence terrestre. C'est ainsi que nous aurons les amitiés mauvaises et frivoles qui correspondent à l'état de péché,[6] les amourettes qui correspondent à l'état de tiédeur,[7] les amitiés vraies

[3] *Ibid.*, Livre I, chap. XVIII, t. IV, p. 84 et Livre X, chap. X, t. V, p. 203.
[4] Cf. H. LEMAIRE, *Les images chez saint François de Sales*. Paris, Nizet, 1962.
[5] *Introduction à la vie dévote,* Première partie, chap. I, t. III, p. 15.
[6] *Ibid.*, Troisième partie, chap. XVII.
[7] *Ibid.*, chap. XVIII.

qui correspondent à l'état de ferveur.[8] Dans le même ordre, nous aurons, correspondant à l'état de péché les jeux défendus,[9] correspondant à l'état de tiédeur les passe-temps loisibles mais dangereux,[10] et correspondant à la ferveur les passe-temps loisibles et louables.[11] Nous devons toutefois parler en l'occurrence d'une certaine relativité; car, pour des raisons valables et sous certaines conditions assez draconiennes, il sera, par exemple, non seulement permis, mais obligatoire d'aller danser.

Somme toute, cette première division ne nous apprend pas grand'-chose, sinon que la psychologie salésienne n'a rien d'absolu, mais qu'elle tient compte des circonstances.

Une autre distinction va nous apporter des précisions:

La vraie et vivante dévotion présuppose l'amour de Dieu, ains elle n'est autre chose qu'un vray amour de Dieu; mais non pas toutefois un amour tel quel: car en tant que l'amour divin embellit nostre ame, il s'appelle grâce, nous rendant agréables à sa divine Majesté; en tant qu'il nous donne la force de bien faire, il s'appelle charité; mais quand il est parvenu jusqu'au *degré de perfection*, auquel il ne nous fait pas seulement bien faire, mais nous fait opérer soigneusement, fréquemment et promptement, alors il s'appelle dévotion.[12]

Dans cette seconde classification, il n'est plus question des pécheurs mais seulement des âmes en état de grâce, et celles-ci sont réparties en trois catégories: 1) celles qui se contentent d'éviter le péché mortel, quitte à se relever dès qu'elles l'ont commis; 2) celles qui font des efforts pour progresser dans la vertu, mais avec grande difficulté; 3) les âmes dévotes pour qui la vertu se pratique soigneusement, promptement, fréquemment. Avons-nous ici la division classique: débutants, progressants, parfaits, ou, pour parler un autre langage, vie purgative, vie illuminative, vie unitive? C'est fort probable, la première et la seconde partie de l'*Introduction* traitant de la vie purgative, la troisième, la quatrième et la cinquième de la vie illuminative, la vie unitive étant réservée pour le *Traité de l'amour de Dieu*.

Des éclaircissements sont apportés dans d'autres chapitres. Rappelons-nous pourtant que saint François de Sales n'a rien d'un profes-

[8] *Ibid.*, chap. XIX.
[9] *Ibid.*, chap. XXXII.
[10] *Ibid.*, chap. XXXIII.
[11] *Ibid.*, chap. XXXI.
[12] *Ibid.*, Première partie, chap. I, t. III, p. 14–15.

seur; il n'entend pas nous proposer un classement systématique. Il prend, au contraire, beaucoup de liberté, ne serait-ce que pour l'agrément du style; rien, chez lui n'est stéréotypé. L'ordre n'est jamais le même d'un chapitre à l'autre; à travers les images et les sourires, ce qui règne, c'est la variété. Cette remarque faite, nous examinerons successivement les deux vertus d'humilité et de chasteté.

a) *L'humilité* [13]

Au bas de l'échelle, nous trouvons ceux qui recherchent la «vaine gloire,» les honneurs, les rangs, les dignités, toutes choses «qui se portent mieux d'être foulées aux pieds.»

A un degré supérieur, se rencontrent ceux qui pratiquent une humilité qui, «dans le fond, n'est que sagesse» (songeons à Montaigne et à Charron). Ils fuient les honneurs, ou, s'ils les ont, ils n'y mettent point leur cœur, non certes par amour de Dieu, mais bien pour éviter les inconvénients qui s'attachent aux premières places; les troubles, les inquiétudes, les contentions, les disputes.

Montons d'un rang. Voici maintenant ceux qui pratiquent une fausse humilité. Ces chrétiens vivent au-dedans d'eux-mêmes; ils font oraison; mais, dans cette oraison, ils refusent de regarder les dons de Dieu, de peur, disent-ils, de s'y complaire et d'en tirer vaine gloire. Ils ne voient et ne veulent voir que leur bassesse et leur misère. Ils n'ont à la bouche que paroles d'humilité. Qu'on y prenne garde, c'est pour qu'il leur soit répondu par des louanges. S'ils choisissent la dernière place, c'est pour qu'on leur dise de monter plus haut. Prenez-les au sérieux; abondez dans leur sens et couvrez-les de reproches; passez près d'eux sans les voir et laissez-les dans leur triste posture. Que vienne une légère persécution, et sans tarder, leur soi-disant humilité s'envole, l'orgueil foncier réapparaît.

La véritable humilité est d'un autre comportement. Intérieurement, elle n'hésite pas à regarder tant les bienfaits de Dieu à son égard que ses négligences à l'égard de Dieu. Si la vue des grâces reçues lui fait concevoir une vaine complaisance, sans aucune peine elle insiste sur ses misères pour se mettre à sa vraie place. Avant tout, elle est sincère; à chaque parole de misère correspond un sentiment véritable; en même

[13] *Ibid.*, Troisième partie, chap. IV–VII.

temps, elle est simple: sans complications, elle s'adapte aux circonstances et s'élève ou s'abaisse suivant les cas.

Nous arrivons ainsi au degré suprême: l'amour de l'abjection. L'abjection n'est point l'humilité; c'est «la petitesse, bassesse, et vileté qui est en nous, sans que nous y pensions»; mais, quant à la vertu d'humilité, c'est la véritable connaissance et volontaire reconnaissance de notre abjection. Or, «le haut point de cette humilité, gît à non seulement reconnaître volontairement notre abjection, mais l'aimer et s'y complaire, et non point par manquement de courage et générosité, mais pour exalter tant plus la divine Majesté et exalter beaucoup plus le prochain en comparaison de nous-même.»[14] Il est vrai, que si la réputation est en jeu, la charité demande qu'on la défende, car elle est le fondement des relations sociales. Ce qui n'empêche nullement le chrétien d'aimer son abjection et de s'y complaire.

b) *La chasteté*

Elle aussi, elle présente plusieurs degrés. Cette fois, saint François de Sales est explicite et nous n'avons qu'à le laisser parler:

> Pour le premier degré, gardez-vous d'admettre aucune sorte de volupté qui sont prohibées et défendues, comme sont toutes celles qui se prennent hors le mariage, ou même au mariage quand elles se prennent contre la règle du mariage.
>
> Pour le second, retranchez-vous tant qu'il vous sera possible des délectations inutiles et superflues quoique loisibles et permises.
>
> Pour le troisième, n'attachez point votre affection aux plaisirs et voluptés qui sont commandées et ordonnées; car bien qu'il faille pratiquer les délectations nécessaires, c'est-à-dire celles qui regardent la fin et institution du saint mariage, ne faut-il pas pourtant y jamais attacher le cœur et l'esprit.[15]

A ce tableau positif correspond un tableau négatif qui nous donne les degrés dans le mal, ou, pour parler le langage salésien, «dans l'impudicité.» Là encore nous avons trois degrés:[16]

> La chasteté peut se perdre en autant de façons qu'il y a d'impudicités ou lascivetés, lesquelles, selon qu'elles sont grandes ou petites, les unes l'affaiblissent, les autres la blessent et les autres la font tout à fait mourir.

D'abord les «impudicités» qui affaiblissent:

[14] *Ibid.*, chap. VI, t. III, p. 151.
[15] *Ibid.*, chap. XII, t. III, p. 176.
[16] *Ibid.*, chap. XIII, t. III, p. 183.

Il y a certaines privautés et passions indiscrètes, folâtres et sensuelles, qui, à proprement parler, ne violent pas la chasteté, et néanmoins elles l'affaiblissent, la rendent languissante et ternissent sa belle blancheur..

Ensuite celles qui blessent:

Il y a d'autres privautés et passions, non seulement indiscrètes mais vicieuses, non seulement folâtres mais déshonnêtes, non seulement sensuelles mais charnelles; et par celles-ci la chasteté est, pour le moins, fort blessée et intéressée.

Enfin celles qui tuent:

Je dis: pour le moins, parce qu'elle en meurt et périt du tout, quand les sottises et lascivetés donnent à la chair le dernier effet du plaisir voluptueux; ains alors la chasteté périt plus indignement, méchamment et malheureusement que quand elle se perd par la fornication, voire par l'adultère et l'inceste; car ces dernières espèces de vilainie ne sont que des péchés, mais les autres, comme dit Tertullien, au livre *De la Pudicité*, sont des «monstres» d'iniquité et de péché.

Tout ce que nous venons de rappeler peut s'exprimer, en résumé, dans le tableau suivant:

	amitiés	loisirs	humilité	chasteté
Péché (autruche)	mauvaises	défendus	vaine gloire	ce qui la tue ce qui la blesse
tiédeur (poules)	amourettes	dangereux	humilité - sagesse	ce qui l'affaiblit
ferveur 1) débutants	vraies	loisibles et bons	humilité intérieure mais fausse	évite le plaisir défendu
2) progressants			humilité intérieure et vraie	retranche les délectations inutiles
3) parfaits			amour de l'abjection	évite l'attachement dans le devoir accompli

Le plus remarquable en cette gradation, c'est surtout la souplesse, souplesse toute salésienne et qui se manifeste de deux façons. D'abord par l'absence de définitions: rien de théorique ni d'abstrait, rien de professoral; mais des descriptions psychologiques, des analyses très fines et tout en nuances. Ensuite, pas de frontières nettement marquées, mais d'un degré à l'autre un passage comme insensible; c'est du vécu; la montée vers Dieu est une montée qui ne se perçoit pas.

Tout est d'un doigté très délicat; et le tort, plus tard, des rigoristes sera de négliger ces nuances salésiennes et de mettre, si l'on nous pardonne cette comparaison triviale, tout le monde dans le même sac de cette perfection. N'oublions pas cependant que cette perfection n'est encore qu'esquissée; nous avons à peine abordé le rivage de la mystique; un autre ouvrage nous y conduira.

2. LE TRAITÉ DE L'AMOUR DE DIEU: LA ZONE DU PÉCHÉ

Une surprise cependant nous attend. La grande envolée vers les sommets de l'oraison ne se présentera pas de suite à la curiosité de nos regards. Une fois de plus il nous faut partir des basses vallées, c'est-à-dire de la nature humaine «navrée» par la faute de notre premier père. Aussi bien, ce sont tout d'abord les philosophes païens, leurs vices et leurs vertus qui cette fois représenteront la zone du péché. Ceci est normal, et pour deux raisons.

D'abord, il ne faut pas oublier que les humanités grécolatines étaient à la mode. Saint François de Sales fit ses études secondaires au Collège de Clermont, tenu par les jésuites; là il eut entre autres professeurs B. Castori à qui l'on doit une *Institutione civile cristiana*, bourrée de citations des écrivains de l'antiquité,[17] et, parmi les auteurs recommandés dans l'*Introduction à la vie dévote*, nous rencontrons à plusieurs reprises Louis de Grenade [18] dont les *Collectanea moralis philosophiae* (publiées en 1582) contenaient nombre de sentences empruntées à Sénèque, Epictète et Plutarque.[19] Enfin l'on sait quelle admiration l'évêque de Genève vouait à l'archevêque de Milan, dont il recommandait la Vie; or saint Charles Borromée gardait dans sa bibliothèque à portée de sa main son cher Epictète. C'était d'ailleurs l'époque où le feuillant Jean de Saint-François avait donné du *Manuel* une traduction que saint François de Sales appelle «docte et belle.»[20] Il ne faut donc pas s'étonner de rencontrer les stoïciens dans le *Traité de l'amour de Dieu.*

Il ne faut pas s'en étonner pour une autre raison, qui ne tenait pas,

[17] Cf. Julien-Eymard, «Étude sur les citations de Sénèque et d'Épictète dans l'*Institutione civile* de B. Castori (1622),» dans *Mélanges de science religieuse*, t. XVII, 1960, p. 81–130.

[18] Première partie, chap. VI; Seconde partie, chap. I et XVII.

[19] Cf. Julien-Eymard, «Les citations de Sénèque dans les sermons de Louis de Grenade (1505–1589),» dans *RAM* 36, 1960, p 447–465; *ibid.*, 37, 1961, p. 31–46.

[20] *Traité de l'amour de Dieu*, Livre I, chap. XVII, t. IV, p. 81.

celle-ci, aux circonstances mais à l'essence même du salésianisme. Saint François de Sales, en effet, entendait dans son enquête même sur l'amour divin, partir de la nature humaine, non d'une nature abstraite vue à travers la lointaine métaphysique, mais de la nature humaine concrète, telle qu'elle se présente aux yeux d'un simple mortel. Cette nature, où pouvait-il la rencontrer? Sans doute il avait son expérience de pasteur; mais il devait lui répugner de l'utiliser dans un ouvrage, et de fait le *Traité de l'amour de Dieu* ne fait nullement appel à une correspondance pourtant nombreuse. Il aurait pu la trouver dans les récits de missionnaires, mais ces cannibales dont fait état un Montaigne ne sont point montés jusqu'en Annecy. Il ne lui reste plus qu'à se pencher sur les auteurs de l'antiquité gréco-latine, ces auteurs qui lui sont familiers et qu'il pratique, malgré tout, avec un intérêt certain. Force nous est de voir comment, chez saint François de Sales, ils se présentent à nos yeux.

Ils se présentent tout d'abord très mal. Et nous aurons là le bas de l'échelle, le dernier degré dans la montée vers Dieu, ou, pour emprunter la métaphore salésienne, le monde des «autruches.» Il leur est reproché d'avoir connu Dieu et, malgré cette connaissance, de ne pas l'avoir véritablement aimé. Qu'ils l'aient connu, cela ne fait aucun doute. Socrate connaissait clairement l'unité divine. Platon disait que philosopher n'est autre chose qu'aimer Dieu, et que le philosophe n'est autre qu'un amateur de Dieu. Aristote prouve l'unité divine dont il parle honorablement en trois endroits. Mais de la connaissance à l'action, il n'y a nul passage. Comme le dit l'Apôtre (*Rom.* I, 18–21), s'ils ont reconnu le Seigneur ils ne l'ont pas glorifié comme Seigneur. Socrate, Platon, Trismégiste, même Epictète parlent des dieux comme s'il y en avait plusieurs. Ils n'ont eu somme toute qu'un vouloir paralytique, qui voit la piscine salutaire du saint amour, mais sans la force de s'y jeter.[21]

Que valent, dans ces circonstances, les vertus des païens? Saint François de Sales constate d'abord que «ces gens-là renversent volontairement et comme à prix fait toutes les lois de la religion.» Sénèque pratique des superstitions qu'il condamne. Caton d'Utique en se tuant témoigne d'une âme infirme qui n'a pas l'assurance d'attendre l'adversité. Le plus grand parmi eux, Aristote, non seulement, permet

[21] Cf. *Jean* 5, 2. En tout ceci sant François de Sales s'inspire du livre VIII de la *Cité de Dieu* de saint Augustin.

l'abandon des enfants, mais profère même cette «impiteuse sentence» qu'il faut prévenir et procurer l'avortement. Certes, les païens ont pratiqué quelques vertus, mais ce n'était là qu'une apparence, car la vertu n'est pas vraie vertu, si elle n'a pas la vraie intention; or l'intention des païens n'était autre que la convoitise. Un Diogène fuyait sans doute la vanité, mais c'était par vanité. Fabricius réprimait l'avarice, mais c'était par amour de la vaine gloire. Non, ce ne fut pas l'amour de l'honnêteté mais l'amour de l'honneur qui poussa ces sages mondains à l'exercice des vertus et leurs apparentes vertus différèrent autant des vraies que l'amour de la récompense diffère de l'amour du mérite et de l'honnêteté. En somme, ce qui leur manquait, c'était la chaleur de l'amour de Dieu, qui seule pouvait les perfectionner.[22]

Cela n'implique pas qu'il n'y ait pas de degré même au sein de cette corruption. Déjà le chapitre très augustinien que nous venons d'analyser, le laisse entendre, car il est dit de Fabricius qu'il est moins mauvais que Catilina, et de Caton qu'il est moins méchant que César. Mais un autre passage va nous renseigner davantage, celui qui est consacré à la pénitence. Nous y retrouverons les degrés suivants:

Premièrement, une pénitence qui n'est qu'apparente: celle de plusieurs païens qui, au témoignage de Tertullien,[23] allaient jusqu'à se repentir d'avoir bien agi.

Deuxièmement, une pénitence purement morale et humaine, comme celle d'Alexandre, qui, ayant tué son ami Clitus, regrette son crime à ce point qu'il voulut se laisser mourir de faim; ou celle d'Alcibiade, qui se mit à pleurer amèrement parce que Socrate l'avait convaincu de sa sottise. Les motifs de cette contrition ne sont pas vicieux, comme précédemment; ils sont purement humains, et l'amour de Dieu n'y est pour rien.

A un degré supérieur, nous trouvons une pénitence «voirement morale, mais religieuse pourtant.» C'est une sorte de repentance attachée à la science et dilection de Dieu que la nature peut fournir et qui est une dépendance de la religion morale. Ses limites ne sont pas

[22] *Traité de l'amour de Dieu*, Livre XI, chap. X, Références à saint Augustin, *op. cit.*, Livre XIX, chaps. IV, XXII, XXIII.
[23] *De paenitentia*, 1.

dans l'intelligence, qui est suffisamment éclairée, mais dans la volonté qui est insuffisamment fortifiée. Le modèle de cette pénitence «voirement morale, mais religieuse» n'est autre qu'Epictète, cet esclave phrygien fort à la mode alors dans les pays saxons;[24] ne disait-il pas entre autres choses, selon saint François de Sales, qu'il serait

content, s'il pouvait, en mourant, élever ses mains à Dieu et lui dire: Je ne vous ai point, quant à ma part, fait de déshonneur. Et, de plus, il veut que son philosophe fasse un serment admirable à Dieu, de ne jamais désobéir à sa divine Majesté, ni blâmer ou accuser chose quelconque qui arrive de sa part, ni de s'en plaindre en façon que ce soit. Et ailleurs il enseigne que Dieu et notre bon ange sont présents à nos actions.[25]

Ainsi, conclut le père de Théotime, ce philosophe, encore païen, savait que le péché offense Dieu et qu'il faut s'en repentir, à ce point qu'il imposait à ses disciples de faire chaque soir un examen de conscience.

Peut-on aller plus loin et dire: nous avons ici cette «anse» naturelle dont Dieu se sert pour nous élever à l'ordre de la grâce? A lire *Le Traité de l'amour de Dieu*, la réponse semble bien affirmative, témoin cette affirmation qu'Epictète aurait souhaité mourir en vrai chrétien (ce qui est probablement vrai).[26] Il est à noter cependant que les *Vrays entretiens spirituels* diminuent la portée de ce célèbre passage: le fondateur de la Visitation vient de conseiller à ses religieuses de se renoncer, de se délaisser pour s'unir à la divine Bonté, autrement, ajoute-t-il, cet «abandonnement»

serait inutile, et ressemblerait ceux des anciens philosophes, qui ont fait des admirables abandonnements de toutes choses et d'eux-mêmes, pour une vaine prétention de s'adonner à la philosophie: comme Epictète, très renommé philosophe, lequel étant esclave de condition, à cause de sa grande sagesse, on le voulait affranchir; mais lui, par un renoncement le plus extrême de tous, ne voulut point sa liberté et demeura ainsi volontairement en son esclavage, avec une telle pauvreté, qu'après sa mort on ne lui trouva rien qu'une lampe, qui fut vendue bien cher à cause qu'elle avait été à un si grand homme.[27]

Le moins qu'on puisse dire, c'est que, pour saint François de Sales, il est possible et même probable, qu'un philosophe païen puisse, sous

[24] Cf. «Le renouveau du stoïcisme en France au XVIe siècle et au début de XVIIe siècle» (bibliographie), dans *Bull. Assoc. Budé*, 1964, p. 130–131.

[25] *Traité de l'amour de Dieu*, Livre II, chap. XVIII, t. IV, p. 148. Cf. *supra*, p. 19.

[26] Sur les réactions d'un Saint-Cyran contre cette affirmation salésienne, cf. *Rech. Sc. Rel.* 3, 1913, p. 356 et *Etudes Religieuses*, 5 avril 1912, p. 80, n. 1.

[27] *Les vrays entretiens spirituels*, second entretien, t. 6, p. 23.

l'influence de la grâce, s'élever jusqu'à la pratique héroïque de l'abandon par amour de la philosophie, et que, de là, Dieu le hausse jusqu'à la perfection de son amour. Il dit, en effet:

> La crainte et les autres motifs de repentance dont nous avons parlé [par exemple, ceux d'Epictète], sont bons pour le commencement de la sagesse chrétienne, qui consiste en la pénitence; mais qui voudrait [ce n'est pas le cas d'Epictète] de propos délibéré ne point parvenir à l'amour, qui est la perfection de la pénitence, il offenserait grandement celui qui a tout destiné à son amour, comme à la fin de toutes choses. Conclusion: la repentance qui forclôt l'amour de Dieu, est infernale, pareille à celle des damnés; la repentance qui ne rejette pas l'amour de Dieu, quoiqu'elle soit encore sans icelui, est une bonne et désirable repentance, mais imparfaite, et qui ne peut nous donner le salut, jusques à ce qu'elle ait atteint à l'amour, et qu'elle se soit mêlée avec icelui.[28]

Comme il est possible et probable qu'Epictète soit mort en chrétien, il est possible et probable qu'à partir de sa repentance naturelle, le Seigneur l'ait fait parvenir jusqu'à l'abandon de tout dans l'accomplissement de l'amour parfait. Nous aurions ainsi la gradation suivante:

1) actes vicieux;
2) actes vertueux mais pour des motifs purement humains;
3) actes vertueux pour des motifs religieux, mais sans la perfection de l'amour;
4) actes vertueux accomplis sous l'influence de la charité.

Nous aurions donc comme une montée en ligne droite, mais qui n'irait pas de la part de Dieu sans le concours de sa grâce prévenante et de la part de l'homme sans effort et sans déchirement.[29]

3. LE TRAITÉ DE L'AMOUR DE DIEU: LA VIE DE LA GRÂCE

En disant d'Epictète, avec saint François de Sales, que, selon toute vraisemblance, au moment de la mort, il a dû se convertir, nous sommes arrivés au seuil de la vie chrétienne.

[28] *Traité de l'amour de Dieu*, Livre II, chap. XIX, t. IV, p. 153.

[29] Il est aisé de voir toute la distance qui sépare saint François de Sales et Pascal. Pour celui-là, nous l'avons vu, Epictète n'est pas entièrement corrompu par l'orgueil; il reste en lui un sentiment religieux qui pourra servir de point de départ vers les sommets de la perfection chrétienne. Pour celui-ci, Epictète, s'il a bien vu la grandeur de l'homme, n'a pas soupçonné l'humaine misère, si bien que l'esclave phrygien est complètement corrompu par son orgueil et qu'il tombe dans les erreurs les plus grossières; il n'est nullement question de trouver dans l'Epictète pascalien une «anse» par où Dieu pourrait l'attirer jusqu'à lui. Cf. P. Courcelle, *L'Entretien de Pascal et Sacy, ses sources et des énigmes*. Paris, J. Vrin, 1960.

Nous sommes encore au seuil de la grâce avec ce que le saint docteur appelle «l'amour imparfait.» La divine charité peut, en effet, s'affaiblir lentement, puis disparaître par un acte de notre volonté propre.

Cependant, même lorsque nous sommes séparés de Dieu par le péché, demeure en nous une certaine ressemblance de charité, car nos actes répétés ont produit en nous des habitudes de sentir et de parler qui demeurent, la faute une fois commise. Nous disons à Dieu que nous l'aimons, et nous le sentons, mais ces paroles et ces sentiments ne sont que des simulacres de l'amour vrai, car elles vont ou «trop bas ès choses célestes, ou trop haut ès choses terrestres» et, partant, n'ont aucune valeur pour la récompense éternelle. Cet amour tout humain est même dangereux, car il peut nous faire illusion en nous laissant croire que nous sommes encore dans l'amitié du Seigneur alors que nous n'y sommes plus et que nous descendons lentement vers l'impiété jusqu'à l'extrémité de la malice. Il n'est pas pour autant condamnable; il est même bon en lui-même, étant créature de la très-sainte charité. Il peut, avec le secours de la grâce, servir de point de départ vers la conversion, Dieu se servant de lui, comme d'une anse, pour nous attirer de la mort à la vie. En somme il serait au pécheur ce qu'est au païen le désir naturel d'aimer le Très-Haut par-dessus tout.[30]

Maintenant une nouvelle question se pose: de cette vie chrétienne, quels sont les degrés? Pour répondre, nous rencontrons toujours la même difficulté. Aucun exposé didactique, aucun chapitre n'est consacré uniquement à ce problème. Ce sont des solutions éparses qu'il nous faut glaner de-ci de-là, pour ensuite les rassembler.[31]

Saint François de Sales écrit:

L'homme est la perfection de l'univers, l'esprit est la perfection de l'homme; l'amour, celle de l'esprit; et la charité, celle de l'amour. C'est pourquoi

[30] Cf. *Traité de l'amour de Dieu*, Livre IV, chap. IX–XI.

[31] Voici les principaux chapitres où il est traité des degrés de perfection: Livre III, chap. XV: «Que l'union des bienheureux avec Dieu aura différents degrés»; Livre VI, chap. II: «De la méditation, premier degré de l'oraison ou théologie mystique»; chap. X: «Des divers degrés de cette quiétude et comme il faut la conserver»; chap. XI: «Suite du discours des divers degrés de quiétude»; Livre VII, chap. II: «Des divers degrés de la sainte union qui se fait en l'oraison»; chap. III: «Du souverain degré d'union par la suspension et ravissement»; Livre X, chap. IV: «De deux degrés de perfection avec lequel ce commandement peut être observé en cette vie mortelle»; chap. V: «De deux autres degrés de plus grande perfection avec lesquels nous pouvons aimer Dieu sur toutes choses.» Cette liste ne tient compte que des titres de chapitres; il est souvent question des degrés de perfection, même quand le titre ne le comporte pas.

l'amour de Dieu est la fin, la perfection et l'excellence de l'univers. En cela consiste la grandeur et primauté du commandement de l'amour divin que le Sauveur nomme le premier et le très grand commandement.[32]

En ces quelques lignes, nous avons le principe fondamental de l'humanisme salésien. C'est donc à sa lumière que nous devons étudier les degrés de perfection selon saint François de Sales. Puisque le commandement qui fait la grandeur de l'homme, et, par l'homme, celle de l'univers, n'est autre que celui d'aimer Dieu par-dessus toutes choses, nous devons tout d'abord chercher quels sont les «degrés de perfection avec lesquels ce commandement peut être observé en cette vie mortelle.» Ces degrés une fois nettement établis, il sera plus facile d'y ramener ceux des autres vertus.

Or, ces degrés sont au nombre de quatre:

1° (Les âmes qui), étant nouvellement délivrées de leurs péchés, et bien résolues d'aimer Dieu, sont néanmoins encore novices, apprenties; si qu'elles aiment voirement la divine suavité, mais *avec mélange d'autres différentes affections*...

2° Les âmes qui, ayant déjà fait quelque progrès en l'amour divin, ont retranché tout l'amour qu'elles avaient aux choses dangereuses, et néanmoins ne laissent pas d'avoir des amours dangereux et superflus, parce qu'elles aiment *avec excès et par un amour trop tendre et passionné* ce que Dieu veut qu'elles aiment...

3° Les âmes qui n'aiment ni les superfluités ni avec superfluité, mais aiment seulement ce que Dieu veut, et comme Dieu veut. Ames bienheureuses, puisqu'elles aiment Dieu et leurs amis en Dieu, et leurs ennemis pour Dieu. Elles aiment *plusieurs choses avec* Dieu, mais pas une sinon en Dieu et pour Dieu...

4° Les âmes enfin qui non seulement aiment Dieu sur toutes choses et en toutes choses, mais n'aiment que Dieu en toutes choses; de sorte qu'elles *n'aiment pas plusieurs choses* mais une seule chose qui est Dieu...[33].

En somme nous avons là une marche ascendante vers l'unité. Les âmes du premier degré sont divisées d'avec elles-mêmes, puisqu'elles nourrissent, dans leur amour de Dieu, des affections qui ne sont pas pour Dieu. Les âmes du second degré ont fait un pas vers l'unité, car elles aiment ce qui est conforme à la volonté divine, mais elles sont aussi divisées, car ce qu'elles aiment, elles ne l'aiment pas conformément à la divine volonté. Les âmes du troisième degré ont fait un nouveau pas vers l'unité, car non seulement elles aiment ce que Dieu veut,

[32] *Traité de l'amour de Dieu*, Livre X, chap. I, t. V, p. 165.
[33] *Ibid.*, Livre X, chap. IV et V, t. V, p. 177, 179, 181 et 182.

mais encore comme Dieu le veut; toutefois elles ont encore des progrès à réaliser, car elles distinguent les divers objets de leur amour.

Enfin, l'unité parfaite est atteinte par les âmes du quatrième degré, car Dieu est vraiment l'unique aimé et tout en lui; seule d'ailleurs la Vierge Marie est parvenue à ce sommet de la perfection; certains, il est vrai, l'ont approchée de très près, comme saint Augustin, saint Bernard, les deux saintes Catherine, de Sienne et de Gênes, et plusieurs autres, «à l'imitation desquels un chacun peut aspirer à ce divin degré d'amour.»

Cette marche ascendante, nous pourrons la suivre sur deux plans distincts, bien que connexes: d'abord l'exercice des vertus, ensuite l'exercice de l'oraison.

a) *L'exercice des vertus*

Toutes les vertus sont bonnes en elles-mêmes et Dieu se plaît à les voir comme les œuvres de ses mains; il ne laisse aucune d'elles sans récompense.[34] Toutefois elles n'ont de valeur pour la vie éternelle que si elles sont animées par la divine charité. Il est vrai que, même sanctifiées par la grâce, elles gardent leur être propre, en sorte qu'elles forment entre elles une véritable hiérarchie. Saint François de Sales distingue ainsi les vertus «humaines et naturelles» qui sont relevées à la dignité d'œuvres saintes,[35] et celles qui ont «alliance et correspondance avec la charité,» telles que la foi, l'espérance, la religion, la pénitence et la dévotion.[36] Toutes pourront aller progressant, et le saint docteur analyse ce progrès sur trois points: l'espérance, la crainte et l'amour de soumission.

Dans le premier cas, nous trouvons au tout dernier degré «une impiété non pareille,» celle d'une âme qui n'aimerait Dieu que «pour le bien qu'elle en attend,» «pour l'amour de soi,» qui ferait de son bonheur une fin absolue et regarderait Dieu comme un moyen pour l'atteindre. Au dessus nous trouvons l'inclination naturelle au souverain bien; par un instinct secret et profond notre cœur tend en toutes ses actions à la félicité, sans savoir toutefois où elle réside, ni en quoi elle consiste. Au dessus encore, dans la lumière de la foi, sous l'influence de la grâce apparaît l'espérance qui est un mouvement sacré

[34] *Ibid.*, Livre XI, chap. I, t. V, p. 236.
[35] Cf. *Ibid.*, chap. II.
[36] *Ibid.*, chap. III.

de l'esprit pour s'unir à la souveraine bonté; toutefois cette espérance n'est qu'un amour imparfait. Pourquoi donc en effet aimons-nous Dieu de cet amour de convoitise? Parce qu'il est notre bien. Pourquoi l'aimons-nous souverainement? Parce qu'il est notre bien souverain. «Or quand je dis, continue saint François de Sales, que nous aimons souverainement Dieu, je ne dis pas que nous l'aimions pour cela du souverain amour; car le souverain amour n'est qu'en la charité.» Il faut donc, si nous voulons être parfait, ne pas nous arrêter à l'amour de convoitise, mais lui donner force efficace, en l'unissant à l'amour désintéressé. Ainsi nous parviendrons à la perfection de l'amour.[37]

Il en est de même pour la crainte. Nous rencontrerons au fond de l'abîme la crainte des diables qui cessent de nuire, de peur d'être tourmentés par l'exorcisme, sans cesser de méditer le mal qu'ils veulent pour jamais; et la crainte du même ordre de celui qui aime le péché et pourtant ne veut pas le commettre, uniquement par peur d'être damné; c'est une crainte «horrible et détestable.» Au-dessus, moins malicieuse, quoique aussi inutile, la crainte de celui qui redoute le mal parce qu'il est mal, l'enfer parce qu'il est enfer, et qui, malgré tout, persévère dans ses fautes mortelles. Au-dessus, la crainte des esclaves qui observent la loi de Dieu pour éviter le feu éternel; elle est fort bonne. Au-dessus encore, la crainte des mercenaires qui, comme travailleurs à gages, travaillent fidèlement pour être salariés de la récompense qui leur est promise, sans exclure pour autant le saint amour. Enfin quand nous craignons d'offenser Dieu, non point pour éviter la peine de l'enfer ou la perte du paradis, mais seulement parce qu'il est notre père et que nous lui devons obéissance, alors notre crainte est filiale, crainte initiale ou «des apprentis» lorsqu'elle est mêlée et «détrempée» de crainte servile, crainte des vrais enfants qui ont peur de déplaire au divin Maître, uniquement parce qu'il est leur père, très doux, très bénin et très aimable.[38]

Ainsi vont toujours s'épurant, sans jamais cesser d'être elles-mêmes, et l'espérance et la crainte, sous l'influence de l'amour. A son tour, la charité, connaît une progression constante. D'abord l'âme se plaît à contempler la beauté de l'être aimé, et cette complaisance ne va pas sans une jouissance personnelle. Ensuite, elle veut du bien à celui

[37] Cf. *Ibid.*, Livre II, chap. XV–XVIII.
[38] Cf. *Ibid.*, Livre XI, chap. XVI–XVIII.

qu'elle aime, et cet amour de louange ne va pas déjà sans un certain dépouillement.

Mais une louange simplement verbale serait de peu de valeur; aussi faut-il accéder à l'amour de conformité, car se rendre conforme à l'ami, c'est le louer en vérité. Et cet amour de conformité mènera insensiblement à l'amour de soumission, qui exige le dépouillement de la volonté propre. Et c'est ainsi que l'âme observera les commandements, puis les conseils, en tenant prudemment compte des exigences de la vie, enfin les inspirations dûment contrôlées par qui de droit. Arrivent les tribulations: elles favoriseront l'union à Dieu. Certes, aimer la volonté de Dieu dans les consolations, c'est un bon amour; aimer la volonté divine en ses commandements, c'est un second degré d'amour parfait; mais aimer les souffrances pour l'amour de Dieu, c'est le sommet de la charité. Pourtant, des progrès sont encore possibles. Car l'âme commencera par se résigner, acceptant la souffrance puisque telle est la volonté divine, mais désirant aussi ne pas souffrir, désir qui s'exprime en prières, en plaintes, en gémissements. Il faut donc encore monter d'un degré et s'élever jusqu'à l'indifférence qui s'étend à toutes choses: le service de Dieu, l'avancement dans la vertu, même les actions de l'amour sacré. Et c'est ainsi que l'âme parviendra jusqu'au dépouillement parfait, qui l'unira intimement à la volonté de son Dieu.[39]

b) *L'exercice de l'oraison*

Dans cette montée vers la pureté de l'amour, le chrétien est loin d'être seul; il n'a même pas le rôle principal. Le Saint-Esprit doit, si l'on peut ainsi parler, y mettre la main. Et c'est pourquoi aux progrès dans l'exercice des vertus, sont parallèles les progrès dans l'exercice de l'oraison. Nous entrons ainsi dans ce que saint François de Sales appelle la théologie mystique, théologie parce qu'elle a Dieu pour objet, mystique parce que la conversation divine se déroule dans le secret du cœur.

Au premier degré se situe la méditation, qui n'est autre chose qu'une «pensée attentive,» réitérée ou entretenue volontairement en l'esprit, afin d'exciter la volonté à des saintes et salutaires affections et résolutions. Alors l'âme dévote «va de mystère en mystère» pour trouver des

[39] Cf. *Ibid.*, Livre VIII, chaps. V–VII, IX, XI–XIII; Livre XI, chap. III–IX.

motifs d'amour et les ayant trouvés, elle les tire à soi, elle les savoure, elle s'en charge et prend des résolutions pour le temps des difficultés.[40]

De la méditation naîtra la contemplation, qui n'est autre chose qu'une amoureuse, simple et permanente attention de l'esprit aux choses divines. L'âme ne va plus de vérités en vérités, les examinant les unes après les autres, mais elle les voit toutes d'une seule vue, d'un seul regard dans une suprême unité. L'âme ne peine plus, mais éprouve un plaisir d'autant plus saint qu'elle a trouvé Dieu et son saint amour, qu'elle en jouit et s'en délecte en disant: «J'ai trouvé celui que je chéris, je l'ai trouvé et ne le quitterai point» (*Cant*, 3, 4). Tantôt la sainte quiétude est dans toutes les puissances de l'âme; tantôt elle est seulement dans la volonté. Parfois l'âme écoute Dieu lui parler par certaines clartés et persuasions qui tiennent lieu de paroles. Elle lui parle «réciproquement, doucement et bellement,» sans perdre la paix. Parfois elle l'écoute parler sans pouvoir lui dire un mot. Enfin l'attrait est parfois si fort, qu'elle demeure en présence de son bien-aimé dans le sentiment qu'elle est toute sienne et qu'elle ne veut que ce qui lui plaît.[41]

A ce moment l'âme, qui de soi est plutôt dure et inflexible, devient semblable à l'eau qui s'adapte aux dimensions et à la forme du vaisseau où elle est versée. C'est ce que saint François de Sales appelle «la liquéfaction de l'âme en Dieu.»[42] Alors une extrême complaisance de l'amant en la chose aimée produit une certaine impuissance spirituelle qui fait que l'âme ne se sent plus le pouvoir de demeurer en elle-même. Comme un baume fondu, elle s'en va, non «par manière d'élancement,» ni par manière d'union, mais «elle se va doucement coulant, comme une chose fluide et liquide, dedans la divinité qu'elle aime.»[43] Jusqu'ici, quoique aimante, elle demeurait encore en elle-même; maintenant elle se quitte non seulement pour s'unir à son bien-aimé, mais pour se perdre, se mêler et se «détremper» avec lui. C'est une véritable extase. L'âme est hors de son maintien naturel, toute absorbée en son Dieu; et les saints qui parviennent à ce haut degré d'union, une fois revenus à eux-mêmes, ne voient plus rien de la terre qui les contente et disent: Ce qui n'est pas Dieu ne m'est rien. Suivent alors la blessure que Dieu

[40] *Ibid.*, Livre VI, chap. II.
[41] Cf. *Ibid.*, Livre VI, chap. IV–XI.
[42] *Ibid.*, Livre VI, chap. XII.
[43] *Ibid.*, t. IV, p. 346.

pratique parfois dans les cœurs qu'il veut tout à lui,[44] la langueur amoureuse du cœur blessé de dilection,[45] et, pour terminer, la suspension et le ravissement qui est le souverain degré d'union.[46] Nous arrivons ainsi au suprême effet de l'amour affectif, qui est la mort des amants, car il en est qui meurent en l'habitude de l'amour, d'autres en l'exercice de l'amour, d'autres pour cet amour, d'autres par l'amour et enfin, ce qui est le degré suprême, qui meurent d'amour.[47]

Ainsi le progrès dans l'exercice des vertus aboutit au même point que le progrès dans l'exercice de l'oraison: au trépas de la volonté. Il faut toutefois bien s'entendre sur ce terme: il ne s'agit nullement de pure passivité; saint François de Sales insiste beaucoup sur ce point, car l'illusion est toujours possible: «Certes, notre volonté ne peut jamais mourir, non plus que notre esprit; mais elle outrepasse quelquefois les limites de sa vie ordinaire, pour vivre toute en la volonté divine... Elle ne périt certes pas, mais elle est ravie et engloutie dans la souveraine lumière du soleil... Elle ne périt pas tout à fait, mais elle est tellement abîmée et mêlée avec la volonté de Dieu, qu'elle ne paraît plus, et n'a plus aucun vouloir séparé de celui de Dieu.»[48]

C'est justement parce que la volonté ne peut jamais mourir, que saint François de Sales insiste sur les signes qui permettent de reconnaître la volonté divine. A cet effet, il donne une brève méthode pour reconnaître la volonté de Dieu,[49] et il insiste sur les «marques du bon ravissement.» Il y en a deux: premièrement, dans le véritable ravissement, il y a plus de chaleur en la volonté pour aimer que de lumière en l'intelligence pour admirer; sinon, il faut être sur ses gardes, car l'extase risque d'être fausse. Deuxièmement, le véritable ravissement se manifeste par l'extase de l'œuvre et de la vie: observer les commandements, c'est vivre selon la raison naturelle de l'homme; mais quitter tous ses biens, aimer les opprobres, se contenir dans les termes d'une absolue chasteté, ce n'est pas vivre humainement mais surhumainement; le signe en est la ressemblance à Notre-Seigneur Jésus-Christ.[50]

[44] *Ibid.*, chap. XIII.
[45] *Ibid.*, chap. XV.
[46] *Ibid.*, Livre VII, chap. III.
[47] *Ibid.*, chap. IX.
[48] *Ibid.*, Livre IX, chap. XIII, t. V, p. 149–150.
[49] *Ibid.*, Livre VIII, chap. XIV.
[50] *Ibid.*, Livre VII, chap. VI.

Car, dans cette ascension vers la perfection de l'amour, le Christ est le souverain modèle, celui qu'il faut regarder sans cesse pour en reproduire les traits. De toute éternité le Père a décidé que son Fils éternel s'unirait à la nature humaine afin de racheter les hommes par sa mort et de leur mériter ainsi une abondante rédemption. A un double titre, l'amour de ce Sauveur a valeur infinie: d'abord en tant qu'il est le Verbe éternel, par qui tout a été fait et sans qui rien ne serait de ce qui est, ensuite en tant qu'il est homme et qu'il est l'amour d'une personne d'infinie excellence, le Fils du Père tout puissant.[51] Aussi bien le Créateur de toutes choses voulut-il premièrement et aima-t-il, par une préférence d'excellence, le plus aimable objet de son amour, qui est notre Rédempteur; et puis, par ordre, les autres créatures, selon qu'elles partiennent plus ou moins à son service.[52] Il est donc modèle de toutes les vertus, car, selon saint Thomas, il les eut toutes, dès sa conception, dans un degré héroïque.[53] Aussi faut-il le regarder sans cesse d'un long regard d'amour, et surtout dans sa douloureuse passion, car la «véritable académie de la dilection» c'est le Calvaire.[54]

Ainsi, avec saint François de Sales, nous avons suivi les progrès de l'âme dans son ascension vers Dieu, depuis cet instinct naturel qui la pousse à aimer Dieu par-dessus toutes choses, jusqu'à la plus intime des unions qui la blesse, la fait languir, et finalement la fait mourir d'amour. C'est en cela précisément que consiste l'humanisme salésien, non point dans une sorte de gentillesse qui le rendrait aimable à tous les hommes, mais bien dans ce dynamisme, sans doute affaibli par la faute originelle, mais qui, sous l'inspiration de l'esprit, est capable de s'épanouir dans un don et dans un abandon total.[55] En ce début du XVIIe siècle, cet humanisme chrétien n'allait pas sans rencontrer des difficultés; en effet, il prônait l'épanouissement de l'homme, alors que sévissait une mystique de l'anéantissement et de l'annihilation. D'aucuns, sans y réussir, comme les capucins Laurent de Paris,[56] et

[51] *Ibid.*, Livre III, chap. I.
[52] *Ibid.*, Livre II, chap. V.
[53] *Ibid.*, Livre VIII, chap. IX.
[54] *Ibid.*, Livre XII, chap. XIII, t. V, p. 345.
[55] Cf. H. GOUHIER, «Note sur l'antihumanisme: à propos de Bérulle,» dans *Dieu vivant*, n° 23, 1953, p. 145–150.
[56] Cf. C. QUINARD, *Une doctrine de l'amour pur en France au début du XVIIe siècle: Laurent de Paris*. Rome, Institut historique O.F.M. Cap., 1959. JULIEN-EYMARD, «L'humanisme chrétien au début du XVIIe siècle à la lumière d'ouvrages récents,» *Studi francesi*, n° 18, 1962, p. 414–420.

Philippe d'Angoumois,[57] avaient essayé de résoudre cette antinomie; saint François de Sales, lui, grâce à l'inclination naturelle que l'homme possède d'aimer Dieu par-dessus toutes choses, grâce aussi à sa doctrine du double amour de soi, l'un naturel, l'autre surnaturel, tous les deux légitimes, avait trouvé la solution du problème. D'autres à sa suite marcheront dans son sillage;[58] c'est l'origine d'un vaste mouvement qui malheureusement n'a pas abouti, d'abord en raison des luttes théologiques qu'il souleva, ensuite en raison des découvertes scientifiques qui allaient donner une vision nouvelle du monde.

En effet le *Traité de l'amour de Dieu* est de 1616, l'édition définitive de l'*Introduction à la vie dévote* est de 1619. Déjà en 1543, Copernic avait publié son traité des *Révolutions célestes*. En 1609, Kepler donnait son *Astronomie nouvelle*. Galilée, en 1610, décrit dans son *Messager céleste*, ses découvertes astronomiques. Ainsi se préparait une révolution scientifique qui ne serait pas sans poser des graves problèmes non seulement à la philosophie, mais encore à la spiritualité chrétienne. Le tort des humanistes chrétiens fut de rester attachés aux anciens systèmes. Saint François de Sales était mieux préparé à résoudre les difficultés. Il défendit le barnabite Redente Baranzano, qui dans son *Uranoscopia* (1618) avait soutenu les idées nouvelles.[59] En cela il était conforme à ses principes. Pour lui, il n'était nullement effrayé, à la manière de Pascal, par le silence des espaces infinis; au contraire, il reconnaissait avec le psalmiste que les cieux racontent la gloire divine; il se disait ainsi de l'école de son saint patron François d'Assise.[60] Bien plus, reconnaissant que l'homme est la perfection de l'univers et le Christ la perfection de l'homme, il laissait entrevoir la possibilité d'une spiritualité qui engloberait tout l'univers. Peut-être l'aurait-il développé dans cet ouvrage qu'il méditait d'écrire sur l'amour du prochain. Il

[57] Cf. SECOND DE TURIN, «Une apologie littéraire et doctrinale de la dévotion séculière d'après le capucin Philippe d'Angoumois († 1638),» dans *XVIIe siècle*, n° 74, p. 3–25, n° 75, p. 3–22; «De l'opacité à l'évanescence: une sacralisation du profane au XVIIe siècle,» dans *Etudes franciscaines* 16, 1966, p. 5–47; «L'emprise de l'idéal monastique sur la spiritualité des laïcs au XVIIe siècle,» *Revue Sc. Rel.* 40, 1966, p. 209–239, 353–383; «Action et prière. Difficulté d'une synthèse d'après le P. Ph. d'A.,» dans *RAM* 43, 1967, p. 393–422. cf. *infra*, p. 138–140.

[58] Cf. JULIEN-EYMARD, «Problèmes et difficultés de l'humanisme chrétien au XVIIe siècle,» dans *XVIIe siècle*, n°. 62–63, 1964, p. 4–29.

[59] Cf. E. J. LAJEUNIE, *Saint François de Sales, l'homme, la pensée, l'action*, t. II (Paris 1967), p. 94–97.

[60] *Traité de l'amour de Dieu*, Livre V, chap. IX (t. IV, p. 287–288). Cf. C. GONZALES, «Saint François d'Assise dans l'œuvre de saint François de Sales,» dans *Amis de S. François*, t. 8 (nouv. série), p. 193–204.

est mort en 1622, à l'heure même, si l'on peut dire, où Descartes écrivait ses premiers ouvrages, ce Descartes qui, en 1628, allait rencontrer Bérulle.

Nous ne pouvons dire si l'évêque-prince de Genève est mort trop tôt; il ne nous appartient pas de juger la Providence. Toujours est-il que Vatican II, avec la Constitution *Gaudium et spes*, est exactement dans son sillage.

CHAPITRE III *

SAINT FRANCOIS DE SALES (1567–1622) ET YVES DE PARIS (1588–1678)

L'abbé H. Bremond consacre le tome premier de son *Histoire du sentiment religieux en France* à ce qu'il appelle l'*Humanisme dévot.* Dès le second chapitre saint François de Sales se voit décoré du titre suivant: «l'incarnation la plus parfaite de l'humanisme dévot.»[1] A la fin du même volume le capucin Yves de Paris se voit appelé: «l'archétype de l'humanisme dévot.»[2] De l'un à l'autre, il y a donc filiation du moins aux yeux du brillant historien.

Or cette filiation a été niée récemment. Elle l'a été d'abord par M. J. Orcibal dans son ouvrage sur *Les origines du jansénisme* [3] et par M. l'abbé L. Cognet dans une étude sur *le Problème des vertus dans la spiritualité française au XVIIesiècle.*[4] Ces deux écrivains distinguent soigneusement l'auteur de l'*Introduction à la vie dévote* et ceux de ses contemporains qui eux aussi prétendent enseigner la dévotion à leurs lecteurs. Ceux-ci au fond pratiquent sans trop le savoir «une théorie naturaliste des vertus,» où leur aspect surnaturel s'évanouit presque entièrement. Celui-là au contraire pratique un théocentrisme foncier, pour qui les vertus morales doivent être recherchées uniquement parce que «nous savons que c'est le bon plaisir de Dieu.» Si nous en croyons ces deux auteurs, loin de voir une parenté entre le religieux et l'évêque, il faudrait plutôt souligner une opposition très nettement marquée. La question vaut la peine d'être examinée de très près.[5]

* Paru dans *Rev. sc. rel.* 39, 1965, p. 1–33.

[1] H. Bremond, *Histoire littéraire du sentiment religieux en France*, t. I, *L'humanisme dévot*, p. 104. Paris, 1929.

[2] *Ibid.*, p. 421.

[3] J. Orcibal, *Les origines du jansénisme*, t. II, *Jean Duvergier de Hauranne abbé de Saint-Cyran*, p. 42, n. 6; 43, n. 5; 678, n. 1. Paris, 1947.

[4] Dans *Cahiers eudistes de notre vie*, t. 5, p. 47–52. Paris, 1960.

[5] Pour une mise au point cf. Julien-Eymard d'Ancers, «L'humanisme chrétien du XVIIe siècle à la lumière d'ouvrages récents,» dans *Studi francesi*, 1962, p. 437–440. cf. *supra.*, p. XXI–XXII.

Saint François de Sales est venu au monde en 1567, Yves de Paris est né en 1588; la différence d'âge n'est pas trop grande: vingt-et-un ans seulement. Lorsqu'en l'an 1578, le jeune Seigneur de Boisy, originaire de Savoie, s'en vint au collège de Clermont faire ses humanités, sous la conduite et direction des Révérends Pères de la Compagnie de Jésus, la famille de la Rue, noblesse de robe, devait être installée non loin de là, sur la paroisse Saint-André-des-Arts, et c'est peut-être au même collège sous la direction des mêmes maîtres que notre futur capucin fit ses premières armes dans la carrière des lettres et de la philosophie. En l'année 1602, élu évèque de Genève, le successeur de Mgr Granier s'en fut à Paris; il avait pour mission de rétablir le culte catholique dans le pays de Gex récemment cédé à la Savoie par la France; il profita de ce séjour pour prendre contact avec les milieux catholiques français. A cette date, celui qui devait un jour s'appeler Yves de Paris, avait quatorze ans; peut-être était-il déjà en cette université d'Orléans où il préparait son droit; il est possible que la renommée de l'apôtre du Chablais soit parvenue jusqu'aux rives de la Loire; nous n'avons là rien de certain. En l'année 1609 paraît l'*Introduction à la vie dévote*. A cette date, le futur capucin a vingt ans; c'est le temps où il s'inscrit au barreau de Paris, le temps aussi où, l'enthousiasme aidant, il se fait une haute idée de son devoir d'état. Il est possible que l'ouvrage salésien l'ait orienté dans ce sens; ce n'est là qu'une simple hypothèse, rien de moins et rien de plus. En 1616, le *Traité de l'amour de Dieu* est publié; en 1619 saint François de Sales vient de nouveau à Paris. A cette date Charles de la Rue est aux environs de la trentaine; il traverse une crise; son père est mort, laissant les siens dans une extrême pauvreté; le barreau le désenchante; il songe à la vie religieuse et plus précisément à la vie capucine; il a dû entendre parler de l'œuvre salésienne; il n'a pas été sans connaître le nom de l'évêque savoyard; peut-être même a-t-il écouté ses sermons; aucun document ne permet de l'affirmer. Le temps passe; en 1622, le fondateur de la Visitation rend à Dieu son âme; Yves de Paris, alors âgé de trente-quatre ans est en train de poursuivre ses études théologiques; onze ans plus tard, en 1633, il est aux prises avec Jean-Pierre Camus à l'occasion d'une bruyante querelle qui met aux prises les évêques et les réguliers; il ne faut pas s'étonner si dans les *Heureux succès de la piété* [6] aucune allusion n'est faite à l'ami du belliqueux adversaire, car l'ouvrage se présente non comme une œuvre de polémique, mais

[6] Sur cet ouvrage, cf. C. Chesneau, *Le P. Yves de Paris et son temps*, t. I, *La querelle des évêques et réguliers*, Paris, 1946.

comme un traité de piété; il faut savoir lire entre les lignes pour y découvrir les traits décochés; les contemporains ne sont pas nommément cités. Si nous feuilletons les nombreux volumes sortis de la pensée yvonienne nous n'y rencontrerons pas une seule fois le nom de saint François de Sales, ni en 1661 lorsque celui-ci est béatifié, ni en 1665 lors de sa canonisation, et pourtant c'est en 1662 que paraissent les *Vaines excuses des pécheurs*, en 1666 que paraît le *Gentilhomme chrétien*. Ce silence ne doit pas nous impressionner, puisque nous savons qu'Yves de Paris ne cite pas ses contemporains. C'est tout simplement une invitation à une lecture plus approfondie.

Cette étude approfondie va nous permettre de délimiter notre sujet. Les œuvres de nos deux écrivains en effet ne correspondent pas exactement, car ils n'ont pas toujours en vue le même public. Sans doute ils s'adressent tous les deux aux âmes pieuses qu'ils veulent conduire à la perfection et en ce sens les *Morales chrétiennes* peuvent être comparées à l'*Introduction à la vie dévote* et les *Progrès de l'amour divin* au *Traité de l'amour de Dieu*. Mais au début de leur carrière, ils furent loin de s'adresser aux mêmes lecteurs. L'apôtre du Chablais eut maille à partir avec les protestants, et, pour les convertir, il rédigea ses *Controverses* et publia la *Défense de l'estendart de la sainte Croix*. Yves de Paris n'a dirigé ses traits qu'en passant contre les réformés à l'occasion de telle ou telle thèse annexe. Par contre, il s'en est pris et vigoureusement aux libertins [7] qui puisaient alors le plus clair de leur doctrine dans Pomponazzi et l'école de Padoue, tous adversaires qu'ignore à peu près complètement l'évêque-prince de Genève. De ce point de départ, non pas divergent mais différent, va naître une double différence.

D'abord en ce qui concerne les rapports de la raison et de la foi. A vrai dire, saint François de Sales ne se pose pas ce problème; dans ses *Controverses*, il se contente de dire que les protestants ont violé la raison naturelle, huitième règle de notre croyance; dans son *Traité de l'amour de Dieu*, il reconnaît l'existence d'une lumière naturelle, qui nous permet de connaître que Dieu est aimable sur toutes choses; c'est sans doute à partir de cette donnée qu'il aurait construit une apologétique, s'il avait eu à le faire, en montrant la convenance qui existe entre la religion chrétienne et les élans du cœur humain;[8] en fait, il s'en est tenu à ces vagues affirmations, si bien que chez lui la distinction entre la raison et la foi n'est pas nettement formulée et qu'il se tient toujours et avant tout sur le plan de la révélation. Yves de

[7] Sur l'apologétique du P. Yves, cf. C. Chesneau, *op. cit.*, t. II, *L'apologétique*, Paris, 1946.
[8] Cf. F. Strowski, *Saint François de Sales*, p. 237–241. Paris, 1928.

Paris, au contraire, visant explicitement la conversion du libertin, se rend compte qu'il faut, sans les diviser, encore moins sans les opposer, distinguer les deux domaines; d'où sa *Théologie naturelle* [9] qui entend bien ne recourir qu'à la raison pour établir l'existence de Dieu, sa Providence, l'immortalité de l'âme et même pour démontrer la valeur rationnelle des motifs de crédibilité. Par contre dans ses *Morales chrétiennes*,[10] il montre par les faits que la morale des philosophes anciens est imparfaite et que seul le christianisme nous renseigne exactement sur notre destinée et sur nos devoirs, si bien qu'en ce domaine c'est à la foi qu'il faut tout d'abord recourir.

Par suite, nos deux écrivains n'auront pas exactement la même vision du monde. Le capucin s'inspire beaucoup de Raymond Lulle et encore plus de Marsile Ficin;[11] pour lui, la terre est au centre du monde, recevant les influences de tous les cieux qui l'entourent, et l'homme, en cette terre, est la *copula mundi*, le microcosme qui résume en lui les qualités, les vertus de tous les êtres créés, depuis le plus humble des éléments jusqu'au plus sublime des archanges; la lumière divine, partant du Verbe éternel, descend de degré en degré jusqu'à lui pour remonter, par lui, jusqu'à son divin principe; en blessant le cœur humain, le péché, par le fait même, a introduit dans ce vaste circuit un réel et profond désordre, mais le Verbe éternel, en s'incarnant, a donné à l'univers entier un sens encore plus beau que celui qu'il avait perdu. Saint François de Sales se soucie peu de cette Philosophie cosmique, pourtant très belle; il est avant tout pasteur, théologien dans la mesure où l'exige son zèle apostolique; il laisse tomber ce qui peut dépasser l'intelligence et la bonne volonté de ses lecteurs et de ses auditeurs. Ce qui ne veut pas dire que dans l'œuvre salésienne, les images empruntées à la nature seront absentes[11bis], la Savoie lui en a fourni plus d'une, ainsi que les *Histoires* de Pline l'Ancien; mais elles ont leur raison d'être dans cette thèse très large que les créatures reflètent les perfections du Créateur; elles ne semblent pas supposer la substructure d'un système ficinien.

Ces réserves faites, il n'en est pas moins vrai que nos deux écrivains se rencontrent en plus d'un point si bien que ces rapprochements donnent à penser qu'ils appartiennent à la même famille spirituelle. Pour répondre à cette question, sans négliger les ouvrages yvoniens qui

[9] Cf. C. CHESNEAU, *op. cit.*, t. II, p. 237 sv.
[10] Cf. *infra*, ch. V, p. 103.
[11] Cf. C. CHESNEAU, *op. cit.*, t. II, p. 64–72.
[11bis] Cf. H. LEMAIRE, *Les images dans saint François de Sales*. Paris, Beauchesne, 1962.

sont plutôt philosophiques, il nous faudra porter notre attention principalement sur les œuvres morales, ascétiques et mystiques. Or, une simple lecture des tables des matières nous fait voir que les titres des chapitres sont plus d'une fois rédigés dans les mêmes termes. Est-ce là une simple coïncidence? Les mêmes mots cachent-ils des réalités différentes? Avons-nous des tendances opposées malgré la ressemblance des expressions? C'est là ce qu'il nous faut examiner maintenant.

I. LE POINT DE DEPART THEOLOGIQUE

Le point de départ est le même, à quelques différences près, que nous avons déjà signalées et que nous montrerons en son temps. Tous deux partent d'une inclination naturelle qui porte l'homme vers son Dieu. Dans un sermon de vêture,[12] saint François de Sales constate que l'homme porte en lui un instinct naturel qui le fait tendre au bonheur; il en conclut que le cœur humain tend naturellement à Dieu et que cette union à laquelle nous tendons naturellement, sera éternelle et inséparable. Dans le *Traité de l'amour de Dieu,*[13] il affirme que nous avons une inclination naturelle à aimer Dieu par dessus toutes choses, en sorte que tout homme, de par sa naissance, avant même le baptême, est orienté vers la vie mystique. Il en est de même pour Yves de Paris. Dans la *Théologie naturelle,*[14] il établit que nos âmes aspirent naturellement à la possession d'un vérité dont les arts et les sciences ne sont que des rayons extrêmement affaiblis; dans les *Morales chrétiennes,*[15] après avoir montré que les systèmes antiques ne peuvent nous donner qu'une morale imparfaite, il prouve que Dieu est notre souverain bien en analysant les exigences de notre raison qui porte ses désirs plus loin que la matière et celles de notre volonté qui tend vers la possession d'un bien infini. Enfin dans les *Progrès de l'amour divin* le premier chapitre du premier livre (*l'amour naissant*) s'intitule: *Le cœur de l'homme a de naturelles inclinations à l'Amour de Dieu.*[16] Nos deux auteurs en cette rencontre ont recours aux mêmes comparaisons, empruntées aux éléments qui tendent naturellement vers leur centre, tout comme l'homme tend naturellement vers le sien qui est la Souveraine bonté. Ces ressemblances sont évidentes et fondamentales.

[12] *Œuvres complètes,* t. X, p. 18–20.
[13] Livre I, chap. XV–XVI.
[14] T. II, Première partie, chap. XXI, p. 223–233, éd. 1642. T. III, p. 75, 377, 392, 411, 412, éd. 1640.
[15] T. I, Première partie, chap. XI, p. 132–138, éd. 1638.
[16] Dans *Les œuvres françaises,* t. I, p. 755–756. Paris, 1765.

Notons cependant une différence: Yves de Paris admet la possibilité d'une contemplation naturelle, c'est-à-dire d'une longue, extatique, amoureuse attention portée par l'intelligence humaine à l'harmonie universelle en tant qu'elle est image de Dieu, contemplation toutefois qui ne peut nous satisfaire pleinement. De cela saint François de Sales ne souffle mot.

De cette première ressemblance une seconde suit, qui est le corollaire de la première. Pour nos deux écrivains, malgré cette inclination naturelle, l'homme n'a pas naturellement le pouvoir d'aimer Dieu par-dessus toutes choses, si bien que le véritable amour de Dieu est un effet de la grâce. Pour le capucin comme pour l'évêque, la nature humaine n'est pas entièrement corrompue par le péché originel, mais simplement blessée; ce que l'homme a de bon, naturellement parlant, demeure, mais en même temps est réduit à l'impuissance sans un surnaturel secours. Tous les deux, pour établir cette thèse, s'appuient sur le même texte de saint Paul [17] qui déclare que les païens sont inexcusables, car ayant connu Dieu ils ne l'ont pas reconnu comme Dieu. Tous deux apportent les mêmes exemples: «Quels beaux témoignages, non seulement d'une grande connaissance de Dieu, mais aussi d'une forte inclination vers icelui nous ont été laissés par ces grands philosophes, Socrate, Platon, Trismégiste, Hippocrate, Epictète, Sénèque... Mais ces grands esprits qui avaient tant de connaissance de la Divinité et tant de propension à l'aimer, ont tous manqué de force et courage à le bien aimer.» Ainsi le *Traité de l'amour de Dieu.*[18] Et celui de l'*Amour naissant*: «Les philosophes mêmes qui connurent ce sentiment naturel (de la Divinité) par le discours de la raison et par quelques pratiques de la morale, connurent véritablement Dieu, mais ils ne le glorifièrent pas comme Dieu; ils ne lui rendirent pas ce qu'ils lui devaient de respect, puisque leur vie perdue dans une infinité de désordres fut si contraire aux perfections de cette souveraine bonté.»[19] Nos deux théologiens adoptent en matière de péché originel l'adage bien connu: «*Spoliatus gratuitis, vulneratus in naturalibus*»; la nature humaine n'est pas entièrement corrompue, car elle garde en elle une naturelle inclination vers Dieu, mais elle est profondément blessée en raison de l'emprise des passions, si bien que pour cette raison (il en est d'autres) la grâce est absolument nécessaire pour être sauvé.

[17] *Romains*, VII, 18.
[18] Livre I, chap. XVII.
[19] *Loc. cit.*, p. 756–758.

Cette grâce d'ailleurs, aussi bien pour saint François de Sales que pour le P. Yves, est abondamment distribuée. Celui-là consacre dans son *Traité de l'amour de Dieu* [20] tout un chapitre à montrer que la *Providence céleste a pourvu aux hommes une rédemption très abondante* et celui-ci s'applique dans son traité *Des miséricordes de Dieu en la conduite de l'homme* [21] à détailler *les miséricordes infinies de Dieu dans le décret éternel de l'Incarnation du Verbe divin.* Celui-là: Le Christ «est mort pour tous parce que tous étaient morts, et sa miséricorde a été plus salutaire pour racheter la race des hommes que la misère d'Adam n'avait été vénéneuse pour la perdre.»[22] Celui-ci: «L'écriture sainte nomme Jésus-Christ le premier né des créatures, non seulement parce que sa personne divine est engendrée de toute éternité, mais parce que la provision de ses mérites a devancé la naissance de tous les hommes et que ses grâces sont les plus magnifiques de tous les préparatifs qui attendent nos nécessités.»[23] Tous deux de chanter le même cantique de reconnaissance; saint François de Sales: «Tant s'en faut que le péché d'Adam ait surmonté la débonnaireté divine, que tout au contraire il l'a excitée et provoquée... de sorte que la sainte Eglise s'écrie: O péché d'Adam, à la vérité nécessaire, qui a été effacé par la mort de Jésus-Christ. O coulpe bienheureuse, qui a mérité d'avoir un tel rédempteur».[24] Yves de Paris: «La sagesse infinie de Dieu prévit ces désordres et son infinie bonté résolut de les secourir par des grâces si magnifiques, que l'Eglise appelle cette faute heureuse, qui a donné sujet à d'immenses libéralités.»[25]

Ces grâces données avec tant d'abondance sont réparties, gratuitement certes, ayant leur unique source dans la miséricorde divine, mais en tenant compte de l'effort humain, de manière à sauvegarder la liberté humaine, c'est-à-dire *post praevisa merita.* C'est là ce que saint François de Sales déclare dans une fameuse lettre au jésuite L. Lessius [26] et ce qu'il développe dans son *Traité de l'amour de Dieu* [27] où il est dit que le Seigneur «voulut le salut de tous ceux qui voudraient contribuer leur consentement aux grâces et faveurs qu'il leur prépare-

[20] Livre II, chap. V.
[21] Première partie, chap. IV, p. 18–26, éd. 1645.
[22] *Traité de l'amour de Dieu*, Livre I, chap. V.
[23] *Des miséricordes de Dieu en la conduite de l'homme*, première partie, chap. V, p. 27–28.
[24] *Traité de l'amour de Dieu*, Livre I, chap. V.
[25] *Des Miséricordes de Dieu*, Première partie, chap. IV, p. 22.
[26] Cf. *Œuvres complètes*, t. XVIII, p. 272–273.
[27] Livre III, chap. V.

rait, offrirait et départirait à cette intention. Or entre ces faveurs il voulut que la vocation fût première, et qu'elle fût tellement attrempée à notre liberté, que nous la pussions accepter ou rejeter à notre gré; et à ceux desquels il prévit qu'elle serait acceptée, il voulut fournir les sacrés mouvements de la pénitence; et à ceux qui seconderaient ces mouvements, il disposa de donner la charité et à ceux qui auraient la charité, il délibéra de donner les secours requis pour persévérer, et à ceux qui emploieraient ces divins secours, il résolut de leur donner la finale persévérance et la glorieuse félicité de son amour éternel.» Il en est de même pour Yves de Paris.[28] «La Souveraine Sagesse, dit-il, connaît parfaitement toutes les choses selon qu'elles doivent être; elle voit les causes devant les effets, la liberté de l'homme devant ses œuvres et les œuvres devant la récompense,» et, après avoir cité l'Ecriture, il conclut: «La prédestination, c'est-à-dire cet acte de Dieu qui nous destine à la gloire, ne se fait qu'en suite de ce qu'il voit nos fidélités et notre persévérance à son service.»

Reste une question alors brûlante, qui mettait aux prises avec une rare violence et jésuites et dominicains: le concours divin et la liberté humaine. Saint François de Sales avait, en 1607, obtenu de Paul V que la *Congregatio de auxiliis* s'apaisât, soucieux qu'il était avant tout du bien des âmes. Aussi évite-t-il de se prononcer nettement. Il tient seulement à sauvegarder à la fois la nécessité de la grâce et le concours du libre arbitre; Dieu donne une grâce prévenante; la volonté libre lui apporte sa collaboration; comment la grâce prévient-elle la volonté, comment la volonté apporte-t-elle son concours, nulle nouvelle; tout au plus savons-nous que la grâce agit par manière d'attrait, en quoi saint François de Sales se rapproche de saint Augustin.[29] Le P. Yves est beaucoup plus précis; sur le plan naturel il admet que Dieu concourt immédiatement avec les causes secondes en leur donnant un concours général que celles-ci transforment selon leurs qualités particulières; sur le plan surnaturel il n'a aucune difficulté pour admettre une grâce suffisante au sens moliniste du mot: Dieu donne à l'homme des secours proportionnés à ses besoins et capables de le guider dans la voie du salut; il appartient à l'homme de rendre efficaces ces divines avances; malheur à lui s'il ne le fait! Dans la *Théologie naturelle* (1633–1636) [30] comme dans les *Morales chrétiennes* (1638–1642) ces propositions ne sont pas formulées sous forme de thèse mais seulement suivant les

[28] *Des miséricordes de Dieu*, Première partie, chap. XI, p. 72, 73.
[29] *supra*, p. 20–22, 26.
[30] Cf. C. Chesneau, *op. cit.*, t. II, p. 501–507.

besoins de l'apologétique ou de l'ascèse; il en est de même dans les *Progrès de l'amour divin*; en 1644 par contre lorsqu'il prendra part à la lutte antijanséniste il se prononcera avec force et clarté quitte à s'attirer d'acerbes réponses.[31] De toutes façons la différence qui existe sur ce point entre nos deux auteurs consiste beaucoup plus dans une différence de méthode que dans une divergence doctrinale; les circonstances diffèrent; le tempérament somme toute est le même; il s'agit de sauvegarder la liberté, la responsabilité humaine, tout en donnant le primat à l'amour.

2. LE CHEMINEMENT ASCETIQUE

Orienté vers une fin surnaturelle en vertu de sa nature même, blessé de par le péché originel, sans être pour autant corrompu, soutenu par une grâce prévenante gratuitement donnée et qui ne lèse en rien sa liberté, l'homme doit maintenant collaborer aux divins secours et assurer son propre salut. Une question dès lors se pose: pour atteindre ce but, quelle route faut-il suivre? quel modèle faut-il prendre? quels moyens faut-il employer?

A cette date un certain nombre de chrétiens tournaient leurs regards vers les anciens moralistes et plus particulièrement vers les stoïciens. Les uns, comme Guillaume du Vair et Juste Lipse, n'hésitaient pas à construire une morale indépendante, toute rationnelle, qui sentait tout de même et malgré tout un réel parfum d'Evangile, sans que celui-ci soit cité. D'autres citaient abondamment Epictète et Sénèque, mais en leur attribuant à grands renforts de contresens une doctrine toute évangélique et cela sans prendre soin de réfuter leurs erreurs.[32] Ni saint François de Sales, ni le P. Yves de Paris ne tombèrent dans ces errements. Tous deux tenant la même doctrine du péché originel, devaient normalement conclure qu'il devait y avoir chez les anciens à prendre et à laisser, des vérités qu'il fallait adopter et des erreurs qu'il fallait combattre. Saint François de Sales [33] reproche aux stoïciens leur apathie, leur doctrine du suicide et leurs contradictions pratiques en admettant par exemple dans les faits des superstitions qu'ils reje-

[31] *Des miséricordes de Dieu*, Première partie, chap. XIII, «Chacun reçoit de Dieu des grâces suffisantes pour se sauver,» p. 81–95.

[32] Cf. Julien-Eymard d'Angers, «Le renouveau du stoïcisme au XVIe et XVIIe siècle,» dans *Actes du Congrès Guillaume Budé*, 1964, p. 122–153.

[33] Cf. A. Jagu, «L'utilisation du stoïcisme par saint François de Sales,» dans *Revue des sciences religieuses*, t. XXXVIII, 1964, p. 1–41.

taient en théorie. Le P. Yves [34] reproche aux stoïciens d'admettre le destin, de mettre le souverain bien dans la seule vertu, de dire des passions qu'elles sont essentiellement mauvaises (apathie), de déclarer que la vertu ne comporte pas de degrés, enfin d'approuver le suicide; sa critique, on le voit, est plus étendue que celle de son maître. Mais tout n'est pas à condamner dans la doctrine du Portique. Saint François connaît surtout Epictète, Sénèque seulement par l'intermédiaire de saint Augustin; il loue Epictète d'avoir confessé la grandeur de Dieu, la laideur du péché, la nécessité de la pénitence, l'amour de la pauvreté, la patience dans les maux (*abstine, sustine*); Sénèque est félicité d'avoir recommandé l'examen de conscience et d'avoir parlé vivement du remords intérieur et du trouble qu'il suscite. Yves de Paris connaît très peu Epictète, mais l'on peut dire qu'il possède son Sénèque sur le bout du doigt; il lui demande une confirmation de son système cosmologique, des portraits bien campés, des sentences bien frappées, une mise en garde contre l'opinion, un éloge de la vertu. Il ne faut pas toutefois en demeurer là, c'est-à-dire en rester au plan purement naturel; il s'agit finalement de transcender les deux philosophes stoïciens et de monter loin d'eux jusqu'à l'ordre surnaturel qui est celui de la Rédemption. Saint François de Sales emploie cette méthode à propos de la pénitence, distinguant la pénitence de plusieurs païens qui regrettent d'avoir bien fait, puis la pénitence purement humaine de ceux qui s'affligent de n'être pas ce qu'ils devraient être, puis la pénitence purement morale, religieuse également, de ceux qui regrettent le péché comme offense de la Divinité, mais sans passer aux actes qu'elle impose, enfin, dominant le tout, la pénitence chrétienne qui s'exprime par un effort constant à se corriger par crainte de l'enfer, désir de paradis et amour de Dieu; la pénitence, louable à plus d'un égard des philosophes païens est transcendée dans une pénitence plus haute, qui a sa source dans la foi; même processus qu'il s'agisse de l'abnégation, de la pauvreté, de l'indifférence. Semblable méthode se retrouve chez Yves de Paris, qui distingue au bas de l'échelle l'avarice et les avaricieux, au milieu la pauvreté des philosophes, au sommet la pauvreté évangélique, ou encore au bas l'indifférence sacrilège des libertins, au milieu l'indifférence philosophique des stoïciens, au sommet l'indifférence des chrétiens. Chez lui, cependant cette gradation obéit à une loi que ne connaît point saint François de Sales,

[34] Cf. Julien-Eymard d'Angers, «Sénèque et le stoïcisme dans l'œuvre du P. Yves de Paris,» dans *Collectanea Franciscana*, t. XXI, 1961, p. 45–88.

celle de la médiation, l'univers ficinien exigeant qu'entre deux extrêmes il y ait un milieu qui participe de l'un et de l'autre, faisant la liaison entre les deux. Cela n'empêche que saint François de Sales et lui s'entendent sur ce principe que tout n'est pas mauvais chez les païens, mais qu'il ne faut pas s'en tenir à leurs limites et savoir les transcender.

Mais dans cet ordre transcendant quel sera le modèle à suivre? Pour saint François de Sales comme pour le P. Yves, il ne peut y avoir à cette question qu'une seule réponse: le modèle à reproduire n'est et ne peut être que Notre Seigneur Jésus-Christ. Cependant pour établir cette essentielle vérité, tous deux ne procèdent pas de même façon. Saint François de Sales se contente de recourir à la comparaison du miroir: «Tout de même, dit-il, que la glace d'un miroir ne saurait arrêter notre vue, si elle n'était enduite d'étain ou de plomb par derrière, aussi, la Divinité ne pourrait être bien contemplée par nous en ce bas monde, si elle ne fût jointe à la Sacrée humanité du Sauveur, duquel la vie et la mort sont l'objet le plus proportionné, suave, délicieux et profitable que nous puissions choisir pour notre méditation ordinaire.»[35] Yves de Paris, lui, sent le besoin d'étayer ses conseils sur sa philosophie cosmique et ses deux principes d'*exemplarité* et de *médiation*: *exemplarité*, car, l'univers étant à l'image de son Créateur, il convient que nous ayons dès cette terre un reflet exhaustif des divines perfections, *médiation*, car, les extrêmes étant dès ici-bas unis par des moyens, qui tiennent des uns et des autres, il convient que nous ayons un médiateur qui soit à la fois Dieu et homme, et c'est ainsi que le Verbe incarné est pour nous la voie, la vérité, la vie.[36] Malgré cette différence non négligeable, le résultat est le même: pour saint François de Sales comme pour le P. Yves, le grand modèle à reproduire, c'est le Sauveur.

Cette imitation du Christ ne doit point se perdre dans les nuages; elle doit au contraire être éminemment pratique et porter sur le quotidien. Le devoir d'état prend ainsi chez saint François de Sales une très grande importance. «Entre les exercices des vertus, dit-il, nous devons préférer celui qui est le plus conforme à notre devoir, et non pas celui qui est plus conforme à notre goût»; «chaque vocation, ajoute-t-il, a besoin de pratiquer quelque spéciale vertu; autres sont

[35] *Introduction à la vie dévote*, Seconde partie, chap. I.
[36] *Morales chrétiennes*, t. I, Première partie, chap. XIII.

les vertus d'un prélat, autres celles d'un prince, autres celles d'un soldat, autres celles d'une veuve.»[37] Pour Yves de Paris, la Providence, qui fait bien toutes choses, assigne à chaque homme un emploi qui correspond à son tempérament propre et dont la parfaite exécution assurera l'équilibre de l'univers.[38] C'est pourquoi il attache une grande importance au choix de la vocation, qui doit se décider non par la volonté des parents mais selon les inclinations naturelles d'un chacun.[39] Mais sitôt la décision prise, l'important est de se consacrer aux devoirs particuliers que cette décision entraîne. Aussi bien lui doit-on plus d'un traité de morale particulière, qu'il s'agisse des prêtres,[40] des religieux,[41] des hommes d'état,[42] des gentilhommes,[43] des magistrats [44] et des personnes mariées.[45] Pour lui donc,comme, pour saint François de Sales, «les exercices de piété doivent être bien ordonnés,» en sorte que le chrétien doit se «rendre attentif à la voix de Dieu, pour connaître ce qu'il lui demande dans la condition où sa providence lui ordonne de couler sa vie.»[46]

Ayant tous les deux la même préoccupation: sanctifier la vie quotidienne, ils vont tous les deux, normalement se prêter aux mêmes développements, qu'il s'agisse des lectures spirituelles,[47] du directeur a choisir entre dix mille,[48] des amitiés,[49] des loisirs [50] ou des habits. Ce qu'il faut surtout retenir, c'est que dans ces développements tous les

[37] *Introduction à la vie dévote*, Livre III, chap. I.
[38] *Morales chrétiennes*, t. II, Première partie, «Avant-Propos.»
[39] *Ibid.*, Première Partie, chap. V.
[40] *L'Agent de Dieu dans le monde*, Première partie *où il est traité de la religion*, Paris, 1658.
[41] *La conduite du religieux*, Rennes, 1653.
[42] *Morales chrétiennes*, t. III, Première partie, «Du gouvernement. — L'Agent de Dieu dans le monde,» Seconde partie «où les intérêts de Dieu sont représentés dans le gouvernement civil.»
[43] *Le gentilhomme chrétien*, Paris, 1666.
[44] *Le magistrat chrétien*, Paris, 1688.
[45] *Morales chrétiennes*, t. III, Deuxième partie, «Les devoirs de la vie commune, L'Agent de Dieu dans le monde,» Troisième partie «où il est traité des intérêts de Dieu en la conduite particulière des chrétiens.»
[46] *Morales chrétiennes*, t. I, Deuxième partie, chap. XVII, «Les exercices de piété doivent être bien ordonnés.»
[47] *Introduction à la vie dévote*, Deuxième partie, chap. XVII, «Comme il faut lire et ouïr la parole de Dieu»; *Morales chrétiennes*, t. I, Deuxième partie, chap. XIX, «Des saintes et dévotes lectures.»
[48] *Introduction à la vie dévote*, Première partie, chap. IV, «De la nécessité d'un conducteur pour entrer et faire progrès en la dévotion»; *Morales chrétiennes*, t. I, Deuxième partie, chap. XVIII, «Du choix d'un directeur.»
[49] *Introduction à la vie dévote*, Deuxième partie, chap. XVII–XXII; *Morales chrétiennes*, t. II, Première partie, chap. XXXII–XXXVI.
[50] *Introduction à la vie dévote*, Troisième partie, chap. XXXI–XXXIV; *Morales chrétiennes*, t. II, Deuxième partie, *Les divertissements de l'homme particulier.*

deux partagent un égal souci de ne pas charger les âmes et de s'en tenir à un juste milieu entre deux extrêmes, ce qui n'empêche nullement, et même l'exige, un héroïsme qui s'ignore. Saint François de Sales permet le bal, tout en soulignant ses dangers;[51] Yves de Paris permet le théâtre, dont il signale les méfaits possibles.[52] Saint François de Sales prêche la bienséance des habits;[53] Yves de Paris recommande la bienséance des vêtements.[54] Saint François de Sales enseigne la pauvreté en esprit et montre comment il faut pratiquer la pauvreté réelle tout en étant réellement riche;[55] Yves de Paris enseigne l'usage modéré des richesses, donne quelques pratiques de cette modération et conseille l'usage des biens en œuvres de charité.[56] Il en est de même pour l'exercice de la mortification extérieure, nos deux écrivains conseillant en ce chapitre, une sage et prudente modération.[57]. Une seule exception: la fréquente communion, saint François de Sales [58] étant sur ce point plus exigeant que le P. Yves; il est vrai que celui-ci s'est exprimé en cette matière en plein milieu de la bagarre suscitée par l'ouvrage d'Antoine Arnaud et que sa pensée première [59] a pu se raidir dans le sens d'une plus grande facilité.[60] De toutes façons l'enseignement de l'Eglise aujourd'hui n'est autre que celui du capucin.

Pour l'un comme pour l'autre cet exercice des vertus a sa source dans l'amour divin. Dès le début de l'*Introduction à la vie dévote* [61] le directeur de Philothée déclare que la vraie et vivante dévotion présuppose l'amour de Dieu, bien plus qu'elle n'est autre chose qu'un vrai amour de Dieu, non point un amour quelconque, mais un amour qui nous fait opérer soigneusement, fréquemment et promptement. Dès le début de ses *Morales chrétiennes*,[62] Yves de Paris déclare qu'il prend ses

[51] *Introduction à la vie dévote*, Troisième partie, chap. XXXIII, «Des bals et passe-temps loisibles, mais dangereux.»
[52] *Morales chrétiennes*, t. II, Deuxième partie, chap. VIII, «Du théâtre.»
[53] *Introduction à la vie dévote*, Troisième partie, chap. XXV, «De la bienséance des habits.»
[54] *Morales chrétiennes*, t. II, Première partie, chap. XXXI, «De la modestie aux vêtements.»
[55] *Introduction à la vie dévote*, Troisième partie, chap. XIV–XVI.
[56] *Morales chrétiennes*, t. IV, Première partie, chap. XVIII–XXIV; Deuxième partie, chap. XXIV.
[57] *Introduction à la vie dévote*, Troisième partie, chap. XXIII, «Des exercices de la mortification extérieure»; *Morales chrétiennes*, t. II, Première partie, chap. XXV, «De la discrétion.»
[58] *Introduction à la vie dévote*, Deuxième partie, chap. XX, «De la fréquente communion.»
[59] *Morales chrétiennes*, Deuxième partie, chap. XXI, «De la fréquentation des sacrements.»
[60] *Des miséricordes de Dieu en la conduite de l'homme*, Deuxième partie, chap. XXIII, «Des fréquentes communions,» Paris, 1644.
[61] Première partie, chap. I, «Description de la vraie dévotion.»
[62] T. I, Première partie, «Avant-Propos.»

ordres de ce précepte de l'évangile, dans lequel Jésus-Christ renferme toute la perfection, à savoir qu'il faut aimer Dieu sur toutes choses et le prochain comme soi-même pour l'amour de Dieu. Il est vrai que fidèle à son système il cherche un fondement cosmique à ce divin commandement. Dieu, dit-il, est un centre de bonté qui envoie ses rayons sur les trois circonférences angélique, raisonnable et matériel; pas là il produit, conserve et tire à soi tout ce qu'il y a de beauté dans l'univers. L'homme n'échappe pas à cette loi; bien plus, c'est pour lui que le Créateur a gratifié de ses faveurs les créatures inférieures; bien plus encore le Seigneur a voulu l'obliger par la plus étroite de toutes les communications en s'unissant hypostatiquement à sa nature. Or comme Dieu nous aime, nous le pouvons aussi aimer; d'où il faut conclure qu'il y a de l'amitié entre nous et lui si elle consiste en un amour réciproque.[63] Saint François de Sales n'ignore pas cette vision de l'univers,[64] mais, en psychologue averti, il préfère montrer la convenance de l'amant à la chose aimée, convenance de similitude, car Dieu et l'homme appartiennent au monde des esprits, convenance de réciproque perfection, car l'homme a grande capacité de recevoir du bien, tandis que Dieu a grande abondance et grande inclination pour en donner.[65] Quoi qu'il en soit de cette différence, pour saint François de Sales et pour le P. Yves l'amour doit être le maître de nos actions. Sans doute dans la portion inférieure de notre être nous portons des passions,[66] qui sans être mauvaises en elles-mêmes, ont cependant besoin d'être réglées, d'être tenues à tutelle. C'est à l'amour divin qu'il appartient de remplir cette tâche.[67] Et comme le Christ est la source exemplaire de cet amour surnaturel, c'est à lui qu'il faut s'attacher pour être sûrs de plaire au Seigneur Dieu. «Considérez, dit le P. Yves, que nous sommes trop étroitement unis à Jésus-Christ dans ses divins mystères pour faire divorce avec ses volontés.»[68] Et saint

[63] *Ibid.*, T. I, Deuxième partie, chap. VIII, «De l'amour de Dieu et de quelques-uns de ses effets.»

[64] *Traité de l'amour de Dieu*, Livre II, chap. III, «De la Providence divine en général.»

[65] *Ibid.*, Livre I, chap. XV, «De la convenance qui est entre Dieu et l'homme.»

[66] *Ibid.*, Livre I, chap. III, «Comment la volonté gouverne l'appétit sensuel»; *Morales chrétiennes*, t. II, Première partie, chap. XVII, «Des passions, et pourquoi elles se rencontrent dans une âme raisonnable.» Saint François de Sales et Yves de Paris adoptent tous les deux la classification thomiste des passions.

[67] *Traité de l'amour de Dieu*, Livre I, chap. IV, «Que l'amour domine sur les affections et passions...,» chap. V, «Comme l'amour de Dieu domine sur les autres amours»; *Morales chrètiennes*, t. I, Deuxiéme partie, chap. XII, "Le principal effet de la charité consiste en l'observation des commandements," *Les Progrès de l'amour divin*, *L'amour souffrant*, chap. VI, «Détachement aisé des choses sensibles par le moyen de l'amour.»

[68] *Morales chrétiennes*, t. I, Deuxième partie, chap. X, «De la pureté d'intention.»

François de Sales: «En me convertissant à vous, mon doux Jésus, roi de bonheur et de gloire éternelle, je vous embrasse de toutes les forces de mon âme... Je vous choisis maintenant et pour jamais pour mon roi.»[69]

Ainsi se fait lentement à travers l'ascèse la douce et continue montée vers les cimes. C'est jusque-là que nous devons les suivre maintenant.

3. L'EPANOUISSEMENT MYSTIQUE

Voici l'ordre que nous suivrons dans cet exposé: d'abord nous noterons ce que nous rencontrons explicitement dans saint François de Sales et qui ne se rencontre qu'implicitement dans Yves de Paris; ensuite nous noterons ce qui se rencontre explicitement dans Yves de Paris et que nous ne rencontrons qu'implicitement dans saint François de Sales; puis nous exposerons ce qui est franchement commun à nos auteurs, enfin nous montrerons les limites de cette «communauté.»

Ce que nous rencontrons explicitement dans saint François de Sales, c'est une analyse psychologique très poussée du cœur humain; tout le livre premier du *Traité de l'amour de Dieu* lui est consacré; nous voyons là comment Dieu a donné le gouvernement de toutes les facultés de l'âme à la volonté,[70] comment la volonté gouverne diversement les puissances de l'âme [71] et particulièrement l'appétit sensuel.[72] L'amour, lui, domine sur toutes les affections; il va jusqu'à gouverner la volonté, bien que la volonté puisse elle aussi la gouverner.[73] Les affections sont à leur tour minutieusement décrites [74] puis nous passons à l'amour en général,[75] à la convenance qui l'excite,[76] à la fin qu'il poursuit et qui est l'union à l'objet aimé, union qui est spirituelle.[77] Le regard se porte alors sur l'âme dans laquelle sont distinguées «deux

[69] *Introduction à la vie dévote*, Première partie, chap. XVIII.
[70] *Traité de l'amour de Dieu*, Livre I, chap. I.
[71] *Ibid.*, Livre I, chap. II.
[72] *Ibid.*, Livre I, chap. III.
[73] *Ibid.*, Livre I, chap. IV.
[74] *Ibid.*, Livre I, chap. V.
[75] *Ibid.*, Livre I, chap. VII.
[76] *Ibid.*, Livre I, chap. VIII.
[77] *Ibid.*, Livre I, chap. IX, X. Nous retrouvons ici mais sur un plan très général la loi yvonienne de la médiation: «Les philosophes anciens ont reconnu qu'il y avait deux sortes d'extase, dont l'une nous portait au-dessus de nous-mêmes, l'autre nous ravalait au-dessous de nous-mêmes, comme s'ils eussent voulu dire que l'homme était d'une nature moyenne entre les anges et les bêtes, participant de la nature angélique en sa partie intellectuelle et de la nature bestiale en sa nature sensitive.»

portions,»[78] l'une inférieure portée à la recherche ou à la fuite de ce que nous connaissons par les sens, l'autre supérieure portée à la recherche du bien que nous connaissons par le discours; en ces deux portions de l'âme il y a quatre degrés différents de raison,[79] au premier nous discourons selon l'expérience des sens, au second selon les sciences humaines, au troisième selon la foi; au quatrième qui est la cime, la fine pointe, il n'y a plus de discours, mais un saint acquiescement à la vérité des mystères et c'est la part de la foi, aux promesses des biens et c'est la part de l'espérance, à la suavité des commandements et c'est la part de la charité. A la lumière de cette analyse le saint docteur distingue plusieurs sortes d'amour:[80] l'amour de bienveillance, l'amour d'amitié, la dilection qui peut être simple, excellente ou éminente, suivant que l'on ne préfère pas l'ami aux autres, ou qu'on le préfère tellement aux autres qu'il n'y ait point de comparaison possible. Arrêtons là notre exposé; nous le reprendrons plus loin.

Si nous ouvrons les *Progrès de l'amour divin* d'Yves de Paris, nous ne trouverons rien de tel; soit que le capucin ait pensé qu'il ne pouvait mieux faire que saint François de Sales; soit qu'il ait cru qu'il l'avait déjà fait dans ses précédents ouvrages; les deux hypothèses peuvent être également vraies. Par contre, si nous parcourons même rapidement l'ensemble de l'œuvre yvonienne, nous rencontrerons une psychologie analogue, sinon tout à fait semblable. Le P. Yves distingue dans l'âme humaine, non pas deux portions, mais trois: la supérieure qui est en langage mystique la fine pointe, la cime de l'esprit lieu du sentiment naturel de la divinité ainsi que des surnaturelles contemplations, l'inférieure qui est le lieu des appétits sensibles et des passions, puis entre les deux la moyenne qui est le lieu du discours et de la raison; l'on reconnaît ici la loi de la médiation. S'il s'agit des passions saint François de Sales et le P. Yves adoptent la division en appétit irascible et concupiscible, division alors classique et qui comprend onze mouvements de l'âme soit pour fuir le mal, soit pour appréhender le bien; tous les deux les défendent contre les stoïciens, mais reconnaissent que le péché originel a effectué là ses plus terribles ravages. S'il s'agit de la raison et de ses discours, elle est capable de prouver l'existence de la divinité, de connaître les divines perfections, établir

[78] *Ibid.*, Livre I, chap. XI.
[79] *Ibid.*, Livre I, chap. XII.
[80] *Ibid.*, Livre I, chap. XIII.

l'immortalité de l'âme et donner les principales lois d'une morale imparfaite; mais elle est lente en ses procédés et sujette à l'erreur. Enfin s'il s'agit du sentiment, qui s'appelle aussi l'instinct, d'un seul coup, sous l'influence de la nature ambiante, il saisit que Dieu existe, et, comme il porte en soi l'image de la divinité, sans attendre, il s'élance vers la possession de l'infini. Aucune solution de continuité entre ces trois portions de l'âme, mais une influence réciproque, les passions étant imprégnées d'intelligence, la raison étant soutenue par l'instinct dans sa lente démarche, le sentiment étant renforcé par le discours de la raison. Ajoutons que la nature n'est pas détruite par la grâce; la piété apaise le tumulte des passions, les discipline et en fait des forces dans l'ordre du salut; loin d'être contre la raison la foi confirme ses découvertes et ouvre un nouveau champ d'investigation à ses recherches; l'espérance met à son comble notre désir de bonheur en nous assurant une joie qui nous dépasse; quant à la charité en s'emparant de tout notre être elle nous met en possession de Dieu tout en nous laissant posséder par lui.[81]

Nous passerons vite sur ce qui se trouve explicitement dans le P. Yves et sans doute implicitement dans saint François de Sales. En effet dans l'*Amour naissant*, tome premier des *Progrès de l'Amour divin*, le capucin après avoir montré que nous avons naturellement une inclination à aimer Dieu, ne s'attarde pas à des descriptions générales mais il en vient à des études particulières. «Il est vrai, dit-il, que, pour nous élever au-dessus de toutes les basses conditions de la matière, il ne faut que la seule grâce»; mais celle-ci n'agit pas toujours de la même façon sur les âmes. Si la première impulsion qui nous porte efficacement à Dieu, vient de Dieu; si elle est un effet du Saint-Esprit et non pas du nôtre, de la grâce et non de la nature, il n'en est pas moins certain que dans ses progrès elle respecte la liberté humaine et qu'elle s'accommode au tempérament d'un chacun. Quelques-uns viennent de bonne heure adorer Jésus comme les bergers qui étaient dans le voisinage de Bethléem; d'autres viennent de loin comme les Mages à la suite d'une longue recherche et de pénibles raisonnements; il en est qui se font appeler plusieurs fois comme Samuel et d'autres ne cèdent qu'à la vue de prodiges comme le centurion du Calvaire. En somme l'Amour divin ne naît pas dans les cœurs d'une façon uniforme mais

[81] Sur cette psychologie yvonienne cf. C. CHESNEAU, *op. cit.*, t. II, *L'apologétique*, p. 152–175, 426–435. Paris, 1946.

selon la manière d'être d'un chacun.[82] Aussi bien le P. Yves va se pencher sur chacun des cas particuliers qu'il a dû rencontrer dans sa vie sacerdotale pour les étudier un par un. C'est ainsi qu'il consacre un chapitre au «philosophe qui s'élève à Dieu,»[83] au «sage du monde instruit de ses vanités,»[84] à ceux qui sont élevés dans des habitudes de piété,[85] à ceux qui se convertissent à la suite d'une disgrâce,[86] ou tardivement,[87] ou à la suite de succès.[88] Il sait que pour les uns l'amour divin a son origine dans la crainte de l'enfer,[89] pour d'autres l'espérance du ciel,[90] pour d'autres la pensée de la mort,[91] pour d'autres enfin l'attrait des consolations sensibles.[92] C'est ainsi qu'il se penche sur tous ces cas pour les étudier les uns après les autres, en psychologue averti habitué à fréquenter les âmes. Je ne sais si François de Sales s'est livré à pareille étude; ni l'*Introduction à la vie dévote*, ni le *Traité de l'amour de Dieu* ne donnent l'équivalent.[93] Il faudrait dépouiller ses sermons et sa correspondance.[94] Nous aurions sans doute là des remarques d'un haut intérêt; mais pour l'instant il importe peu; nous avons seulement montré la différence qui existe entre des traités de mystique et d'ascèse: cela suffit.

Maintenant que le départ est fait, il nous est plus facile de montrer ce que nos deux écrivains ont de commun. Tous les deux, ainsi que nous l'avons dit, discernent en l'homme une inclination naturelle à l'amour divin;[95] Dieu, pour employer le langage salésien, se sert de cette inclination comme d'une anse pour faire monter l'homme jusqu'à lui; cette montée, nous la trouvons sensiblement la même chez l'un et l'autre de nos deux écrivains. Il suffit pour s'en rendre

[82] *Les progrès de l'amour divin*, t. I, *L'amour naissant*, chap. III, «Les divers moyens de la vocation divine.» Paris, 1643.
[83] *Ibid.*, chap. IV.
[84] *Ibid.*, chap. V.
[85] *Ibid.*, chap. XII, «La jeunesse consacrée à Dieu.»
[86] *Ibid.*, chap. XVIII, «Des disgrâces qui servent à la conversion.»
[87] *Ibid.*, chap. XIX, «Des conversions tardives.»
[88] *Ibid.*, chap. XVII, «La reconnaissance des bienfaits de Dieu.»
[89] *Ibid.*, chap. VIII, «La crainte des jugements de Dieu.»
[90] *Ibid.*, chap. IX, «L'espérance de la gloire.»
[91] *Ibid.*, chap. VII, «La pensée de la mort.»
[92] *Ibid.*, chap. XI, «L'attrait des consolations sensibles.»
[93] L'on peut cependant en trouver l'amorce dans le chapitre sixième du second livre du *Traité de l'amour de Dieu*, chapitre intitulé: «Combien la Providence sacrée est admirable en la diversité des grâces qu'elle distribue aux hommes.»
[94] Cf. F. Strowski, *op. cit.*, p. 99–144 (la prédication) p. 145–188 (la correspondance). Paris, 1928. A. de Margerie, *Saint François de Sales*, p. 136–155 (la prédication), p. 156–178 (la correspondance), Paris, 1917. H. Sauvage, *Saint François de Sales prédicateur*. Paris, 1874.
[95] Cf. *supra*, notes 13 et 16.

compte d'ouvrir le *Traité de l'indifférence* du capucin (1638). Dans ce traité le P. Yves commence par réprouver l'indifférence sacrilège des libertins,[96] de là il passe à l'indifférence des philosophes (entendez les stoïciens) dont il montre à la fois le bien-fondé et l'insuffisance;[97] du plan naturel il monte au surnaturel et il fait voir que la résignation chrétienne est supérieure à la vertu des stoïques;[98] enfin il parvient au sommet en déclarant que l'indifférence chrétienne est plus parfaite que la résignation.[99] Indéniablement c'est là du saint François de Sales. Même critique du stoïcisme, orgueilleuse philosophie qui s'appuie sur de faibles raisonnements vite caducs au contact de la dure réalité,[100] tandis qu'un chrétien sait voir dans le moindre des événements l'expression de la volonté divine; même définition de la résignation, demi-volonté qui ne s'accorde pas pleinement aux ordres de la Providence;[101] même notion de l'indifférence, remise entière de tout son être entre les mains du Rédempteur. «L'indifférence est plus parfaite que la résignation, conclut le P. Yves, parce que la résignation est pour une chose et pour un temps; elle suit un chemin dont elle peut se détourner; elle cède à la force et ploie de peur de rompre»; «l'indifférence, ajoute-t-il, donne tout le cœur à Dieu sans réserve sur tous les temps, sur tous les sujets; elle fait un holocauste de toutes les inclinations de la nature; elle sacrifie toutes les demi-volontés, tous les souhaits, toutes les larmes qui se trouvent dans la résignation, parce qu'elle est le grand effet de la charité.»[102] Et saint François de Sales: «La résignation préfère la volonté de Dieu à toutes choses, mais elle ne laisse pas d'aimer beaucoup d'autres choses outre la volonté de Dieu. Or l'indifférence est au-dessus de la résignation, car elle n'aime rien sinon par l'amour de la volonté de Dieu.»[103] «Si la charité est vraie, écrit ailleurs le P. Yves, elle est dans cette parfaite indifférence; elle fait qu'on se porte d'un même visage dans les bonnes comme dans les mauvaises issues, parce qu'on y accomplit ses volontés et que lui offrant nos saints désirs avec nos efforts, on lui consacre tout ce qui est en notre

[96] *Traité de l'indifférence*, chap. I.
[97] *Ibid.*, chap. II.
[98] *Ibid.*, chap. III.
[99] *Ibid.*, chap. IV.
[100] Sur cette critique cf. *supra* les notes 33 et 34.
[101] *Traité de l'indifférence*, chap. IV, «L'indifférence chrétienne est plus parfaite que la résignation.»
[102] *Ibid.*
[103] *Traité de l'amour de Dieu*, livre IX, chap. IV, «De l'union de notre volonté au bon plaisir de Dieu dans l'indifférence.»

disposition.»[104] En sorte qu'il n'est pas étonnant que l'on rencontre chez nos deux auteurs la même comparaison: la boule de cire.[105]

Il nous est possible de mener la comparaison sur deux autres points: l'imitation du Christ et les degrés de l'amour divin.

Dans l'*Introduction à la vie dévote* [106] saint François de Sales présente le Christ comme un modèle à reproduire; le P. Yves fait de même dans ses *Morales chrétiennes.*[107] Dans son *Traité de l'amour de Dieu* saint François de Sales déclare: «Nous sommes unis pas la charité comme les membres au chef; c'est pourquoi nos fruits et bonnes œuvres, tirant valeur d'icelui, méritent la vie éternelle.»[108] Et le P. Yves dans *Les Progrès de l'amour divin*: Le Christ, dit-il, ne veut être qu'un corps et qu'un esprit avec ses élus; nous ne pouvons donc aimer que par son amour, comme les artères ne chauffent et ne battent que par les mouvements du corps; il est le chef de tous les hommes; c'est pourquoi tous sont animés par l'influence de ses mérites et notre amour envers Dieu tire ses forces du sien.[109]

Dans le *Traité de l'amour de Dieu* saint François de Sales distingue quatre sortes d'affections; les unes procèdent du discours que nous faisons selon l'expérience des sens; ce sont des affections naturelles; il y en a d'autres formées sur le discours tiré des sciences humaines; ce

[104] *Les progrès de l'amour divin*, t. III, «L'amour agissant,» chap. XIX, «La parfaite soumission aux volontés divines.»

[105] *Traité de l'amour de Dieu*, Livre IX, chap. IV: «Le cœur indifférent est comme une boule de cire entre les mains de Dieu pour recevoir toutes les impressions du bon plaisir éternel.» *Les progrès de l'amour divin*, t. II, *L'amour souffrant*, chap. VI, «La mort de la volonté propre»: «Mourir à l'amour propre... c'est mettre son âme en état de se laisser amollir devant Dieu comme la cire au soleil.» Sur les nuances qui existent entre ces deux comparaisons, celle de saint François de Sales et celle du P. Yves, cf. *infra* notes 122 et 127.

[106] Cf. *supra* note 35. A propos de ce christocentrisme salésien le P. E. M. Lajeunie écrit (*Saint François de Sales et l'esprit salésien*, p. 150. Paris, 1962): «Le christocentrisme peut revêtir deux formes, selon que le Seigneur est considéré comme *modèle* de notre vie ou selon qu'il est considéré comme le *principe*, par sa présence et son action mystérieuse en nos âmes dans l'Eglise; nous avons ainsi le christocentrisme dévot, comme celui de l'*Imitation*, et le christocentrisme mystique qui prend le *Mystère* plus en profondeur.» Mais il oublie de dire que ce christocentrisme dévot n'est pas seulement celui de l'*Imitation* mais aussi celui de l'*Introduction à la vie dévote*. Nous pouvons ajouter que le christocentrisme mystique est aussi celui du P. Yves. Sur la différence qui existe à ce sujet entre *Bérulle et saint François de Sales*, cf. Julien-Eymard D'ANGERS, «L'humanisme chrétien du XVIIe siècle à la lumière d'ouvrages récents,» dans *Studi francesi*, t. VI, 1962, p. 425–426, 429–430.

[107] Cf. *supra* note 36.

[108] Livre XI, chap. VI.

[109] T. I, *L'amour naissant*, chap. II.

sont des affections raisonnables; il y en a d'autres qui proviennent des discours faits selon la foi; ce sont des affections chrétiennes; enfin il y en a qui ont leur origine du simple assentiment et acquiescement que l'âme fait à la vérité et à la volonté de Dieu; ce sont des affections divines et surnatuelles que Dieu répand dans nos esprits sans l'entremise d'aucun discours.[110] Nous retrouvons gradation analogue dans les *Morales chrétiennes*; à la base le P. Yves admet un amour d'inclination semblable à celui qui reporte toutes choses à leur principe; au-dessus prend place un amour raisonnable, qui procède de la contemplation du monde et de ses beautés; au-dessus se trouve un amour d'espérance qui a sa source dans la foi et qui tend au céleste bonheur; enfin au suprême degré se rencontre un amour désintéressé qui tend à Dieu sans aucune prétention de récompense, uniquement en raison de ses excellences infinies; dans ces bienheureux accès, dit le P. Yves, l'homme surnaturalisé voit toutes ses puissances se fondre en douceurs, en consolations, en extases, parce qu'il aime un amour essentiel inséparable de la gloire; c'est le troisième ciel dont parle saint Paul, celui où réside la source de la chaleur et de la lumière.[111] Mais, ajoute le P, Yves, si, comme l'apôtre, il nous faut descendre sur terre pour reprendre les quotidiennes occupations, les effets opérés par la charité n'en demeurent pas moins dans une âme semblable à une barre de fer jetée dans la fournaise et qui prend alors toutes les vertus du feu; comparaison qui est employée aussi par saint François de Sales.[112]

Il ne faudrait pas conclure à la suite de ces analyses que la ressemblance entre les deux auteurs est semblable de point en point. Celle-ci a des limites qu'il nous faut montrer maintenant.

Saint François de Sales termine son chapitre sur l'indifférence par ces mots: le cœur indifférent «aimerait mieux l'enfer avec la volonté de Dieu que le Paradis sans la volonté de Dieu: oui même, il préférerait l'enfer au paradis s'il savait qu'en celui-là il y eut un peu plus du bon plaisir divin qu'en celui-ci; en sorte que, si par imagination de chose impossible, il savait que sa damnation fût un peu plus agréable à Dieu que sa salvation, il quitterait sa salvation et courrait à sa damnation.»[113] Dans son *Traité de l'indifférence* le P. Yves se garde bien de formuler un tel souhait; après être monté jusqu'au sommet de ce qu'il

[110] *Traité de l'amour de Dieu*, Livre I, chap. V.
[111] *Morales chrétiennes*, t. I, Seconde partie, chap. VIII.
[112] «Sermon pour la veille de Noël,» dans *Œuvres complètes*, t. IX, p. 453.
[113] *Traité de l'amour de Dieu*, Livre IX, chap. IV.

appelle la science des saints et que saint François de Sales appelle Théologie mystique (le mot ne se trouve pas chez le capucin), lui soudain il tourne court et s'attache à montrer que «la pensée de l'éternité nous fait tenir les choses humaines pour indifférentes,»[114] «que l'indifférence fait que l'on use des biens avec modération,»[115] «qu'on les dispense avec charité»[116] et qu'elle produit «une force libre des craintes et des lâchetés du monde.»[117] Nous sommes revenus, sans que l'aveu en soit fait, au plan de la morale chrétienne.

Dans son *Traité de l'amour de Dieu* saint François de Sales décrit longuement l'union de l'âme avec son Dieu qui se parfait en l'oraison; il traite des trois espèces de ravissements et de la vie extatique;[118] il parle du suprême effet de l'amour effectif qui est la mort des amants et de ceux qui moururent en amour (premier degré), par amour (deuxième degré), d'amour (troisième degré),[119] et l'exemple est donné, pour terminer cette longue description, de la glorieuse Vierge qui mourut d'un amour extrêmement doux et tranquille.[120] Le livre consacré à l'indifférence chrétienne contient un chapitre où il est question de l'heureux trépas de la volonté.[121] L'on ne peut dire qu'il ne soit fait aucune allusion à cette vie profonde dans les *Progrès de l'amour divin*; nous avons déjà signalé la comparaison de la cire malléable au gré de l'ouvrier;[122] nous avons rencontré celle du ver à soie «qui demeure enseveli dans son peloton, sans prendre de nourriture, sans mouvement, sans les autres actions ordinaires de la vie cependant que la Nature dessine dessus son corps raccourci les parties d'un papillon.»[123] Il n'est pas douteux pour autant que le P. Yves insiste sur l'exercice des vertus comme s'il avait peur d'une passivité qui pourrait être néfaste. S'il parle de mort des sens,[124] de l'esprit [125] et de la volonté,[126] c'est plus dans un sens actif que passif et l'âme est invitée à se dépouiller plutôt qu'à se laisser dépouiller, à se soumettre

[114] *Traité de l'indifférence*, chap. VI.
[115] *Ibid.*, chap. VII.
[116] *Ibid.*, chap. VIII.
[117] *Ibid.*, chap. IX.
[118] Livre VII, chap. III–VII.
[119] *Ibid.*, chap. IX–XI.
[120] *Ibid.*, chap. XIII–XIV.
[121] Livre IX, chap. XII.
[122] Cf. *supra* note 105.
[123] *Les progrès de l'amour divin*, t. II, *L'amour souffrant*, chap. II, «Les souffrances de l'amour sont les symptômes d'une heureuse mort.»
[124] *Ibid.*, chap. III.
[125] *Ibid.*, chap. IV.
[126] *Ibid.*, chap. V.

aux divines instructions plutôt qu'à se laisser éclairer, à se mettre en état de s'amollir devant Dieu, plutôt qu'à se laisser amollir par Dieu lui-même.[127] Sans doute l'amour divin arrivé à son dernier point de perfection arrête l'âme en une délicieuse suspension de ses puissances: la mémoire se voit nettoyée de tout ce que le long usage de la vie y avait mis de figures, le jugement et la volonté sans se répandre sur d'autres objets éclatent avec de tranquilles lumières, comme un ciel serein dans les plus beaux jours du printemps.[128] L'âme est comme investie, comme pénétrée de Dieu; c'est une sainte oisiveté où elle est d'autant plus active, plus de force, plus de liberté, plus d'élan pour servir Dieu.[129] Car le but de toute cette jouissance n'est autre que l'action. Le P. Yves distingue trois phases dans l'oraison d'une âme arrivée à ces hauteurs: la contemplation, la complaisance, l'imitation.[130] Qu'il s'agisse de la très simple unité divine,[131] de l'infinité,[132] de l'immensité,[133] de l'éternité,[134] de la science,[135] de la Toute Puissance,[136] de l'amour divin,[137] de la Providence,[138] de la miséricorde[139], il s'agit toujours en définitive de réaliser le commandement du Maître: Soyez parfait comme votre Père céleste est parfait.[140] Le principal est l'imitation et c'est dans l'imitation que se réalise l'union.

Ainsi malgré les indéniables et très nombreuses ressemblances, il existe entre le capucin et l'évêque de Genève une certaine distance; ne parlons pas de dégradation; le point de vue n'est pas tout à fait le même; il faut de cette différence chercher maintenant la raison.

Nous croyons en premier lieu qu'il faut en appeler à un certain intellectualisme yvonien que le P. Yves tient sans doute de Marsile Ficin lui-même. En effet le P. Yves en plus de l'inclination naturelle

[127] Cf. *supra* note 105.
[128] *Les progrès de l'amour divin*, t. IV, *L'amour jouissant*, chap. I, «La paix et la tranquillité de l'âme.»
[129] *Ibid.*, chap. II, «Les tranquilles réflexions de l'âme en Dieu et sur soi-même.»
[130] *Ibid.*, chap. VIII, «La triple jouissance de l'âme en la contemplation, la complaisance et l'imitation des perfections divines.»
[131] *Ibid.*, chap. IX.
[132] *Ibid.*, chap. X.
[133] *Ibid.*, chap. XI.
[134] *Ibid.*, chap. XII.
[135] *Ibid.*, chap. XIII.
[136] *Ibid.*, chap. XIV.
[137] *Ibid.*, chap. XV.
[138] *Ibid.*, chap. XVI.
[139] *Ibid.*, chap. XVII.
[140] *Matth.*, V. 48.

à aimer Dieu par-dessus toutes choses admet une inclination naturelle à la vision béatifique,[141] ce dont il n'est pas question chez saint François de Sales. La conséquence en est que l'accent est mis sur le bonheur et sur la jouissance. Il ne saurait donc être question chez lui comme dans le *Traité de l'amour de Dieu* d'un désir conditionné de la damnation; pour lui, cela n'aurait pas de sens. C'est la science des saints de vivre toujours parmi les hommes comme devant Dieu, de rapporter tout ce que l'on a de biens à sa gloire, de donner aux bonnes œuvres ce qu'il leur faut de lumière pour faire voir qu'elles dépendent de sa grâce et pour informer le prochain par leur bon exemple sans en nourir notre ambition.[142] La conséquence c'est que l'âme se relève ainsi de ses faiblesses, qu'elle se dilate sous les lumières et les impressions divines et qu'elle jouit d'un bonheur que le monde ne peut donner.[143]

En second lieu il convient de dire que du *Traité de l'amour de Dieu* aux *Progrès de l'amour divin* le climat s'est quelque peu modifié. Saint François de Sales déjà mettait sa Philothée en défiance contre certains livres «qui promettent d'élever l'âme jusqu'à la contemplation purement intellectuelle, à l'application essentielle de l'esprit et vie suréminente»;[144] mais c'était dit rapidement et avec un certain sourire, car le danger ne devait pas être considérable. Le P. Yves, lui, part en guerre et plus d'une fois contre ce qu'il appelle des dévotions délicates. Dans les *Morales chrétiennes* il dénonce ces faux spirituels qui veulent jouir tout ensemble des plaisirs du corps et de l'esprit, qui pensent avoir le ciel sans fatigue et qui veulent renaître sans mourir.[145] Dans les *Progrès de l'amour divin* il se demande si l'on peut voir des pratiques plus contraires à la sainteté de Dieu, plus injurieuses aux mérites de Jésus-Christ, plus abominables au ciel et à la terre que celles de ces

[141] Cf. *infra*, p. 146–152.

[142] *Les progrès de l'amour divin*, t. IV, *L'amour jouissant*, chap. XX, «Humble et diligente conduite pour se conserver les faveurs de Dieu.» Yves de Paris donne deux autres définitions de ce qu'il appelle la «science des saints»: 1) «C'est la science des saints, l'unique négoce nécessaire d'où dépend notre félicité et tout ce que les plus intimes désirs de notre âme demandent de consolation, d'être bien avec Dieu» (*op. cit.*, t. I, *L'amour naissant*, Avant-propos). 2) «C'est la sublime science des saints, dit l'Apôtre (*Colos.* I, 26) de bien connaître l'étendue, la profondeur, toutes les dimensions de la charité de Jésus-Christ, de comprendre cet indicible secret de l'humilité qui l'abaisse, de la divinité qui le relève, de l'amour qui le partage au salut de tous les hommes, qui les réunit et qui les reporte à Dieu» (*op. cit.*, t. II, *L'amour souffrant*, Avant-propos).

[143] *Op. cit.*, t. IV, chap. XX.

[144] *Introduction à la vie dévote*, Troisième partie, chap. II.

[145] *Les Morales chrétiennes*, t. I, Deuxième partie, chap. XXVII–XXVIII.

faux spirituels qui, sous prétexte de quelques lumières intérieures, lâchent la bride à leurs concupiscences.[146] Et dans un autre endroit du même ouvrage il donne le mot qui recouvre toutes ces erreurs lorsqu'il écrit: «Je ne favorise point ici les dévotions délicates de ceux qui, sans rien refuser aux sens, s'imaginent de satisfaire suffisamment à Dieu par ce qu'ils appellent des actes de pur amour.»[147] Ce dernier mot nous rapelle Jean-Pierre Camus et sa Caritée qui veut éteindre les flammes de l'enfer et mettre le Paradis en cendre; les querelles furent nombreuses qui s'élevèrent autour des pieux romans de ce prélat;[148] nous pensons beaucoup plus aux illuminés de Picardie et au pamphlet qu'écrivit contre eux le capucin Archange Ripault sous ce titre des plus belliqueux: *Abomination des désolations des fausses dévotions de ce temps* (1632).[149] De là sans doute l'insistance que met le P. Yves à recommander les vertus actives; visiblement il a peur que ses lecteurs n'abandonnent la lutte nécessaire contre soi pour se livrer à un repos qui les conduirait aux pires extravagances. Nous avons là le commencement d'une évolution qui atteindra son point critique dans le conflit qui mettra aux prises en fin de siècle et un Bossuet et un Fénelon.

Il n'est pas dans notre pensée de conclure longuement; nous avons établi, croyons-nous, qu'Yves de Paris fait bel et bien partie de la grande famille salésienne; nous avons aussi montré ce qui fait son originalité, ce ficinisme qui a dû fortement l'influencer dans son jeune âge; et nous avons terminé en montrant les limites d'une ressemblance, limites qu'il importe de souligner, parce qu'elles peuvent être interprétées comme l'indice d'une orientation, sinon nouvelle, du moins plus précise, des esprits et des cœurs.

146 T. III, *L'amour agissant*, chap. III, «La pratique des vertus.»

147 T. II, *L'amour souffrant*, chap. VI, «Détachement aisé des choses sensibles par le moyen de l'amour.»

148 Cf. H. Bremond, *La querelle du pur amour au temps de Louis XIII: Antoine Sirmond et Jean-Pierre Camus*. Paris, Cahiers de la nouvelle journée n° 22. G. Joppin, *Une querelle autour de l'amour pur: Jean-Pierre Camus*. Paris, 1938.

149 Sur l'illuminisme de Picardie cf. H. Bremond, *Histoire littéraire du sentiment religieux*, t. XI, *Le procès des mystiques*, p. 70 sv. Paris, 1933. Godefroy de Paris, O.F.M. Cap., «Le P. Archange Ripault et les capucins dans l'affaire des illuminés de Picardie,» dans *Etudes Franciscaines*, 1934, t. XLVI, p. 541–558, 1935, t. XLVII, p. 346-356, 601–615. A. Dodin, «Saint Vincent de Paul et les illuminés,» dans *Revue d'ascétique et de mystique*, 1949, t. XXV, p. 455–456. J. Orcibal, *Les origines du jansénisme*. T. II, «Saint-Cyran et son temps.» Paris, 1948.

APPENDICE

Tableau récapitulatif

Saint François de Sales *Introduction à la vie dévote*	Yves de Paris *Morales chrestiennes*
Première partie, chap. III «Que la dévotion est convenable à toutes sortes de vocations et professions.»	t. I, première partie, chap. XXVIII «On peut pratiquer la perfection chrestienne en toutes sortes d'estats et de conditions.»
Ibid., chap. IV «De la nécessité d'un conducteur pour entrer et faire progrès en la dévotion.»	t. I, deuxième partie, chap. XVIII «Du choix d'un directeur.»
Deuxième partie, chap. XVII «Comme il faut lire et ouïr la parole de Dieu.»	*Ibid.*, chap. XIX «Des saintes et dévotes lectures.»
Ibid., Troisième partie, chap. IV «De l'humilité pour l'extérieur.»	t. I, Première partie, chap. XX «De l'humilité chrestienne et comment elle s'accorde avec la grandeur de courage.»
chap. V «De l'humilité plus intérieure.»	
chap. VI «Que l'humilité nous fait aimer notre propre abjection.»	
chap. VII «Comme il faut conserver la bonne renommée, pratiquant l'humilité.»	
Ibid., chap. XII «De la nécessité de la chasteté.»	t. II, première partie chap. XXIX «De la chasteté.»
chap. XIII «Avis pour conserver la chasteté.»	chap. XXX «De la pudeur.»
chap. XXV «De la bienséance des habits.»	chap. XXXI «De la modestie aux vestements.»
Ibid., chap. XVII «De l'amitié et premièrement de la mauvaise et frivole.»	t. II Première partie, chap. XXXII «Scavoir si le sage a besoin d'amis.»

Saint François de Sales	Yves de Paris
Ibid., chap. XVIII «Des amourettes.»	chap. XXXIII «Sçavoir si l'homme particulier doit avoir plusieurs amis.»
chap. XIX «Des vraies amitiés.»	chap. XXXIV «Le choix d'un bon ami.»
chap. XX «De la différence des vraies et des vaines amitiés.»	chap. XXXV «Sçavoir si le sage doit rechercher ou souffrir l'amité des grands.»
chap. XXI «Avis et remèdes contre les mauvaises amitiés.»	chap. XXXVI »Les devoirs de l'ami.»
chap. XXII «Quelques autres avis sur le sujet des amitiés.»	t. II, Première partie chap. XXII «La volupté doit être vaincue par la vertu.»
Ibid., chap. XXIII «Des exercices de la mortification extérieure.»	
	chap. XXIII «La mortification des sens est nécessaire au chrétien.»
	chap. XXIV «De la tempérance.»
	chap. XXV D«e la discrétion.»
Ibid., chap. XXXI «Des passe-temps et récréations et premièrement des loisibles et louables.»	t. II, Deuxième partie «Les divertissements de l'homme particulier.»
chap. XXXII «Des jeux défendus.»	chap. VIII «Des théâtres.»
chap. XXXIII «Des bals et passe- temps loisibles, mais dangereux.»	chap. XI «Du jeu.»

Saint François de Sales	Yves de Paris
chap. XXIV «Quand on peut jouer ou danser.»	
Introduction à la vie dévote Deuxième partie, chap. XII «De la retraite spirituelle.»	*Progrès de l'amour divin* *L'amour agissant* chap. XX «Retraites par intervalles.» *Le Magistrat chrétien* chap. XXVI «Retraite par intervalle.»
Ibid., Deuxième partie chap. XX «De la fréquente communion.»	*Des miséricordes de Dieu en la conduite de l'homme.* Deuxième partie chap. XXIII «Des fréquentes communions.»
Ibid., Troisième partie chap. XIV «De la pauvreté d'esprit, observée entre les richesses.»	*Les Morales chrestiennes*, t. IV Première partie, chap. XVIII «Des richesses.»
chap. XV «Comme il faut pratiquer la pauvreté réelle, demeurant néanmoins réellement riche.»	chap. XIX «Des misères de l'avarice.» chap. XX «De la prodigalité.»
chap. XVI «Pour pratiquer la richesse d'esprit emmi la pauvreté réelle.»	chap. XXI «L'usage modéré des richesses.» chap. XXII «Quelques pratiques de modération.»
	chap. XXIII «L'usage des biens en oeuvres de charité.» chap. XXIV »Prester sans usure.» Deuxième partie, chap. XXIV «De la pauvreté.»

Saint François de Sales

Traité de l'amour de Dieu
Livre I, chap. I
«Que pour la beauté de la nature humaine, Dieu a donné le gouvernement de toutes les facultés de l'âme à la volonté.»

Livre I, chap. III
«Que la volonté gouverne l'appétit sensuel.»

Livre I, chap. IV
«Que l'amour domine sur toutes les affections et passions, et que même il gouverne la volonté, bien que la volonté ait aussi domination sur lui.»

Livre I, chap. V
«Des affections de la volonté.»

Livre I, chap. VI
«Comme l'amour de Dieu domine sur les autres amours.»

Ibid., Livre I, chap. VII
«Description de l'amour en général.»

Ibid., Livre I, chap. XVI
«Que nous avons une inclination d'aimer Dieu par-dessus toutes choses.»

chap. XVII
«Que nous n'avons pas naturellement le pouvoir d'aimer Dieu par-dessus toutes choses.»

chap. XVIII
«Que l'inclination naturelle que

Yves de Paris

Les Morales chrestiennes

t. I, Deuxième partie, chap. VIII
«De l'amour de Dieu et de quelques-uns de ses effets.»

Ibid., t. II, Première partie
chap. XVII
«Des passions et pourquoi elles se rencontrent dans une âme raisonnable.»

chap. XVIII
«D'où vient le désordre des passions.»

chap. XIX
»L'homme peut vaincre ses passions.»

chap. XX
«Notre vie n'a point de félicité sans la victoire des passions.»

chap. XXI
«Quelques considérations qui servent de moyens généraux pour s'assujettir les passions.»

chap. XXII
«La volupté doit être domptée par la vertu.»

Les progrès de l'amour divin,
L'amour naissant

chap. I
«Le coeur de l'homme a de naturelles inclinations à l'amour de Dieu.»

Ibid., chap. II
«Le véritable amour de Dieu est un effet de la grâce.»

Saint François de Sales	Yves de Paris
nous avons d'aimer Dieu n'est pas inutile.»	
Livre II, chap. XVI «Du grand sentiment d'amour que nous recevons par la sainte espérance.»	*Ibid.*, chap. IX «L'espérance de la gloire.»
Ibid., chap. XVIII «Quand l'amour se pratique en la pénitence et premièrement qu'il y a plusieurs sortes de pénitence.»	*Ibid.*, chap. VII «Pensées de la mort.» *Ibid.*, chap. VIII «La crainte des jugements de Dieu.»
Ibid., chap. XIX «Que la pénitence sans amour est imparfaite.»	*Ibid.*, chap. XIV «Le courtisan repenti.»
chap. XX «Comme le mélange d'amour et de douleur se fait en la contrition.»	*Ibid.*, chap. XV «Le dégoust des grandes fortunes.» *Ibid.*, chap. XVI «Les débauches lassées et pénitentes.» *Ibid.*, chap. XIX «Des conversions tardives.»
Livre IX, chap. III «De l'union de notre volonté au bon plaisir divin és afflictions spirituelles par la résignation.»	*Les Morales chrestiennes* t. I, Deuxième partie, chap. XI «De la parfaite résignation aux volontés de Dieu.» *Les Progrès de l'amour divin,* *L'amour agissant*
chap. IV «De l'union de Dieu au bon plaisir de Dieu par l'indifférence.»	chap. XIX «La parfaite soumission aux volontés divines.» *De l'indifférence*
chap. V «Que la sainte indifférence s'étend à toutes choses.»	chap. II «De l'indifférence des philosophes.»
chap. VI «De la pratique de la sainte indifférence au service de Dieu.»	chap. III «Le chrestien perfectionne l'indifférence des philosophes par la résignation.»
chap. VII «De l'indifférence que nous devons	

Salnt François de Sales

pratiquer en ce qui regarde notre avancement dans la vertu.»

chap. IX

«Comme la pureté de l'indifférence doit se pratiquer és actions de l'amour sacré.»

chap. XV

«Du plus excellent exercice que nous puissions faire parmi les peines intérieures et extérieures de cette vie en suite de l'indifférence et trépas de la volonté.»

Yves de Paris

chap. IV

«L'indifférence chrestienne est plus parfaite que la résignation.»

chap. VI

«La pensée de l'eternité nous fait tenir les choses humaines dans l'indifférence.»

chap. VII

«L'indifference n'empesche pas les soins légitimes qu'on doit apporter au maniement des choses humaines.»

chap. VIII

«L'indifférence fait que l'on use des biens avec modération & qu'on les dispense avec charité.»

chap. IX

«L'indifférence des chrestiens produit une force libre des craintes et des laschetés de ce monde.»

chap. X

«L'indifférence est suivie d'une grande paix intérieure.»

CHAPITRE IV*

LE SENS DU PÉCHÉ DANS L'ŒUVRE D'YVES DE PARIS ANTÉRIEURE A LA QUERELLE JANSÉNISTE (1632–1642)

Aimsi que nous l'avons déjà signalé, dans son ouvrage sur les origines du jansénisme,[1] M. J. Orcibal dresse un véritable réquisitoire contre «l'humanisme dévot.»[2] Entre autres accusations, nous ne retiendrons que celle-ci: «Ce qui est plus grave encore, ils (les humanistes dévots) cherchaient à satisfaire la tendance générale à la facilité.» Comment des optimistes intempérants n'auraient-ils pas émoussé le sens du péché, eux qui soutenaient que «Dieu a fait les créatures dans sa bonté pour que nous en ayons la jouissance.»[3] Ces reproches sont surtout adressés aux jésuites et notamment à F. Garasse et à E. Binet; bien que cité seulement en note, le capucin Yves de Paris n'est pas à l'abri de ces attaques; celui-ci se voit accusé «de dissimuler ce qui dans le christianisme avait choqué la Renaissance»;[4] il s'efforce, nous est-il dit, de faire oublier la souffrance, si bien que son optimisme «innocent» peut avoir des conséquences graves.[5] Car, selon Saint-Cyran, la souffrance occupe la première place dans l'œuvre de notre sanctification.

Le principal coupable de cette interprétation fautive est certainement l'abbé H. Bremond. L'extrême habileté de cet historien à choisir ses textes et à les détourner de leur véritable sens est assez connue; elle apparaîtra clairement sur la question ici soulevée.[6] D'après l'*Histoire littéraire du sentiment religieux*, Yves de Paris conçoit un monde où le péché n'a guère de place: les passions soumises à l'empire de la

* Paru dans la *Revue d'ascét et de myst.*, 1954, t. XXX, p. 140–157.

[1] J. Orcibal, *Les origines du jansénisme. II. Jean Duvergier de Hauranne, Abbé de Saint-Cyran et son temps (1581–1638)*, p. 40–47. Paris, J. Vrin, 1947. Cf. *supra*, p. XIV.

[2] H. Bremond, *Histoire littéraire du sentiment religieux en France.* t. I, *L'humanisme dévot.* Paris, 1929.

[3] J. Orcibal, *op. cit.*, t. II, p. 43.

[4] *Ibid.*, p. 42, n. 6.

[5] *Ibid.*, p. 43, n. 5; p. 678, n. 1.

[6] H. Bremond, *op. cit.*, t. I, p. 455–467.

liberté, les défauts concourrant à la beauté de l'avenir, la faute originelle nous valant un magnifique Rédempteur, l'homme tendu vers Dieu même dans ses chutes, tout cela nous chante la splendeur d'un univers où le pessimisme n'a aucun droit.

Il est certain qu'un tel tableau sent son pélagianisme et l'on comprend qu'un historien aussi avisé que M. J. Orcibal ait été offusqué. Aussi convient-il d'en faire une sévère critique. Nous arrêterons notre étude à la querelle janséniste, afin de préciser l'attitude de notre capucin à la veille de cette bataille théologique. Trois ouvrages donc retiendront notre attention: *Les heureux succès de la Piété* (1632), *La théologie naturelle* (1633–1637) et les trois premiers tomes des *Morales chrétiennes* (1638–1641), le quatrième faisant déjà plus d'une allusion aux erreurs de Jansenius.[7] Nous étudierons ces trois ouvrages l'un après l'autre, chacun ayant sa physionomie propre. Nous ferons un essai de synthèse en guise de conclusion.

I. LES HEUREUX SUCCÈS DE LA PIÉTÉ

Nous n'avons pas l'intention de raconter l'histoire de cet ouvrage, écrit en apparence dans un but de piété, en réalité contre le *Directeur désintéressé*, livre considérable que J. P. Camus, l'ami connu de saint François de Sales, avait écrit contre les réguliers, surtout contre les capucins.[8] Le plan de cette longue et importante riposte est très simple: dans une première partie il est traité «De l'institution et dignité de la vie religieuse,» dans une seconde «des trois vœux de religion» et dans la troisième «des exercices des religieux.» C'est dire l'angle tout spécial sous lequel nous étudierons le sens du péché dans cette première œuvre d'Yves de Paris.

L'institution de la vie religieuse s'est faite en deux étapes et dans les deux le péché a joué son rôle.

Première étape: l'homme cherche le chemin du bonheur; il se rend

[7] *Les heureux succès de la Piété ou les triomphes que la vie religieuse a remportés sur le monde et l'hérésie*, t. I. Paris, 1632. *La Théologie naturelle*, t. I (1633), t. II (1635), t. III (1636), t. IV (1637). Le t. I traite de l'existence de Dieu et de la création du monde; le t. II de l'immortalité de l'âme et des anges; le t. III des perfections de Dieu, de sa Providence et de sa justice; le t. IV de la religion, de la Révélation chrétienne et des mystères chrétiens. *Les Morales chrétiennes*, t. I (1638), t. II (1639), t. III (1641). Le t. I traite des devoirs de l'homme en la vie particulière et publique, le t. II. de l'homme en particulier, c'est à dire du solitaire, le t. III de la police générale du christianisme. Le t. IV, paru en 1642, traite de l'usage des biens et des maux.

[8] J.-P. Camus, *Le Directeur spirituel désintéressé selon l'esprit de S. François de Sales, fondateur de la Visitation Sainte-Marie*, Paris, 1631. Cf. C. Chesneau, *Le P. Yves de Paris et son temps*, t. I, *La querelle des évêques et réguliers*, Paris, 1946.

compte qu'il n'est pas fait pour la terre, mais pour Dieu; dès cette première considération, la faute apparaît, car, faisant un mauvais usage de sa liberté, l'être humain se révolte contre le Ciel et recherche les richesses, la puissance, la renommée, les plaisirs;[9] quelques-uns mettent le souverain bien dans la seule vertu: vanité insupportable, celle de prétendre être heureux par soi-même sans l'influence d'une cause supérieure.[10] Dans les deux cas, il y a péché.

Deuxième étape: l'homme cherche le chemin de la perfection; il se rend compte avec Platon qu'il doit se rendre semblable à la Divinité; sentiment divin sans doute, mais trop extatique pour une raison faible et vacillante; les passions peuvent se donner libre cours même dans cette imitation de Dieu. L'ambition prétend aux charges: Dieu n'est-il pas, dit-elle, le maître du monde? L'avarice pressure et entasse; Dieu n'est-il pas le maître des trésors? L'amour propre cherche la louange: Dieu n'a-t-il pas produit le monde pour sa gloire? Triple erreur. Triple faute.[11] D'où la nécessité d'un Maître, qui n'est autre que Jésus-Christ.[12]

Dès ces premières pages, le péché nous apparaît comme le mal de Dieu, le mal de l'homme: «Si nous sommes si misérables, écrit le P. Yves, de chercher quelque chose en dehors de Dieu, nous faisons une grande injure à son excellence et un tort extrême à nos intérêts.»[13]

Il est logique, après cela, que la vie religieuse soit définie, en partie du moins, en fonction du péché lui-même.

Elle se présente d'abord comme un refuge, car dans le monde il est difficile de se sauver.[14] Les hommes cherchent sceptres, pourpre, trésors, applaudissements, toutes choses opposées au souverain bien; la vanité se maintient par les rapines; les carrosses coûtent le sang des pauvres; un mot, un simple mot, vous mène sur le pré; un crime en couvre un autre. Bref, notre naissance nous enlise dans le mal. La vie religieuse, au contraire, est le vrai chemin du Ciel. Avec elle deux

[9] *Les heureux succès de la Piété*, t. I, éd. 1633, p. 15–16; éd. 1634, p. 15–16. Nous citons aussi l'édition de 1634, parce qu'elle fut publiée après les poursuites en Sorbonne et compte est tenu des critiques formulées par les censeurs désignés par Richelieu (cf. C. Chesneau, *op. cit.*, t. I, p. 142).

[10] *Les heureux succès de la Piété*, t. I, éd. 1633, p. 35; éd. 1634, p. 35.

[11] *Ibid.*, éd. 1633, p. 48–50; éd. 1634, p. 48–50. Dans l'édition de 1634, Yves de Paris cite Saint Augustin (*Confessions*, II, 6), pour se justifier d'un reproche que lui firent ses adversaires (cf. C. Chesneau, *op. cit.*, t. I, p. 142).

[12] *Ibid.*, éd. 1633, t. I, p. 52–60; éd. 1634, t. I, p. 52–60.

[13] *Ibid.*, éd. 1633, t. I, p. 43; éd. 1634, t. I, p. 43.

[14] *Ibid.*, éd. 1633, t. I, p. 98–108; éd. 1634, t. I, p. 99–109. Première partie, chap. XI, «Il est difficile de se sauver vivant dans le monde.» Dans ce chapitre, Yves de Paris pousse au noir le tableau qu'il peint de la vie des séculiers, à tel point que ses adversaires lui en feront de violents reproches (cf. C. Chesneau, *op. cit.*, t. I, p. 111, 138).

grâces de choix: être à l'abri du vice, être en possession de la vertu.[15] C'est tout l'inverse du péché.

Refuge, la vie religieuse est aussi un sacrifice. Car c'est d'expiation qu'il s'agit. Et c'est encore le péché qui est en cause. L'homme doit vivre dans la dépendance; il se révolte, et c'est la faute; par le vœu d'obéissance il se soumet: sacrifice d'expiation. Le cœur humain est fait pour Dieu; il se met hélas! en dépendance de la chair; par le vœu de chasteté il se mortifie: sacrifice d'expiation. Les richesses sont une source infinie de fautes; l'avarice est le poison de la charité; il faut combattre le prince de l'argent par un continu sacrifice et c'est celui du vœu de pauvreté,[16] Tant il est vrai que les trois vœux de religion sont en réaction contre le péché.

Lutte contre le péché, telle est en effet l'une des obligations des religieux. Eux-mêmes d'abord sont pécheurs, qu'ils s'en souviennent; ils sont aussi des pénitents, qu'ils ne l'oubient pas. Leur principal adversaire, c'est le mal: mauvais livres, qu'il faut abattre par l'étude; mauvaises mœurs qu'il faut combattre, par la prédication, par l'exemple; braver les puissances temporelles vicieuses, rendre la confiance aux timides, guérir les ulcères envieillis, apaiser les haines de famille et beaucoup d'autres exploits du même ordre, voilà les principales occupations, l'une des principales raisons du religieux et ces occupations, ces raisons supposent, exigent à la fois et le sens de Dieu et celui du péché.[17]

Certes le péché n'est pas central dans les *Heureux succès de la Piété*. La vie religieuse n'est pas qu'un refuge, un sacrifice d'expiation, une lutte; elle est aussi un sacrifice de louange; se mortifier n'est pas tout; il faut également contempler la divine sagesse, monter sur la sainte

[15] *Ibid.*, éd. 1633, t. I, p. 130; éd. 1634, p. 133. Sur les réactions des évêques devant ces propos téméraires, cf. C. Chesneau, *op. cit.*, t. I, p. 111, 138; dans son édition de 1634, malgré les reproches qui lui étaient faits d'accorder au religieux une sorte d'impeccabilité, Yves de Paris ne changea pas un mot de son premier texte; il se contenta de citer en marge Saint Thomas avec plus d'abondance que dans les éditions précédentes.

[16] *Ibid.*, éd. 1633, t. I, p. 142–151; éd. 1634, t. I, p. 150–158: Première partie, chap. XV, «La vie religieuse est un sacrifice d'expiation»; éd. 1633, t. I, p. 304, 305, 309; éd. 1634, t. I, p. 324, 326, 329. Seconde partie, chap. VII, «Du vœu d'obéissance,» éd. 1633, p. 331, 332, 334; éd. 1634, t. I, p. 351, 352, 354, chap. IX, «Du vœu de la chasteté religieuse»; éd. 1633, t. I, p. 358, 359, 367–377, 378–394, 360; éd. 1634, t. I, p. 376, 377, 387–396, 397–413, 378: chap. XII, «Du vœu de la pauvreté évangélique selon le conseil de Jésus-Christ,» chap. XIII, «La pauvreté Evangélique est plus excellente que celle des philosophes,» chap XIV, «Les préséances de la pauvreté évangélique sur celle qui est contrainte.»

[17] *Ibid.*, éd. 1633, t. I, p. 506, 509; éd. 1634, t. I, p. 530, 533: Troisième partie, chap. I, «De la mortification des religieux»; éd. 1633, t. I, 629, 647; éd. 1634, t. I, p. 654, 671: chap. XI, «Des mauvais livres qui courent par le monde combattus par ceux des religieux»; éd. 1632, t. I, p. 649, 652–653, 655, 659; éd. 1634, t. I, p. 673–674, 977, 678, 679, chap. XII, «Des religieux prédicateurs.»

montagne où s'est transfiguré le Sauveur; la psalmodie est d'une très grande importance car elle continue le chant céleste commencé par le Verbe incarné et prolongé par l'Eglise. L'éloge est magnifique que fait Yves de Paris d'un état qui lui tient vraiment à cœur et qu'il défend de toutes ses forces [18] et le péché ne semble pas avoir là sa place.

Le voici pourtant qui fait sa réapparition comme au détour du chemin. Car si la vie religieuse est d'une telle excellence, combien grande est la malice de ceux qui osent l'attaquer. Ce sont des démons déguisés en anges, des hérésiarques qui mêlent le poison parmi les viandes, des pervers qui font prendre l'innocence pour l'hypocrisie et la pauvreté pour l'avarice. L'indignation éclate comme à la vue d'un mal sans nom. Comme ils sont fustigés ceux qui assassinent la vie des réguliers! Comme ils sont blâmés ceux qui couvrent la haine d'un équipage de paix et qui mêlent le sang avec le vin! «Mon cher lecteur, écrit le P. Yves, si vous rencontrez des livres ou si vous entendez des discours qui nous traitent avec cette sanglante humanité,souvenez-vous de Judas qui trahit Jésus-Christ par un baiser, ou des juifs, qui cependant qu'ils le déchirent de coups, lui donnent un roseau pour sceptre et le saluent par moquerie pour roi.»[19]

2. LA THÉOLOGIE NATURELLE

Il est donc difficile de dire qu'en écrivant *Les heureux succès de la Piété*, Yves de Paris n'avait pas le sens de la faute; le reproche que lui firent ses contemporains fut, non pas d'être relâché, mais d'exagérer le mal; la lutte contre le péché tenait au cœur du capucin, puisqu'elle explique en grande partie l'excès même de ses réactions.

Avec la *Théologie naturelle* le point de vue change; les adversaires

[18] *Ibid.*, éd. 1633, t. I, p. 151–159; éd. 1634, t. I, p. 159–168: Première partie, chap. XVI, «La profession religieuse est un sacrifice de louange,» éd. 1633, t. I, p. 555–566; éd. 1634, t. I, p. 576–588: Troisième partie, chap. V, «L'austérité du corps aide à la contemplation et des religieux contemplatifs»; éd. 1633, t. I, p. 686–700; éd. 1634, t. I, p. 710–724: chap. XV, «De la psalmodie religieuse.»

[19] *Ibid.*, éd. 1633, t. I, p. 187–199; éd. 1634, t. I, p. 199–214: Première partie, chap. XIX, «De ceux qui sont ennemis de la vie religieuse»; éd. 1633, t. I, p. 200–208; éd. 1634, t. I, p. 215–223; chap. XX, «De la malice de ceux qui ont persécuté les Ordres religieux»; éd. 1633, t. I, p. 293–300; ed. 1634, t. I, p. 312–319: Deuxième partie, chap. VI, «De ceux qui par calomnie détournent les autres de la vie religieuse.» Voir encore les passages qui concernent la pauvreté religieuse: éd. 1633, t. I, p. 374, 375; éd. 1634, t. I, p. 394: Seconde partie, chap. XIII, «La pauvreté évangélique est plus excellente que celle des philosophes.» «C'est une impiété qui compare la raison à la Foi, l'hypocrisie à la vérité et un philosophe à Jésus-Christ»; éd. 1633, t. I, p. 379–380; éd. 1634, p. 398–399, chap. XIV, «Les prééminences de la pauvreté évangélique sur celle qui est contrainte»: «C'est un crime et une espèce de sacrilège de faire des équivoques ct de se jouer des mots du texte sacré en une matière où leur abus altère la sincérité de la religion.»

sont maintenant les libertins; ces adversaires, non plus seulement de la vie religieuse mais de l'Eglise, il faut les gagner par des preuves sans doute, mais aussi par une ascèse, qui dégageant la fine pointe de l'âme, l'ouvrira pleinement à la bonté toute puissante de Dieu. Le sentiment du péché ne peut donc être absent de cette œuvre; il est le corrollaire obligatoire de celui de la Divinité.

Dieu, ce Dieu de Platon, de Socrate et d'Abraham, Yves de Paris le sent continuellement présent à son âme contemplative d'humaniste chrétien. A lui une admiration sans borne, dans ce recueillement que l'on éprouve devant un être qui vous dépasse infiniment, qui vous enveloppe de toutes parts et à qui vous devez tout. A lui l'amour qui dépasse de beaucoup la connaissance, parce qu'il attire Dieu dans le cœur et nous fait jouir de son ineffable bonté. Au péché, par contre, une haine incommensurable, accompagnée d'une incommensurable indignation.[20]

Ainsi en est-il de l'athéisme. L'homme est fait pour Dieu et c'est une espèce de parricide de faire mourir dans nos âmes les vérités que Dieu y met pour notre conduite; c'est renverser les lois éternelles, pour suivre celles de l'opinion, de l'ignorance et des passions.[21] Crime d'autant plus grand qu'il entraîne d'incalculables conséquences. De là les mœurs dissolues, les perfidies, les parjures, les sacrilèges.[22] Aussi le châtiment ne se fait pas attendre: tantôt, bien que rarement, l'aveuglement, puis l'impénitence finale;[23] toujours les remords qui ne laissent aucune paix.[24]

Coupables également ceux qui nient les perfections divines. Nier la divine bonté: crime de lèse-majesté, profanation, désespoir qui nous rend industrieux à notre ruine et qui nous arme contre notre intérêt.[25] Nier la divine sagesse: sacrilège, absurdité.[26] Refuser sa reconnaissance au Créateur, c'est par un seul acte commettre toutes les impiétés, toutes les ingratitudes.[27] Sacrilège abominable dire de Dieu qu'il est

[20] *La Théologie naturelle*, t. I. Première partie, chap. XII, p. 158–159, chap. XXVII, p. 366–368. Pour le t. I, nous renvoyons toujours à l'édition de 1640.

[21] *Ibid.*, t. I, *Discours apologétique*, p. 22, 65–66. Première partie, chap. III, p. 71. Deuxième partie, chap. XVIII, p. 590–591.

[22] *Ibid.*, t. I. Deuxième partie, «Prélude,» p. 391, 395.

[23] Cf. C. Chesneau, *op. cit.*, t. II, p. 301, 302.

[24] *La Théologie naturelle*, t. I. Première partie, chap. IV, p. 74–76. Cf. C. Chesneau, *op. cit.*, t. II, p. 300–301.

[25] *La Théologie naturelle*, t. III. Première partie, chap. XIV, p. 120. Pour le t. III, nous renvoyons toujours à l'édition de 1645.

[26] *Ibid.*, t. III. Première partie, chap. XV, p. 125.

[27] *Ibid.*, t. III. Première partie, chap. XVII, p. 136.

oisif.[28] Sacrilège inadmissible demander à Dieu des raisons de toutes choses.[29] Sacrilèges ces prières que nous formons pour la satisfaction de nos passions,[30] et ces jugements que nous faisons du divin juge.[31] Blasphème enfin, impiété sans pareille de dire que le Maître nous expose en cette vie, comme dans une forêt pleine de voleurs, avec un guide infidèle qui nous livre entre leurs mains.[32]

Cette malice intrinsèque du péché, qui paraît avec éclat dans ces blasphèmes, n'existe pas moins dans nos autres délits. Que sommes-nous en présence de Dieu? Moins qu'un moucheron en présence de l'homme; homme et moucheron appartiennent «au genre généralissime de l'être»; homme et moucheron sentent, vivent et meurent. Dieu est créateur; nous tenons l'existence de sa main; il destine l'univers à notre usage. Et nous nous dressons contre Lui; contre Lui nous nous révoltons; nous méprisons les célestes faveurs.[33] Que méritons-nous sinon les peines de l'enfer?[34]

Mais le péché fait partie d'un tout. Elargissons nos regards et considérons l'univers, Le point de vue change. Le vice est étudié en fonction de la vertu. Il n'est pas pour autant émoussé.

Tout d'abord le mal absolu n'existe pas. Dans l'ordre physique le mal n'est qu'un moindre degré de bonté.[35] Dans l'ordre moral c'est de degrés qu'il est aussi question. Au-dessous des anges, il y a place pour les hommes qui ont le chemin ouvert pour parvenir à la gloire, mais qui par le fait même ont la possibilité de pécher;[36] s'ils succombent à la tentation, tout n'est pas mauvais dans leur acte, car il faut distinguer dans la faute d'une part «le dérèglement de la raison» ou «mal de coulpe,» de l'autre la matière des actions, qui participant à l'être peut recevoir l'influence du premier principe et par là demeurer reflet d'une vertu.[37] Ajoutons que Dieu est justice et miséricorde et

[28] *Ibid.*, t. III. Deuxième partie, chap. I, p. 175.
[29] *Ibid.*, t. III. Deuxième partie, chap. VII, p. 221–222, 225.
[30] *Ibid.*, t. III. Deuxième partie, chap. XVIII, p. 307–308.
[31] *Ibid.*, t. III. Troisième partie, «Avant-propos,» p. 368.
[32] *Ibid.*, t. III. Troisième partie, chap. IX, p. 450; cf. *ibid.*, chap. VII, p. 431: «C'est la dernière et *la plus criminelle* de toutes les absurdités qui naissent de l'ignorance, de dire que Dieu soit cause du mal.»
[33] *Ibid.*, t. III. Troisième partie, chap. VI, p. 422–425.
[34] *Ibid.*, t. III. Troisième partie, chap. XIV, p. 492–493.
[35] *Ibid.*, t. III. Troisième partie, chap. VIII, p. 229, 230, 237. Cf. idem, *Jus naturale* (1658): «Non dari summum malum patet ex eo quod eius existentia, et partes convectens ordo bonum est.» Yves de Paris renvoie à S. Augustin: *De ordine*, I, 6; *Epistula contra Manichaeum*, XXIX.
[36] *La Théologie naturelle*, t. III. Troisième partie, chap. II, p. 378, 379, 380.
[37] *Ibid.*, t. III. Troisième partie, chap. VII, p. 480; chap. VIII, p. 438. Cf. C. CHESNEAU, *op. cit.*, t. II, p. 491–493.

que toute défaillance appelle châtiment et pardon, s'insérant dans un plan divin où prennent place miséricorde et justice.[38] D'où une double considération.

Premièrement le mal est l'ombre déformée du bien; il n'en est pas moins le mal, et c'est comme tel que, tout en étant désapprouvé, il rend témoignage au bien. L'idolâtrie est une preuve de l'instinct qui nous pousse vers Dieu, car il en est une perversion.[39] L'intempérance sanguinaire des sacrifices païens présuppose ce sentiment que Dieu existe; elle n'en est pas moins sanguinaire.[40] Les princes n'ont pu propager leurs fausses religions qu'en utilisant un mouvement naturel qu'autrement ils n'auraient pu vaincre: dépravation, qui certes est en même temps une preuve, mais n'en est pas moins une dépravation.[41] Les passions, même viciées, gardent une noblesse, témoin de leur céleste origine: l'amour garde un certain sens de la beauté, la colère un certain sens de l'honneur, la haine et l'indignation un certain sens de la justice.[42] Ainsi, comme malgré elles, les passions, devenues mauvaises, rappellent encore l'immense dignité humaine et l'infinie grandeur divine; elles n'en sont pas moins source de fautes; il faut les combattre, sans pour autant cesser d'y voir et l'immortalité de l'âme et Dieu.[43]

Deuxième considération: justice et miséricorde. Le Souverain Juge n'abandonne jamais personne ici-bas; il avertit le pécheur de sa faiblesse et lui donne la grâce de la prière; il lui présente l'immensité de l'œuvre divine et lui donne le sens de l'adoration; il n'y a personne si abandonné dans les péchés, qui n'avoue une infinité d'inspirations divines; Dieu n'a pas créé les hommes pour les perdre; ceux qui seront damnés le seront par leur faute; même les enfers proclameront la gloire non seulement de la justice, mais de la miséricorde, car les misérables seront toujours moins punis qu'ils ne l'auront mérité.[44] Ainsi la vue de la divine bonté ne nous fait par perdre le sens de nos crimes.

[38] *Ibid.*, t. III. Troisième partie, chap. III, p. 400, chap. VI, p. 416.

[39] *Ibid.*, t. I. Première partie, chap. I, p. 52–55.

[40] *Ibid.*, t. I. Première partie, chap. IV, p. 87–88.

[41] *Ibid.*, t. I. Première partie, chap. V, p. 89 sv.

[42] *Ibid.*, t. II, éd. 1642. Première partie, chap. XXXIV, p. 344–352, chap. XXXV, p. 353. Ainsi l'ambition, par une fausse imitation de Dieu, veut monter aux plus hautes charges (*ibid.*, t. II, p. 350). On retrouve ici mais sous un autre jour, la thèse exposée dans les *Heureux succès de la Piété* (cf. *supra*, p. 81).

[43] *Ibid.*, t. II. Première partie, chap. XXXVI, p. 364–378. Ailleurs Yves de Paris met une hiérarchie dans les péchés et déclare les péchés par excès moins graves que les péchés par défaut parce qu'ils montrent mieux la grandeur de l'humain (cf. *ibid.*, t. II, deuxième partie, «Avant-propos,» p. 495). Ainsi les libertins par curiosité intellectuelle pèchent moins que les libertins par paresse ou par passion (cf. C. Chesneau, *op. cit.*, t. II, p. 294–295). Cela n'empêche pas que des deux côtés l'on pèche gravement.

[44] *Ibid.*, t. III. Troisième partie, chap. III, p. 388–405; chap. XV, p. 510.

L'histoire de l'univers qui est aussi celle de nos révoltes, prêche semblable vérité. Après avoir décrit les malheurs de l'Antiquité, après avoir prouvé que l'idolâtrie est sans excuse, après être revenu sur les calamités du monde au temps du paganisme, Yves de Paris montre le remède apporté à l'humaine misère.[45] Mystère admirable! Prodige d'amour! Dieu concilie sa justice et sa miséricorde; le Sauveur n'apparaît pas dans la gloire, mais dans la pauvreté; il est d'une parfaite innocence, mais il meurt comme un criminel.[46] Et que de grâces il nous mérite! Le corps est pesant, immobile; survienne l'esprit; il en fait jouer tous les ressorts. Le genre humain est affaibli; survienne la Rédemption; avec elle les lumières et les mouvements. Les sacrements, en même temps sensibles et surnaturels, à la portée des pauvres et des riches, donnent des forces à l'âme en assurant sa liberté. Car l'homme est libre, non dans la satisfaction de ses passions, mais dans l'exercice généreux de ses puissances et la pratique des divins commandements est pour lui une délivrance et un sûr moyen de se garantir. En bref, Jésus-Christ a travaillé pour nous; il nous tire de la servitude, nous investit des biens spirituels et nous oblige à garder quelques préceptes qui se résument à un seul: aimer Dieu de tout notre cœur.[47]

Aimer Dieu de tout notre cœur. Ces mots impliquent une ascèse, qui, dans *La Théologie naturelle*, est loin d'être de tout repos.

La divine miséricorde, en effet, est exigeante. Loin de diminuer la malice du péché, elle l'augmente.[48] Loin d'écarter pour tous le châtiment elle le rend plus terrible pour ceux qui, banissant toute crainte, abusent de la divine bonté.[49] C'est à plus de perfection que nous invite l'éternelle clémence, à un combat sans relâche, à un don sans mesure. Aussi malheur aux conversions indéfiniment remises; à ceux qui désavouent leurs péchés, le pardon; à ceux qui font pénitence, miséricorde; mais aux autres, aux ingrats, la surprise de la mort et les supplices éternels.[50]

[45] *Ibid.*, t. IV, éd. 1641. Première partie, chap. X, p. 87–95; chap. XI, p. 95–103. Deuxième partie, chap. I, p. 153–162; chap. II, p. 162–167.

[46] *Ibid.*, t. IV. Troisième partie, chap. IX, p. 455, 459.

[47] *Ibid.*, t. IV. Troisième partie, chap. XIII, p. 487–492; chap. XIV, p. 492–497; chap. XXVII, p. 620; chap. XXVIII, p. 621, 624, 625; chap. XIX, p. 631–637.

[48] *Ibid.*, t. IV. Deuxième partie, chap. III, p. 175: «Si l'on juge de la violence d'un mal par l'extrémité de son remède, il fallait que la *superbe* des hommes fut bien *grande*, leur *malice* extrêmement *noire* et *opiniâtre*, leurs *impiétés abominables*, leurs *ambitions*, leurs délices bien *criminelles* pour avoir besoin d'être guéries par l'humilité, par les faiblesses, par les souffrances et par les larmes d'un Dieu.»

[49] *Ibid.*, t. III. Troisième partie, chap. VI, p. 416–417, 418.

[50] *Ibid.*, t. IV. Première partie, chap. I, p. 15; t. III. Troisième partie, chap. XVI, p. 515; chap. XI, p. 458–573: cf. *ibid.*, t. II. Première partie, chap. XLVI, p. 489: «Ce qui trouble le plus les mauvaises âmes, c'est que la raison et qu'une lumière naturelle qui ne

Ainsi se dégage l'ascension de l'âme vers Dieu dans la spiritualité du P. Yves, soit qu'il parte de l'homme, soit qu'il parte de la Divinité. S'il part de l'homme, il écarte tout pessimisme de mauvais aloi qui ne peut que nous décourager; tout n'est pas mauvais dans nos passions; il faut les prendre comme à bras le corps et par une ascèse impitoyable les dégager du mal qui les cerne pour les ployer au service divin. S'il part de la Divinité, il écarte l'image d'un Dieu terrible, guettant le pécheur pour le surprendre dans son péché: ce sont lâches sentiments d'une crainte servile; il conseille de se tenir en présence de Dieu, de se laisser impressionner par cette majesté infinie, d'ouvrir les yeux de l'esprit aux divines lumières, de braver l'opinion du monde et de se rendre attentif aux douceurs des célestes entretiens. Ainsi nous nous porterons à la vertu pour satisfaire à la volonté de Dieu, pour jouir de l'éternité et pour faire de notre corps un temple où nous offrirons des sacrifices.[51]

Yves de Paris ne se gêne donc pas pour attaquer violemment les vices quand l'occasion se présente; voici par exemple comme il traite l'hypocrisie des princes: «Tout le monde ne devrait-il pas fulminer des exécrations contre cet esprit d'enfer, qui donne aux princes cette pernicieuse maxime de paraître, mais de n'être pas touchés du sentiment de religion... On ne peut recevoir cette fameuse pratique à moins de ne plus connaître Dieu,» ce qui est «un crime de lèse-majesté, digne des derniers supplices.»[52] Celui qui est ici visé, est certainement Machiavel. On ne peut donc accuser le P. Yves de céder devant le paganisme de la Renaissance.

3. LES MORALES CHRÉTIENNES

Dans les *Heureux succès de la Piété*, le péché est considéré en fonction de la vie religieuse; dans la *Théologie naturelle* il est examiné aussi bien en lui-même que dans ses rapports avec l'ordre universel; dans les trois premiers tomes des *Morales chrétiennes* il est analysé selon le train-train

peut s'éteindre, leur fait connaître que de cette vie l'on passe à une autre, où comme les vertus reçoivent leur récompense, aussi les vices sont châtiés sur ce qu'ils méritent de peine. Dans ces craintes, ces remords, ces furieuses convulsions d'esprit, un méchant homme ne saurait goûter de plaisirs au monde qui soient solides et ses intérieurs doivent être plus cuisants que des criminels à qui l'on a prononcé l'arrêt de condamnation.» C'est sur cette appréhension que le P. Yves fonde l'argument du *pari*; cf. C. Chesneau, *op. cit.*, t. II, p. 400–401.

[51] *La Théologie naturelle*, t. I. Deuxième partie, chap. XVI, p. 517–518; t. II. Première partie, chap. XVII, p. 443–444; t. III. Première partie, chap. XI, p. 98. Cf. C. Chesneau, *op. cit.*, t. II, p. 400–401.

[52] *Ibid.*, t. IV. Première partie, chap. VI, p. 62–63.

journalier de la vie. L'intérêt est tout autre; il n'en est pas moins important.

Ce train-train journalier n'est pas toujours des plus beaux. Du fond de sa solitude, le sage se fait un spectacle du monde et le spectacle n'est pas réjouissant. Il rapelle le tableau décrit dans les *Heureux succès de la Piété*.[53] La fourberie qui se dissimule, les lâches complaisances qui se font acheter, les duels issus du désespoir, la guerre et ses passions, la paix et ses impuissances, les compliments, les embrassades qui cachent des haines profondes, beaucoup d'autres crimes encore frappent les regards et soulèvent le cœur. Partout se rencontre le péché que partout il faut combattre, sans oublier qu'il faut surtout le combattre en soi.[54]

Hélas! il est des théologiens qui se font les alliés du mal. Yves de Paris les connaît; il les dénonce; il les combat.

Ce sont d'abord les casuistes relâchés. Avant Pascal et les *Provinciales* il leur donne un avertissement qui pour être bref n'en est pas moins vigoureux. Ces mauvais conseillers débauchent leurs pénitents de leurs bons desseins; ils arrivent à prouver par de subtiles distinctions que les duels sont justes, les vols légitimes, l'usure une espèce de trafic: Maximes pernicieuses qui perdent les âmes et les dérobent à Dieu.[55]

Ce sont ensuite les partisans des dévotions «délicates,» des dévotions «contrefaites.» Ces faux spirituels persuadent que les soucis du monde se peuvent accorder avec la piété véritable et qu'on peut rechercher la pompe des festins, des habits, des édifices, tout en restant profondément pieux. C'est aller contre l'Ecriture qui condamne le mauvais riche, revenir à l'erreur des païens qui se font une idée de la sainteté d'après les sens, c'est oublier que le corps est un tyran qui, lorsqu'on lui cède, accroît toujours plus ses exactions: Erreurs criminelles qui font plus de mal à l'Eglise que les plus cruelles persécutions.[56]

Ce sont enfin les «suppôts» de Machiavel, pour qui le prince est au-dessus des lois; permis au prince d'inventer prodiges et miracles, pour manier les esprits des peuples, de s'élever par toutes sortes de moyens, d'obtenir une fin juste par toutes sortes de procédés: Paganisme hérité

[53] Cf. *supra*, p. 81–82.

[54] *Les Morales chrétiennes*, t. II, éd. 1639. Deuxième partie, chap. IX, p. 519–536, chap. X, p. 536–543. Pour le t. II des *Morales chrétiennes* nous renvoyons toujours à l'édition de 1639.

[55] *Ibid.*, t. I, éd. 1638. Deuxième partie, chap. XIII, p. 478. Pour le t. I des *Morales chrétiennes* nous renvoyons toujours à l'édition de 1638.

[56] *Ibid.*, t. II. Première partie, chap. XXIII, p. 221–225; *ibid.*, t. I. Première partie, chap. IX, p. 121. Deuxième partie, chap. XXVII, p. 608–617. Il est fort probable qu'il faille confondre ces «dévotions délicates» et «contrefaites» avec celles qu'on reprochait alors aux illuminés. Cf. H. Bremond, *op. cit.*, t. II, *Le procès des mystiques*, p. 57 sv.; Godefroy de Paris, «Le P. Archange Ripault et les capucins dans l'affaire des illuminés français,» dans *Etudes Franciscaines*, t. XLVII, 1934, p. 346–356, 601–615; J. Orcibal, *op. cit.*, t. II, p. 443.

de la Renaissance, contre lequel il faut réagir violemment, car il vaut mieux, pour un prince, supporter une disgrâce nationale plutôt que d'offenser son Dieu.[57]

Toutes ces condamnations véhémentes nous montrent chez le P. Yves un vif sentiment du péché qu'il nous faut maintenant définir.

C'est le t. I des *Morales chrétiennes* qui nous renseignera et dans ce tome un chapitre intitulé *L'horreur du péché:*[58] c'est tout dire. Transgression des lois divines, le péché est une ingratitude, plus: une monstruosité, car dans l'univers l'homme est le seul qui n'obéit pas. Meurtrier du Christ, le pécheur se conduit en valet qui offense son maître, en soldat qui vend sa patrie, en enfant qui assassine son père, en chétive créature qui se soulève contre son Créateur. Par contre-coup, l'homme devient victime à son tour, retombant au-dessous de lui-même, au rang des corps, bien plus: dans le néant de son origine.

Mal de Dieu, mal de l'homme, ce double aspect se retrouve dans le reste de tout l'ouvrage.

Mal de Dieu, le péché des philosophes qui ne connurent pas la Divinité et s'opposèrent à ses excellences.[59] Mal de Dieu le péché de ceux qui profanent les Saintes Lettres [60] et qui profanent les Eglises.[61] Mal de Dieu surtout le péché des savants qui commettent le crime de Prométhée en dérobant le feu céleste: avidité sans cesse renaissante qui les consomme, curiosité, transgression de toutes les lois, entreprise contre la Providence, abus intolérable de ses biens, mépris profond de ses faveurs.[62] Mal de Dieu, le péché, puisque nous sommes l'image de la Trinité sainte, les cohéritiers de Jésus-Christ,[63] dont nous renversons les ordres.[64]

Mal de l'homme aussi et d'abord mal individuel, puis social.

Mal de l'individu, le péché ne procède pas de la corruption de notre nature, mais du mauvais usage de nos puissances.[65] La liberté de

[57] *Les Morales chrétiennes*, t. I. Deuxième partie, ch. XXVI, p. 599–608; t. III, éd. 1641. Première partie, chap. VII, p. 77–78; chap. XV, p. 134–144. Pour le t. III, nous renvoyons toujours à l'édition de 1641.

[58] *Ibid.*, t. I. Première partie, chap. XXIV, p. 261–271.

[59] *Ibid.*, t. I. Première partie, chap. XXII, p. 248; cf. *Epitre aux Romains*, I, 21.

[60] *Ibid.*, t. I. Deuxième partie, chap. XV, p. 500. Yves de Paris renvoie à la *Doctrine curieuse* de F. Garasse; c'est l'un des rares auteurs du XVIIe siècle à qui il fait l'honneur d'une citation; c'est dire le grand cas qu'il en fait malgré les attaques de Saint-Cyran.

[61] *Ibid.*, t. I. Deuxième partie, chap. XIV, p. 490.

[62] *Ibid.*, t. II Première partie, chap. XV, p. 156.

[63] *Ibid.*, t. II. Première partie, chap. XVI, p. 163.

[64] *Ibid.*, t. II. Première partie, chap. XLXII, p. 216.

[65] *Ibid.*, t. I. Première partie, «Avant-propos,» p. 9: «Si les puissances de l'homme sont si vastes et d'une étendue qui passe celles de la nature, ce n'est pas merveille si elles causent tant de dégats, quand elles sont déréglées et si une volonté qui a des inclinations pour

l'homme doit se former sur celle de Dieu. Le légitime amour de nous-même doit nous conduire à notre fin dernière, étant conforme aux volontés divines.[66] Malheureusement l'être humain qui n'est fait ni pour les richesses, ni pour le plaisir, ni même pour la vertu considérée en elle-même,[67] se laisse emporter par les passions qui asservissent la raison et la font servir à leur dessein. De là un esclavage terrible: captif de la volupté, incapable de s'en passer, le pécheur vit dans les tourments et porte dans son cœur une fournaise de concupiscence.[68] Gare à l'endurcissement qui guette. La crainte du Seigneur disparaît. L'on ne respecte plus rien. L'on néglige tous ses devoirs. Il faut quasi désespérer de la santé et c'est la mort pour toujours.[69]

Mal social aussi, car suivant une comparaison fameuse [70] le pécheur fait partie d'un tout et l'on ne peut se nuire à soi-même sans nuire au tout. Se proposant pour souverain bien des richesses, des dignités qui ne peuvent être l'apanage de tous, se laissant prendre au charme des sens, aux pernicieux conseils de la flatterie, aux illusions du faux amour propre, il déchaîne par l'univers toutes sortes de vices antisociaux: l'envie qui fait son supplice du bonheur des autres, le mensonge, crime des âmes faibles et lâches, la mauvaise foi qui allume des guerres éternelles. Avec le péché paraissent les flatteries qui crèvent les

l'infini pousse des cupidités qui n'ont point de bornes.» Le P. Yves se distinguera du jansénisme en ce qu'il met les conséquences du péché originel dans le dérèglement des puissances, tandis que Jansénius le met dans la corruption de la nature. Il fait une allusion discrète aux erreurs de Baius, lorsqu'il dénonce «ceux qui soutinrent autrefois que toutes les actions des infidèles étaient des péchés»; cf. *ibid.*, t. I. Première partie, chap. IX, p. 117.

[66] *Ibid.*, t. II. Première partie, chap. XXVII, p. 262; chap. II, p. 18–26; chap. 1, p. 14. Opposer à Pascal (*Pensées*, fr. 476, dans *Pensées et opuscules*, p. 549, éd. L. Brunschvicq, Paris, Hachette, s. d.): «Il faut n'aimer que Dieu et ne haïr que soi»; Yves de Paris transcrirait: «Il faut aimer Dieu et s'aimer dans le sens de Dieu.» A noter de très grandes différences entre Yves de Paris et Pascal: celui-là est humaniste et admet un amour propre légitime; celui-ci est augustinien et insiste sur l'injustice que constitue essentiellement l'amour propre (cf. *Pensées*, fr. 100, *loc. cit.*, p. 375–379). Tous les deux ont le sens du péché, mais non de la même façon.

[67] *Ibid.*, t. I. Première partie, chap. IV, p. 54–65; chap. VI, p. 79–93, chap. VII, p. 93–101; chap. VIII, p. 102–111.

[68] *Ibid.*, t. I. Première partie, chap. V, p. 66–78; t. II. Première partie, chap. XVIII, p. 175; chap. XXII, p. 212; chap. XXIX, p. 290. Deuxième partie, chap. VIII, p. 511–516; chap. XI, p. 544–549.

[69] *Ibid.*, t. I. Deuxième partie, chap. III, p. 355–356; chap. XXI, p. 555. Cette malice paraît encore plus considérable si l'on se place du point de vue surnaturel. Yves de Paris se plaît à noter «les pensées plus hautes» qui doivent animer le chrétien, qu'il s'agisse de l'oisiveté (*ibid.*, t. II. Première partie, chap. X, p. 106), de la luxure (*ibid.*, chap. XXIII, p. 220; chap. XXIX, p. 292, 298), du luxe des vêtements (*ibid.*, chap. XXXI, p. 304, 305, 306, 313). Voir également *ibid.*, Deuxième partie, chap. XI, p. 391 sv., la distinction entre péché véniel et péché mortel.

[70] *Ibid.*, t. III. Deuxième partie, chap. XVIII, p. 474. Cf. *Les Heureux succès de la Piété*, éd. 1633, t. I, p. 105, éd. 1634, t. I, p. 106.

yeux des puissants, l'ingratitude, la médisance, la calomnie, enfin l'oisiveté, cette léthargie funeste aux états.[71]

La lutte s'impose. Ne plaçons pas des coussins sous les coudes des pécheurs.

Le principe est nettement posé: Il faut mourir au péché pour imiter Jésus-Christ.[72] Mourir au monde c'est en détacher son cœur. Mourir à soi-même c'est surmonter les mauvaises tendances de notre nature, éteindre les flammes de la concupiscence et fermer l'oreille au mauvais amour propre.[73] Travail ardu, certes, et il faut se défier de sa faiblesse. Travail possible et il faut mettre en Dieu toute sa force.[74] Rester humble, s'instruire des choses de son salut, avoir du péché une vive horreur, ne pas différer sa pénitence, entretenir un intense désir de perfection, voilà tout ce qu'il faut entreprendre pour répondre aux exigences du Seigneur.[75]

L'esprit de ce programme est la mesure, non pas le laisser-aller. Le chrétien doit se tenir entre deux extrêmes: entre l'ignorance et la trop grande curiosité, le désespoir et la présomption.[76] Il ne doit pas bannir la crainte de son cœur, mais l'élever par l'amour, en sorte qu'il agisse non en esclave mais en fils.[77] La mortification est nécessaire, mais elle doit être discrète: du corps affaibli naît la rébellion.[78] Il faut méditer sur la mort et sur l'immortalité, sur l'arrêt de condamnation et sur l'entrée triomphale au Ciel.[79] Ce souci de mesure qui suppose une âme robuste, un grand courage continu, cette piété vraie domptera la rébellion des sens, perfectionnera notre connaissance de Dieu, nous maintiendra dans l'humilité, nous éloignera de la présomption et,

[71] *Les Morales chrétiennes*, t. III. Première partie, chap. IV, p. 45; chap. XX, p. 189. Deuxième partie, chap. XV, p. 445; chap. XVII, p. 464; chap. XVIII, p. 481; chap. XX, p. 499; chap. XXII, p. 516; chap. XXIX, p. 607; chap. XXII, p. 525–535. Première partie, chap. IX, p. 92.

[72] *Ibid.*, t. I. Première partie, chap. XV, p. 169–180. Malgré l'expression employée il ne s'agit pas ici de mort mystique et nous n'entrons pas dans le domaine de la passivité; pour avoir un point de comparaison il faut se reporter non au *Traité de l'Amour de Dieu*, liv. IX, chap. XIII, «Comme la volonté étant morte à soi vit purement dans la vie de Dieu,» mais à «L'Introduction à la vie dévote,» par exemple les chap. XIV et XV de la Troisième partie, «De la pauvreté d'esprit entre les richesses» et «Comme il faut pratiquer la pauvreté réelle demeurant néanmoins réellement riche.»

[73] *Les Morales chrétiennes*. t. I. Première partie, chap. XVI, p. 184; chap. XV, p. 178.

[74] *Ibid.*, t. I. Première partie, chap. XIV, p. 160–168; chap. XVIII, p. 202–212.

[75] *Ibid.*, t. I. Première partie, chap. XIX, p. 212–219; chap. XX, p. 220–231; chap. XXI, p. 231–244; chap. XXIV, p. 261–271; chap. XXVI, p. 284–294; chap. XXV, p. 271–284; chap. XXVII, p. 294–306.

[76] *Ibid.*, t. I. Deuxième partie, chap. III, p. 347–362; chap. VI, p. 394–404.

[77] *Ibid.*, t. I. Deuxième partie, chap. VII, p. 405–416; chap. VIII, p. 417–431.

[78] *Ibid.*, t. I. Deuxième partie, chap. XXII, p. 560–569; t. II. Première partie, chap. XXIII, p. 217–230; chap. XXV, p. 242–249.

[79] *Ibid.*, t. II. Deuxième partie, chap. XV–XVI, p. 572–584, 584–591.

par la grâce de Dieu fera tellement grandir en nous la charité, que cette vertu, lentement et sûrement, pourra parfois occuper toutes nos facultés, n'y laissant plus de place pour les inquiétudes de la terre; ainsi la mort, bien qu'affreuse aux sentiments de la nature, ne nous étonnera pas; elle nous semblera la liberté qui rompt nos chaînes, qui nous tire de notre cachot, pour nous faire passer des ténèbres à la lumière et de la douleur passagère à la gloire infinie de l'éternité.[80]

Il est donc bien difficile de soutenir qu'Yves de Paris n'ait pas eu avant la querelle janséniste un sens aigu du péché; il n'est certes pas de ceux qui en auraient émoussé le sentiment pour s'accomoder au paganisme de la Renaissance.

Sans doute il soutient que Dieu nous a donné les créatures pour que nous en ayons la jouissance; mais cette jouissance est contraire à celle que conseille, permet, recommande l'opinion, jouissance sans frein, puisque notre fin dernière consisterait dans la richesse, les plaisirs et l'honneur; elle est toute entière orientée vers la gloire du Créateur, limitée par les divins préceptes, conforme à ce que demande l'Ecriture; c'est l'expression de Saint Paul: Soit que vous mangiez, soit que vous buviez, faites le tout à la gloire de Dieu, mais il faut se souvenir que la gloire de Dieu est exigeante.

Sans doute aussi le P. Yves insiste sur la miséricorde divine, mais il n'oublie pas pour autant la divine justice; il sait rappeler que l'enfer existe, que renvoyer sans cesse sa conversion, c'est risquer l'impénitence finale; la miséricorde d'ailleurs n'est pas une invitation au laisser-aller; elle nous montre plus que tout la malice du péché, puisque pour expier nos crimes Dieu a versé son sang; elle nous enseigne la crainte non pas servile, mais amoureuse; elle nous presse de ne pas offenser un Dieu si bon; ainsi pourra-t-elle nous conduire jusqu'à l'amour sans mélange, qui, nous rendant indifférent à tout ce qui n'est pas le péché, nous maintiendra, autant que le permet notre faiblesse, dans la sainte volonté de Dieu, uniquement parce qu'il s'agit de lui.

Sans doute il est recommandé de vivre content de sa condition;[81] il est question de la tranquille possession de la vie;[82] mais ce contentement, cette possession, supposent une parfaite maîtrise de soi, une surveillance constante des passions, car l'apathie stoïcienne, sans compter qu'elle est impossible, est contraire à un idéal humain et

[80] *Ibid.*, t. I. Deuxième partie, chap. XXX, p. 639–644.
[81] *Ibid.*, t. II. Deuxième partie, chap. XXIII, p. 557–565.
[82] *Ibid.*, t. II. Deuxième partie, chap. XXIV, p. 565–571.

chrétien;[83] il est fait sans cesse appel aux principes surnaturels; Dieu nous a de toute éternité rendu l'objet de son amour; il nous a donné l'existence, la vie, l'humaine grandeur; il répare nos blessures, déploie sur nous le pouvoir immense de ses grâces; il faut en retour correspondre à cette infinie miséricorde; il faut faire à Dieu le sacrifice de notre cœur. Alors l'âme peut être joyeuse qui dépose ses intérêts entre les mains du Rédempteur; les disgrâces du monde ne lui sont qu'une goutte d'amertume, qui se perd insensiblement dans un abîme de consolations.[84] Mais d'abord il a fallu mourir.

En somme, ce qui nous est demandé, c'est une ascèse, une réforme intérieure beaucoup plus qu'un éclat extérieur de pénitence, réforme qui porte sur les jugements, mais qui a sa répercussion sur toute la conduite humaine; elle exige un effort mesuré, mais continu, sans relâche, qui se répète chaque jour, soutenu par une inlassable confiance, non d'abord en soi, mais surtout en Dieu; effort qui, dégageant de toute contrainte l'élan naturel qui nous porte vers la possession de notre souverain bien, aura par le concours de la grâce son couronnement suprême dans la vision de la Divinité.

Dans cette morale à la fois sévère et humaine, optimiste et réaliste à la fois, Yves de Paris se révèle comme un humaniste chrétien. L'humaniste chrétien n'est pas forcément un relâché, soucieux de sauver l'homme aux moindres frais; il est tout d'abord épris d'amour; il considère la dignité humaine tant surnaturelle que naturelle; il considère aussi les faiblesses indéniables, sans les exagérer, sans les atténuer; il voit les possibilités, toutes les possibilités, celles qui viennent d'une éternelle bonté, inlassable parce que divine; alors il met tout en mouvement pour sauver cette créature qu'il aime; les sciences,[85] les arts,[86] la politique [87] ne sont pas fatalement mauvais; ils peuvent être orientés vers Dieu et devenir moyens de salut; ajoutez à cela, ou plutôt mettez au centre de tout cela, les moyens surnaturels, les sacrements, l'Eucharistie [88] surtout, qu'il ne faut ni bouder, ni

[83] Cf. Julien-Eymard d'Angers, «Sénèque et le stoïcisme dans l'œuvre du P. Yves de Paris,» dans *Collectanea Franciscana*, 1951, t. XXI, p. 54–56.

[84] *Les Morales chrétiennes*, t. II. Deuxième partie, chap. XXIV, p. 567, 568, 570.

[85] *Ibid.*, t. II. Première partie, chap. XIV, «Des études,» p. 133–147; chap. XV, p. 147–158, «De la modération dans les études.»

[86] *Ibid.*, t. II. Deuxième partie, chap. V, «De la musique,» p. 494–500, chap. VIII, «Des théâtres,» p. 511–516.

[87] *Ibid.*, t. III. Première partie, «Du gouvernement,» chap. III, «Les emplois de la vie civile ne sont point contraires à la vie chrétienne,» p. 36–44.

[88] Cf. Yves de Paris, *Des miséricordes de Dieu en la conduite de l'homme*. Deuxième partie, chap. XXII, «Des miséricordes de Dieu et des préparations nécessaires au Sacrement de l'Eucharistie,» p. 198–206; chap. XXIII, «Des fréquentes communions,» p. 206–215. Paris, 1654.

recevoir à la légère; ainsi dans la modération, dans l'effort soutenu, dans une prière constante, naîtra peu à peu l'enthousiasme qui, avec le secours de la grâce, gagnera tout l'homme et dans un renoncement aimé, parce que compris et voulu, le portera au-delà de ses possibilités naturelles vers cette gloire où l'humanité doit se réaliser plus que pleinement, loin du péché.

CHAPITRE V *

NATUREL ET SURNATUREL DANS L'ŒUVRE D'YVES DE PARIS ANTERIEURE A LA QUERELLE JANSENISTE

Nos études sur le stoïcisme en France dans la première moitié du XVIIe siècle [1] nous ont amené à distinguer deux grands courants: d'abord un courant de stoïcisme chrétien qui présente les caractéristiques suivantes: 1° réfutation implicite du Portique, 2° absence de réfutation explicite, 3° transposition des textes de Sénèque et d'Epictète dans un sens chrétien, d'où des contresens souvent flagrants;

* Paru dans *Mélanges de science religieuze* ,t. XIII, 1956, p. 63–80, 179–188.

[1] JULIEN-EYMARD, D'ANGERS, O.F.M. Cap., «Le stoïcisme en France dans la première moitié du XVIIe siècle. Les origines 1575–1616,» dans *Etudes Franciscaines*, nouv. sér., t. II, 1951, p. 287–298, 389–410; t. III, p. 5–20, 133–154; «Sénèque et le stoïcisme chez les capucins français du XVIIe siècle: Zacharie de Lisieux et Léandre de Dijon,» *ibid.*, t. I, 1950, p. 337–353; «Sénèque et le stoïcisme dans l'œuvre de Jacques d'Autun, capucin, 1649, 1669,» *ibid.*, t. V, 1954, p. 45–64; *Du stoïcisme chrétien à l'humanisme chrétien*: *Les «Diversités» de J. P. Camus (1609–1618)*. *Meaux*, 1952, in-8°, 64 p.; «Sénèque et le stoïcisme dans l'œuvre de Georges d'Amiens, capucin (†1661),» dans *Collectanea Franciscana*, t. XX, 1950, p. 335–366; «Sénèque et le stoïcisme dans l'œuvre du P. Yves de Paris, O.F.M. Cap. (1590–1678),» *ibid.*, t. XXI, 1951, p. 45–88; «Sénèque et le stoïcisme chrétien, Le P. Sébastien de Senlis (1620–1647),» *ibid.*, t. XXII, 1952, p. 286–318; «Le stoïcisme, Epictète et Sénèque dans le développement du monde d'après les œuvres de Pascal Rapine, récollet (1655–1673),» *ibid.*, t. XXIV, 1954, p. 229–264; «Le stoïcisme dans le traité «De l'usage des passions» de l'oratorien Senault 1941,» dans *Revue des Sciences religieuses*, t. XXV, 1951, p. 40–68; «Sénèque et le stoïcisme dans la «Cour sainte» du jésuite Nicolas Caussin,» *ibid.*, t. XXVIII, 1954, p. 258–285; «Le stoïcisme chez les jésuites français du XVIIe siècle; E. Binet (1569–1639) et R. Ceriziers (1603–1662),» dans *Mélanges de science religieuse*, t. X, 1953, p. 239–262; «Sénèque et le stoïcisme dans le traité «De l'ordre de la vie et des mœurs» de Julien Hayneuve, S.J. (1639),» dans *Recherches de science religieuse*, t. XLI, 1953, p. 380–405; «Stoïcisme et libertinage dans l'œuvre de François la Mothe le Vayer,» dans *Revue des sciences humaines*, fasc. 75, 1954, p. 259–284; «Sénèque et le stoïcisme dans l'œuvre de F. Garasse, S.J. (1624–1625),» dans *Revue de l'Université d'Ottawa*, t. XXIV, 1954, p. 280, 298; «Sénèque, Epictète et le stoïcisme dans l'œuvre d'un humaniste chrétien: le Carme Léon de Saint-Jean (1600–1671),» dans *Ephemerides Carmeliticae*, t. V, 1951–1954, p. 476–490; «Le stoïcisme d'après l'«Humanitas Theologica» de Pierre Lescalopier, S.J. (1660),» dans *Bulletin de Littérature ecclésiastique*, t. XLVI, 1955, p. 23–36, 147–161; «Etudes sur le stoïcisme du XVIIe siècle: L'«Epictète chrétien» de Jean-Marie de Bordeaux, tertiaire de S. François,» dans *Revue d'ascétisme et de mystique*, t. XXXI, 1955, p. 174–197; «Sénèque et le stoïcisme dans l'œuvre du cordelier J. du Bosc (1632, 1643, 1645),» dans *XVIIe siècle*, fasc. n° 29, 1955, p. 353–377.

en suite un courant d'humanisme chrétien, qui porte comme caractères: 1° une réfutation explicite du Portique, 2° une utilisation des vérités naturelles que les disciples de Zénon ont pu découvrir; ces humanistes s'appuient sur ce principe que par le péché originel la raison humaine n'est pas entièrement corrompue et que par conséquent l'on peut trouver chez les philosophes de l'antiquité gréco-romaine des vérités partielles que l'on aurait tort de négliger; ce n'est là d'ailleurs que reprendre un bien, car tout ce qui est vrai vient de Dieu et par le fait même est propriété des chrétiens.

Cependant aussi bien pour les uns que pour les autres un problème se pose dont ils ne semblent pas avoir eu pleine conscience: celui des rapports du naturel et du surnaturel; d'une part en effet dès le jeune âge ils sont versés dans cette culture humaine dont ils font leur point de départ; de l'autre ils n'entendent pas rester au stade des Cicéron et des Marc-Aurèle; ils entendent dépasser ces auteurs profanes et s'élever jusqu'à l'Evangile, qu'il s'agisse de pauvreté, de constance, d'indifférence, de vertu et de souverain bien; il y a donc chez eux et par force passage de la nature à la surnature, passage d'une philosophie rationnelle à une théologie révélée. Comment s'y prennent-ils pour opérer cette périlleuse ascension? Ont-ils l'intelligence des dangers qu'elle leur fait courir? C'est ce que nous voulons examiner maintenant.

Une enquête s'impose serrée. Déjà nous avons publié quelques textes.[2] Nous continuerons; mais il faut plus; il faut une étude du vocabulaire; nous la commençons aujourd'hui par Yves de Paris qui nous est plus familier; ce ne sera que la première pierre d'un édifice sans doute austère, mais non sans utilité.

I. LES HEUREUX SUCCES DE LA PIÉTÉ (1632–1634)[3]

Rédigés contre Jean-Pierre Camus pour défendre la vie religieuse,[4] *Les heureux succès de la Piété* ne traitent pas directement des rapports du naturel et du surnaturel, mais par la force même du sujet ils font plus d'une allusion à cette question aujourd'hui brûlante et qui alors ne passionnait pas les esprits; nous aurons donc là un témoignage objectif, impartial et qui nous permettra un premier déblaiement.

[2] Cf. *infra*, p. 146–152, 152–154, 161–165.

[3] Nous renvoyons pour le t. I, à l'édition de 1634, pour le t. II, au t. II des *Œuvres françaises du P. Yves de Paris*. Paris, 1680.

[4] Cf. C. Chesneau, *Le P. Yves de Paris et son temps*, t. I. *La querelle des évêques et réguliers*. Paris, 1946.

Commençons par nature et naturel. Nous avons relevé cinq sens différents:

1° Le P. Yves entend par nature *l'ensemble des êtres crées*,[5] qui sont distincts du monde de la Grâce [6] et qui sont désignés sous le nom de *choses naturelles*;[7] ils sont soumis à des lois dont il faut dès maintenant mentionner les principales: «Toutes les choses naturelles ont cet avantage qu'elles ne perdent jamais l'affection de leur fin et que leurs inclinations ne se trompent point en leur recherche»;[8] «Les choses naturelles sont au dernier point de leur perfection quand elles ont atteint le degré d'excellence permis à leur espèce et qu'elles sont arrivées au lieu de leur repos.»[9] Ces lois nous les retrouverons en leur temps.[10]

2° La nature désigne ensuite *la force interne qui détermine ces choses naturelles considérées dans leur ensemble*.[11] Dans ce sens même la nature, «qui est l'effet et l'image de la vérité divine» nous donne de grandes leçons [12] et c'est de là qu'on peut parler sur le plan humain de justice naturelle,[13] de droit naturel [14] à quoi s'opposent les institutions civiles[15] et l'artificiel;[16] ce sont les lois de la nature que Dieu renverse quand il fait des miracles [17] et cependant entre cette nature et la Grâce, s'il y a

[5] *Les heureux succès de la Piété*, t. I, p. 599: «Quelques-uns emploient leur vie à la contemplation des merveilles de la *nature*»; *ibid.*, p. 659; «La *nature* a tant de merveilles à découvrir,» etc....

[6] *Ibid.*, p. 351: «Le devoir de l'homme consiste à remarquer les grandeurs de Dieu dans les secrets de la *Grâce* et de la *Nature*.»

[7] *Ibid.*, p. 100: «Les *choses naturelles* ont leur repos en leur centre par une mutuelle complaisance du lieu qui reçoit et du corps qui y est porté.»

[8] *Ibid.*, p. 13.

[9] *Ibid.*, p. 44.

[10] Cf. *infra*, notes 61–64.

[11] *Les heureux succès de la Piété*, t. I, p. 20: «La *nature* pourvoit au bien des êtres qui sont d'une seule espèce»; *ibid.*, p. 23: «La *nature* a beau déployé ce qu'elle a de rare»; *ibid.*, p. 35: «La *nature* ne produit point d'êtres capables de se donner à eux-mêmes la perfection,» etc...

[12] *Ibid.*, p. 806; cf. *ibid.*, p. 633: «Si la *nature* est une *image* de *Dieu*, les sciences sont les traits qui la composent dans l'esprit.»

[13] *Ibid.*, pp. 15–16: L'homme «laissant les instructions qu'il peut tirer du gouvernement du monde, méprisant les lois d'une *justice naturelle*... consacre ses passions aux idoles que l'opinion du peuple a élevées.»

[14] *Ibid.*, t. II, *loc. cit.*, p. 908: «Les Apôtres n'eussent pas été dans ce parfait dépouillement des toutes choses, s'ils n'eussent fait vœu, si avec l'actuelle possession de ce qu'ils avaient, ils n'eussent aussi donné *le droit naturel* qui appartient à chacun de posséder ce qui lui advient.»

[15] *Ibid.*, t. I, p. 250: «Les lois ne permettaient pas que les adoptions fussent pour un certain temps, mais perpétuelles, afin d'imiter les alliances de sang que la *nature* rend éternelles et qui ne se sauraient altérer par les *constitutions civiles*.»

[16] *Ibid.*, p. 13: «Otez la violence que *l'artifice* des hommes fait à la *nature*, la terre se précipite toujours en bas, le feu s'envole...»

[17] *Ibid.*, p. 641.

distinction très nettement établie,[18] il n'y a point de désaccord mais au contraire harmonie parfaite.[19]

3° La nature désigne également *la force interne qui détermine chacune de ces choses naturelles considérées en leur particulier*. Par exemple les choses inférieures de leur *nature* courent à la privation et ne sont arrêtées dans cette course que par l'harmonie des astres;[20] les choses qui sont de même nature ont une puissante inclination à se réunir [21] et les éléments qui se tiennent enfermés jalousement dans leur centre, subissent une violence contre leur naturel quand par la contrainte ils sont obligés d'en sortir.[22]

4° D'une façon plus précise la nature désigne *la force interne qui incline l'homme à réaliser sa fin*; est naturel ce qui procède de cette tendance et qui tend à la développer. Ainsi l'homme a un désir *naturel* de posséder à la fois tout le bien et toute la vérité, c'est-à-dire Dieu,[23] qui est la dernière félicité, le souverain bien d'où il doit tirer les ornements de sa *nature*,[24] bien que le destin de notre *nature* soit d'être composée de deux parties aussi différentes en leurs qualités et en leurs inclinations que l'est le ciel d'avec la terre [25] et que la loi de *nature* laisse à tous les hommes la liberté de donner et recevoir conseil comme il leur plaît,[26] de telle sorte que les hommes n'ayant qu'une même *nature* doivent tendre à une même fin où consiste leur souveraine perfection.[27] Entre la nature ainsi entendue et la Grâce, distinction certes et très nette,[28] mais aussi nulle opposition; le religieux en

[18] *Ibid.*, p. 439–440: «Nous (les religieux), nous nous faisons quittes de ce qui n'a son prix que de l'opinion, pour nous remettre en l'état de notre naissance et de notre fin, selon la loi de la *Nature* et de la *Grâce*.»

[19] *Ibid.*, p. 474: «La *nature* donc et *l'institution divine* donne aux religieux le droit de demander leurs nécessités»; *ibid.*, p. 650: «Il faudrait être ennemi de la vérité pour ne pas donner des louanges toutes particulières à S. Thomas et à S. Bonaventure qui ont tellement marié la *Nature* avec la *Grâce* et fortifié la Foi de tant de raisons qu'ils l'ont pour toujours rendue victorieuse de l'hérésie»; *ibid.*, t. II, *loc. cit.*, p. 916: «Nous ne sommes pas nés pour ces grandes agitations. Ce n'est ni la loi de *nature*, ni celle de la *Grâce* qui a fait la distinction, des domaines pour qui les hommes se travaillent tant.»

[20] *Ibid.*, t. I, p. 710.

[21] *Ibid.*, t. II, *loc. cit.*, p. 895.

[22] *Ibid.*, p. 898, 899: «Le feu purge les corps des qualités étrangères et ramasse ce qui est de même *nature* que lui.»

[23] *Ibid.*, t. I, p. 39.

[24] *Ibid.*, p. 45; cf. *ibid.*, p. 266: «Nous avons une puissance quoique secrète inclination *naturelle* à posséder le souverain bien.»

[25] *Ibid.*, p. 576.

[26] *Ibid.*, p. 737.

[27] *Ibid.*, t. II, *loc. cit.*, p. 889.

[28] *Ibid.*, t. I, p. 818: «Encore que la condition religieuse déclare une guerre ouverte aux plaisirs du corps et que ses exercices soient des violences à la *nature*, néanmoins elle a des attraits de *grâce*...»

renonçant aux biens d'ici-bas ne perd rien d'une humanité qu'il réalise au sens plein.[29]

Cependant le mot *nature* et l'adjectif *naturel* prennent parfois un sens péjoratif. Le vie religieuse en effet a des adversaires et lorsque ceux ci se mettent à poursuivre l'exécution de leurs mauvais desseins, Yves de Paris dit qu'ils agissent selon leur nature, selon leur naturel.[30] Mais la malice naturelle ne va jamais très loin, beaucoup moins loin que la malice de volonté;[31] il s'agit d'une nature affaiblie, jamais d'une nature corrompue.

En face de cette abondance qui jette le «naturel» presqu'à chaque page, nous n'avons rencontré le mot «surnaturel» qu'une seule fois et dans un sens relativement restreint; le voici: «La principale des vertus qui répand son lustre sur les actions qui partent des vœux, c'est la vertu de religion, d'où, comme d'un principe sur-naturel, chacun reçoit l'influence d'un mérite qui passe sa condition.»[32]

Par contre l'expression «grâce» est employée à profusion; il importe d'en déterminer le sens.

Dans un premier sens cette expression désigne les suavités de l'oraison; ce sens est très rare et ne paraît guère que dans un chapitre intitulé: *Des consolations avec lesquelles Dieu appelle en religion.*[33] Aussi croyons-nous inutile d'insister.

Dans le reste de l'ouvrage le mot «grâce» a le sens de *secours*, jamais celui d'état. Ces secours ont leur origine dans les mérites du Sauveur,[34]

[29] *Ibid.*, p. 162: «Le Religieux accomplit parfaitement les conditions nécessaires à ce sacrifice de louanges et rend à Dieu tout ce que notre *nature* peut lui offrir de plus agréable»; *ibid.*, p. 676–677: «Les personnes les plus adonnées aux vices... sont celles qui... déferent le plus au jugement et au conseil des religieux. Cette inclination est un secret présage de la *nature* et un effet de la *Grâce*»; *ibid.*, p. 557: «Le premier dessein du religieux est de reprendre la loi *naturelle* que l'intempérance des hommes a violée»; *ibid.*, p. 590: «Le religieux satisfait à ses propres obligations, aux souhaits de la *nature*, aux volontés de Dieu, au bien de l'Eglise et aux nécessités de l'Etat»; etc...

[30] *Ibid.*, p. 60: «La *nature humaine* était abattue d'une maladie fatale à ne pouvoir être guérie que de la main du Verbe incarné»; *ibid.*, p. 116: «Il est vrai que c'est avec une extrême répugnance que nous déclarons la guerre aux plaisirs qui sont alliés de notre *nature*»; *ibid.*, p. 217: «Les adversaires des ordres religieux sont ennemis de la croix... leur vie se passe dans les libertés de la *nature*»; etc...

[31] Cf. *supra*, chap. IV. p. 80–83.

[32] *Les Heureux succès de la Piété*, t. I, p. 274.

[33] *Ibid.*, p. 109–120.

[34] *Ibid.*, p. 377: «Jésus-Christ s'est donné tout entier au monde par l'effusion de son sang, par ses *grâces...*»; *ibid.*, t. II, *loc. cit.*, p. 961: «Les plaies de Jésus répandent des trésors de *grâce*.»

dans sa Passion;[35] ils nous parviennent par l'intermédiaire des sacrements [36] et du saint sacrifice de la Messe.[37] Ils ont pour effet, non pas de détruire la nature,[38] mais de rendre possible ce qui ne l'est pas à la seule nature humaine; leur action est variée et dépend à la fois du plan divin, car tous ne possèdent pas la même vocation,[39] et de la volonté humaine car tous ne correspondent pas d'égale façon.[40] La grâce qui agit sous forme d'attraits [41] ou d'inspiration [42] a le rôle principal car c'est elle qui donne la première impulsion;[43] elle a un rôle nécessaire, car sans elle impossible de faire un acte bon qui soit méritoire,[44] impossible aussi de persévérer dans la voie du bien;[45] ceux qui correspondent à son mouvement font des progrès rapides, car la

[35] *Ibid.*, t. I, p. 68: «La Passion a été le moyen par lequel Dieu a rétabli notre perte; elle nous est aussi ordonnée pour nous conserver sa *grâce*.»

[36] *Ibid.*, p. 142: «Les Sacrements qu'on fréquente, rencontrant des âmes bien disposées, y font des impressions de *grâce* si admirables qu'elles rendent les esprit confus des trop grandes miséricordes de Dieu.»

[37] *Ibid.*, p. 709: «Un sacrifice dont toute l'Eglise reçoit la *grâce*.» A ces deux sources de grâces, il faut ajouter les prières des contemplatifs: *ibid.*, p. 703: «La vie contemplative est, dit cet Angélique docteur, satisfactoire des péchés et impétrative des grâces pour les autres.»

[38] *Ibid.*, p. 129: «Dieu ne voulant pas tout à fait détruire la *nature* par la *grâce* dont il est également le principe, récompense l'abandon que fait l'homme des plaisirs des sens, par ceux de l'esprit et recouvre par ses douceurs les violentes difficultés qu'il (le religieux) souffrirait à l'abord de la mortification.»

[39] *Ibid.*, p. 699: «Il se trouve des prêtres qui n'ayant pas la capacité de la prédication s'emploient à quantité d'autres ministères. C'est un effet de la *Grâce* de Dieu à plusieurs ressorts... la même *grâce* qui les appelle à une profession apostolique, leur enseigne des exercices aussi différents.»

[40] *Ibid.*, p. 779–780: «Tous ne sont pas élus à la vie religieuse; les *Grâces* de Dieu et nos *coopérations* sont trop différentes pour faire un cloître de tout le monde; *ibid.*, p. 225: «Quand les *grâces* du Ciel nous seraient données avec autant de largesses qu'au temps des Apôtres, la différence des esprits, des mérites et des *coopérations* les feraient recevoir avec beaucoup d'inégalités.»

[41] *Ibid.*, p. 96–97: La diversité des instituts religieux «était nécessaire à l'ornement de l'Eglise pour s'accomoder à la portée de tous les esprits qui suivent les *attraits* des *grâces* du Ciel»; *ibid.*, p. 818: la vie religieuse «a des *attraits* de *grâce* qui gagnent toutes les affections.»

[42] *Ibid.*, p. 411: «La pauvreté volontaire nous est expressément conseillée de J.-C., et puis *inspirée* particulièrement de Dieu par une grâce dans laquelle nous ne saurions lui rendre nos vœux.»

[43] *Ibid.*, p. 265: «La vie religieuse rend notre volonté plus obéissante... premièrement à être touchée de l'attrait que lui donne la première *impulsion* pour la faire sortir de son néant originaire et puis à suivre la conduite des grâces et des conseils, qui terminent ses recherches et les *motions* divines en Dieu, qui est à lui-même l'objet de son amour et la dernière fin de la créature.»

[44] *Ibid.*, p. 104: «Nous disons à ce propos avec J. C. que ce qui est éloigné de la puissance de l'homme, est aisé à Dieu, que sa Grâce peut conserver l'innocence parmi les occasions du péché.»

[45] *Ibid.*, p. 100: «Le chemin de perfection qui nous conduit à Dieu n'est autre qu'un concours de nos volontés avec ses grâces»; *ibid.*, p. 234: «Ces personnes, sortant du monde, avaient fait de grandes contraintes à leur tempérament, étant assistées des grâces du Ciel. Mais sitôt qu'elles se sont séparées de ce secours, elles sont retournées à leur naturel avec une précipitation qui passe à l'excès»; *ibid.*, p. 329: «Mais comme le religieux se reconnaît incapable de ménager les grâces qu'il a reçues, il aime mieux laisser cela entre les mains du Père céleste,» etc...

grâce appelle la grâce; ceux qui au contraire refusent de la suivre répondront de ce refus et subiront une dure condamnation.[46]

Pour désigner la Grâce comme état de justification, Yves de Paris a recours à diverses expressions. Il ne fait qu'une seule allusion et encore très rapide au premier homme avant son péché;[47] une seule allusion et très rapide encore aux vertus infuses;[48] c'est à des verbes qu'il a recours pour signifier la transformation de l'homme élevé au-dessus de lui-même; effacer de son esprit les affections qu'il a pour la grandeur, c'est quitter son propre mouvement pour n'agir que par celui du Ciel, laisser sa vie misérable, languissante, sujette au péché pour vivre, comme l'Apôtre, de la vie de Jésus-Christ, heureuse, divine et qui nous mène tout droit à la gloire;[49] mépriser toutes les choses mortelles, c'est s'enfler de je ne sais quelle surhumaine grandeur; c'est subir une transformation de nos sentiments; depuis que le Soleil de justice a fondu notre cœur, les défaillances de l'amour ont accru nos forces et ses flammes lui ont donné avec la pureté toutes les qualités du feu;[50] enfin si l'homme est devenu criminel par la présomption qu'il eut de se rendre semblable à Dieu, qu'il ait maintenant cette émulation de ressembler à Jésus-Christ Dieu et homme.[51]

Tel est notre premier bilan; s'il est plutôt maigre en ce qui concerne le monde surnaturel, il est déjà satisfaisant en ce qui concerne celui de la nature; nous savons qu'il faut entendre par ce mot une force qui part de Dieu et qui retourne à Dieu en passant par l'homme où elle rencontre la liberté humaine qui a le pouvoir et la responsabilité de la faire revenir à son point de départ. Ainsi s'esquisse un cercle qui va de Dieu à Dieu, cercle que l'homme peut rompre et que l'homme

[46] *Ibid.*, p. 646–647: «C'est à cette cause plutôt qu'à toutes les autres qu'il faut rapporter l'éminente science des religieux... parce que toutes les grâces s'entretiennent et qu'ayant reçu déjà celle de la vocation religieuse, il reçoit encore celle de la science»; *ibid.*, p. 234: «Il est vrai que ces misérables (les religieux apostats), qui ont été prodigues des grâces du Ciel, s'enveloppent dans de plus grands crimes et passent d'une extrémité à l'autre»; *ibid.*, p. 101: «Ils (les adversaires de la vie religieuse) sont les grands sujets de l'inquiétude, les voleurs de saints désirs, les sacrilèges qui profanent les grâces du Ciel.»

[47] *Ibid.*, p. 413–414: «Si nous voulons considérer l'homme dans toutes ses prérogatives, il nous faut remonter jusqu'au temps où le souffle divin lui inspira la vie et la Grâce.»

[48] *Ibid.*, t. II, *loc. cit.*, p. 911: «Si les vertus que nous appelons infuses sont d'un ordre séparé de celles que nous pouvons acquérir par notre travail, l'on peut soutenir que celles qui se pratiquent par le conseil de l'Evangile sont aussi d'un ordre séparé de celles qui s'accomplissent pour satisfaire au commandement.»

[49] *Ibid.*, t. I, p. 67.

[50] *Ibid.*, p. 121.

[51] *Ibid.*, p. 59.

hélas! a rompu.[52] C'est ici qu'intervient l'action de la Grâce absolument nécessaire, même pour le commencement du premier acte, Grâce dont il n'est pas dit ici qu'elle est gratuite, bien que cela se laisse entrevoir. Nous n'avons donc pas dans *Les heureux succès de la Piété* tous les renseignements capables de satisfaire une curiosité peut-être d'ailleurs illégitime; il nous faut chercher ailleurs.

2. LA THÉOLOGIE NATURELLE[53]

La première chose à faire est d'expliquer cette expression: *Théologie naturelle*. Ce nous sera facile, car Yves de Paris lui même nous fournit, par deux fois, la définition.

«*La Théologie naturelle*,» nous dit-il, «n'est qu'une première ouverture à ceux qui s'élèvent à Dieu par la considération des choses sensibles,» qui sont «une ombre des beautés divines,» «des vestiges qui échauffent notre recherche et ne contentent pas notre désir.»[54] Cette première définition platonicienne ou plutôt ficinienne nous laisse entrevoir que le monde sensible ne suffit pas; elle laisse deviner un monde qui nous dépasse et dont le nom ne nous est pas encore donné.

«Je nomme, dit-il encore, cette théologie naturelle parce que laissant les autorités de l'Eglise je fais un essai d'éclaircir ces premières vérités par des raisons prises seulement de la Nature, dont les sens nous donnent l'expérience et qui peuvent être goûtées par des esprits qui ne sont point malades de passions.»[55] Cette seconde définition plus scolastique et partant plus fermée que la précédente nous donne un double renseignement, sur l'objet étudié d'abord: les premières vérités c'est-à-dire l'existence de Dieu, l'immortalité de l'âme, la Providence et tout ce qui concerne la religion naturelle, sur la méthode employée ensuite qui exclut toute autorité (Ecriture Sainte, Pères de l'Eglise, Conciles) pour ne recourir qu'à la seule Nature c'est-à-dire à l'instinct et au raisonnement. En fait Yves de Paris introduit dans cet ouvrage les

[52] *Ibid.*, p. 543: «De toutes les ignorances celle de notre imperfection nous est la plus familière: l'amour que nous avons pour nous-mêmes nous corrompt le jugement: la nature nous flatte en notre défaut...»; *ibid.*, p. 846–847: «Je dis de même aux religieux que parmi les louanges de leur condition, ils se souviennent qu'ils sont hommes, fragiles, inconstants, incapables par eux-mêmes de ces avantages et qu'ils sont redevables de leurs victoires aux grâces du Ciel.»

[53] Nous avons utilisé les éditions suivantes: t. I, 1633 (1re éd.); t. II, 1642 (3e éd.); t. III, 1640 (3e éd.); t. IV, 1637 (1re éd.).

[54] *Op. cit.*, t. I, «Avertissement,» f. 2 r.

[55] *Ibid.*, f. 2 v.

vérités révélées non seulement en finale lorsque le libertin convaincu a formulé son acte de Foi [56] mais encore clandestinement dans le cours de ses divers traités;[57] mais alors il s'agit de ce qu'il appelle des «éclaircissements»; si l'objet est quelque peu dépassé, la méthode reste la même; l'autorité est mise à part; les seules explications rationnelles sont l'objet d'un développement, qui ne laisse pas d'être obscur pour les raisons que nous exposerons plus bas.

Quelles sont donc ces puissances naturelles qui sont évoquées ici? Les unes concernent les connaissances, les autres les inclinations, les mouvements spirituels; deux expressions mériteront une étude attentive: *contemplation naturelle, religion naturelle*; procédons avec ordre et lentement.

En matière de connaissance nous relevons les termes suivants: *raisons naturelles, spéculation naturelle, lumière naturelle, démonstration naturelle, vérités naturelles.* Nous n'entendons pas expliquer ici toute la psychologie contenue sous ces mots; nous l'avons déjà fait;[58] nous n'y reviendrons pas. Qu'il nous suffise de souligner deux points importants. La puissance de connaître que l'homme possède dégage une force qui ne demande qu'à s'épanouir dans l'infini;[59] la puissance de connaître que l'homme possède ne suffit pas à satisfaire cet élan.[60] D'où naît une inquiétude qui ne peut avoir son apaisement ici-bas.

[56] *Ibid.*, t. IV, Troisième partie, «Des mystères et des exercices de la religion chrétienne,» p. 423–735.

[57] *Ibid.*, t. I, Première partie, chap. XXVII, «De la beauté et de l'amour,» pp. 397–421; t. II, Première partie, chap. XXV, «De la contemplation et de l'extase,» p. 258–265; t. III, Troisième partie, chap. III, «Des grâces suffisantes que Dieu donne aux hommes pour les observations de ses lois,» p. 388–403; chap. IV, «De l'inégalité des grâces divines,» p. 404–409; chap. V, «De la récompense des bonnes actions en l'autre vie et de la vision de Dieu,» p. 409–415. Les chapitres XIV–XV, p. 490–511, sont consacrés aux peines de l'enfer; ils nous intéressent moins ici. Notons enfin le chap. XVI, «Des miséricordes de Dieu,» p. 511–520, qui lui aussi dépasse l'objet de la Théologie naturelle pour aborder le monde de la Grâce et du surnaturel.

[58] Cf. C. Chesneau, *op. cit.*, t. II, *L'apologétique*, p. 152–175, 426–435.

[59] *La Théologie naturelle*, t. II, Première partie, chap. XX, «Des connaissances dont l'homme est capable,» p. 203–210, chap. XXII, «De l'amour et de la connaissance de la vérité,» p. 224–233; notons en particulier les passages suivants: p. 223: «Cela (l'invention des arts) montre que nos âmes aspirent *naturellement* à la possession d'une première vérité, dont les arts, les sciences et les plus sublimes ouvertures d'esprit ne sont que des rayons extrêmement affaiblis»; p. 233: «Il se trouve plusieurs personnes ignorantes, mais non pas sans curiosité: car il n'y a point d'hommes qui ne voulut connaître la vérité de toutes choses et ceux... qui ont la raison plus nette, ont les désirs plus violents. Or ils ne sont pas satisfaits en cette vie; il y en a donc une autre où ce contentement nous est réservé. Ou bien l'homme serait la plus misérable des créatures si, toutes ayant les instincts qui leur sont propres, lui seul demeurait éternellement privé des connaissances dont il est capable et n'aurait que le désir au lieu de la possession.»

[60] *Ibid.*, t. I, p. 34: «L'expérience nous fera connaître que la lumière naturelle n'est pas

En matière d'inclination nous trouvons les termes suivants: *appétit naturel*, *instinct naturel*, *désir naturel*, *mouvement naturel*, *lieu naturel*, *centre naturel*. Là encore nous ne voulons pas entrer en d'inutiles détails. Ce qu'il importe de noter c'est le rapport instinct naturel, mouvement naturel, désir naturel d'une part, et de l'autre lieu naturel, centre naturel, repos. Pour saisir la portée de ce rapport, il suffit d'esquisser ce simple raisonnement: dans l'univers les ordres hiérarchiques se correspondent si bien que le matériel est à l'image du spirituel et vice-versa;[61] or dans l'ordre matériel, celui des éléments, des métaux, des mixtes, toute inclination, tout appétit tend à son centre, à son lieu où il trouve;[62] il en est donc de même dans l'ordre spirituel;[63] malheureusement ici-bas nous ne rencontrons pas ce centre où nous puissions reposer notre cœur en quête de paix; en dehors de Dieu, une fois de plus, c'est la guerre et le désarroi.[64]

On comprend dès lors l'importance que prend l'expression: *contemplation naturelle*. Cette contemplation naturelle n'est autre qu'une longue, amoureuse, extatique attention portée par l'intelligence humaine à l'harmonie de l'univers en tant qu'elle est image de Dieu.[65] Elle suppose le *sentiment naturel* de la divinité, c'est-à-dire comme un attouchement de la divinité qui se produit dans la portion la plus haute de l'âme sous l'impulsion de la volonté qui se porte d'elle-même

assez forte pour nous mettre en possession de notre fin»; *ibid.*, t. III, p. 227–228: «Nous avons naturellement l'idée d'un souverain bien, dont notre esprit fait partout de grandes recherches, mais pleines d'inquiétudes, tant qu'elles s'arrêtent dans l'enceinte des choses crées où il ne se rencontre pas.»

[61] Cf. C. Chesneau, *op. cit.*, t. II, p. 582–583.

[62] *La Théologie naturelle*, t. I, p. 87: «Le feu a son mouvement *naturel* encore qu'il se porte en bas poussé vers le foudre»; *ibid.*, p. 178: «Les choses *naturelles* ne se portent par inclination qu'à ce qui leur est plus avantageux... La pierre ne cherche le centre du monde que parce qu'il donne le repos à sa pesanteur»; *ibid.*, p. 291: «Le centre des éléments est immobile et les parties qui l'approchent davantage sont moins dans l'agitation»; *ibid.*, p. 386: «Le mouvement *naturel* de toutes choses tend au lieu qui rapporte le plus à leurs qualités et qui leur promet la conservation par la ressemblance.»

[63] *Ibid.*, t. II, p. 132: «C'est ce que le philosophe appelle *Nature*, qu'il définit être le principe du mouvement et du repos dans chaque sujet, par ses propres forces et non par celles qu'elle a d'emprunt. Elle est le principe du mouvement lorsqu'elle donne l'appétit d'un bien qui est convenable, qu'elle met les puissances en exercice, pour en faire l'acquisition ou pour vaincre la résistance du contraire qui la lui dispute. Elle l'est du repos parce que les violences de cette guerre tendent à une paisible possession de ce qui est sortable à l'espèce et qui est le centre où s'arrête le mouvement de ses appétits; si l'on est contraint d'avouer des formes substantielles dans les plantes et dans les animaux à cause de la diversité de leurs mouvements et de leurs instincts, ce serait une grande folie de nier qu'il y en ait une en l'homme...»

[64] *Ibid.*, t. II, p. 315: «Nous trouvons par expérience que ce bien ne se trouve pas en cette vie, parce que tout y est enfermé dans les bornes d'une existence et d'une perfection individuelle, mêlée par conséquent de plus de privation que d'être...»

[65] *Ibid.*, t. I, p. 114; cf. H. Brémond, *Histoire littéraire du sentiment religieux*, t. I, *L'humanisme dévot*, p. 431–434.

vers son centre, le souverain bien, et au contact de la nature qui sympathise avec nous en tant qu'elle est comme nous faite par Dieu et pour Dieu.[66] La contemplation naturelle se prolonge en expérience grâce à des exercices répétés [67] et c'est ainsi que, chez les anciens, Socrate, Platon et Trismégiste ont été de grands contemplatifs.[68] Mais si profonde qu'elle soit, cette prise de contact avec le Créateur de toutes choses ne peut donner la satisfaction que nous cherchons avidement au plus intime de notre être; elle ne peut nous conduire à notre centre, car au sortir de ces joies intenses, de ces éclatantes illuminations, l'âme se retrouve avec ses langueurs, ses nuits profondes qui sont redoublées d'autant.[69]

A côté donc de la Théologie de l'extase il faut admettre avec tous les sages une Théologie de la raison,[70] qui nous conduit normalement à *la religion naturelle*, c'est-à-dire une respectueuse confusion de pensées où l'âme sent et adore plus de merveilles qu'elle n'en peut recevoir, complétée ensuite par toute une série de raisonnements qui déterminent chacun de nos devoirs à l'égard du Créateur.[71] Mais là encore nous aboutissons vite à l'impuissance; de lui-même l'homme n'est pas capable de former de bons sentiments de Dieu, car les lumières de l'instinct ne donnent que des connaissances imparfaites, celles de la raison ne nous donnent qu'une demi-vue de la nature, si bien qu'en fait les anciens philosophes ne purent finalement qu'avouer implicitement leur définitif échec [72]

Aussi n'est-il pas étonnant de rencontrer sous la plume du P. Yves une expression que nous n'avions pas trouvée dans *Les heureux succès de la piété*: *la nature corrompue*; cette expression est rare,[73] il faut le reconnaître et elle est loin d'avoir le sens qu'elle prendra quelques années plus tard sous la plume d'un Jansenius; il s'agit plutôt de faiblesse que de corruption; l'optimisme yvonien a cependant ses limites et la notion

[66] Cf. H. Brémond, *op. cit.*, t. I, p. 487–493; C. Chesneau, *op. cit.*, t. II, p. 149–176.

[67] *La Théologie naturelle*, t. I, p. 135: «Cette suite de contemplations fera passer le sentiment en expérience.»

[68] *Ibid.*, t. I, p. 169.

[69] *Ibid.*, t. II, p. 264–265: «Ces faveurs sont rares en cette vie et d'ordinaire l'âme se laisse débaucher aux passions qui suivent le parti des sens»; *ibid.*, t. III, p. 38: «Ainsi l'âme déchue des saintes extases, trouve le procédé de notre vie extrêmement rude... Ce ne sont que larmes, que gémissements.»

[70] *Ibid.*, t. III, p. 52–53.

[71] *Ibid.*, t. IV, p. 82–89.

[72] *Ibid.*, t. IV, p. 131 et suiv.

[73] *Ibid.*, t. IV, p. 5: «Notre naissance ne nous donne pas la vertu... *la nature corrompue* trahit en cela les intérêts de notre salut»; *ibid.*, t. II, p. 604: «Les inclinations de notre *nature débauchée* qui favorise les sens en la révolte qu'ils font contre la raison.»

de péché joue dans *La Théologie naturelle* un rôle trop important pour qu'il ne soit pas signalé.[74]

Selon Yves de Paris, la Théologie naturelle n'est donc pas repliée sur elle-même; elle est au contraire ouverte sur un monde qui la dépasse. Il nous faut maintenant parler de lui.

Notons tout d'abord un manque de clarté réelle; il existe chez notre théologien comme un *no man's land* où il est parfois impossible de donner aux expressions employées un sens précis. Nous ne prendrons qu'un seul exemple mais important: il s'agit d'un chapitre intitulé: *De la récompense des bonnes actions dans l'autre vie et de la vision de Dieu.*[75] Nous sommes en plein traité de la justice de Dieu, c'est-à-dire bien avant que soit abordé le problème de la Révélation, bien avant que le libertin converti ait formulé son premier acte de Foi et reconnu l'autorité de l'Eglise. Nous devrions nous tenir sur un terrain purement physique, psychologique et n'employer que des expressions purement philosophiques. Or voici qu'au cours de ces pages les termes de résonnance théologique ne sont pas rares; il y est question de «la jouissance de la plus grande félicité possible,» d'un état de gloire qui surpasse tout ce qu'il y a de bien, de «la vision de Dieu» où la «Souveraine bonté pénétrera très intimement l'essence de nos âmes» en «s'y unissant par soi-même dans l'entremise des espèces»; il semble bien que nous avons franchi le pur domaine de la raison pour passer dans celui de la Foi, bien que cela ne soit pas dit expressément; et ce qui nous gêne le plus dans cette confusion c'est le raisonnement suivant que nous transcrivons en entier:

«J'ai fait voir que la vertu ne rencontre ici-bas que des périls, des fatigues et des combats au lieu de triomphes, qu'elle s'impose des peines, au lieu de se servir de récompense, qu'elle souffre tant de calamités sous les persécutions de l'envie et par une permission particulière du Ciel, qu'elle est l'objet ordinaire de nos compassions. D'où il faut nécessairement conclure que Dieu ne serait pas juste ni souverainement bon s'il ne lui donnait un état de gloire, qui comprenne en abrégé tout ce qu'il y a de bien et ses libéralités ne seraient pas assez magnifiques si elles n'accomplissaient pas nos désirs en surmontant même nos espérances.»

L'antécédent est d'ordre philosophique et demanderait un conséquent du même ordre; or celui-ci est de l'ordre de la gloire et il est lié

[74] Cf. *supra*, ch. IV, p. 80 sv.
[75] *La Théologie naturelle*, t. III, p. 409–416. Cf. *infra*, p. 148.

par l'adverbe *nécessairement* à ce qui précède; voilà qui ne serait pas sans inquiéter les théologiens modernes. La solution de cette difficulté est résolue au tome quatrième dans un chapitre intitulé: *Des grâces que les hommes reçoivent par les mérites de Jésus-Christ* où nous lisons: «J'ai fait cette démonstration au livre de la Providence où j'ai prouvé que la grâce nous est absolument *nécessaire* pour nous acquitter de notre devoir en cette vie et pour jouir des félicités en l'autre.»[76] Ainsi la nécessité dont il est question dans notre texte obscur n'est pas d'ordre métaphysique mais théologique et repose non pas tant sur les exigences de la nature humaine que sur l'économie du plan rédempteur; il n'en est pas moins vrai que nous avons là une équivoque qui n'est dissipée que sur le tard, équivoque qui provient non seulement d'une erreur de plan mais aussi d'une conception du surnaturel. Voici ce qu'il nous faut expliquer maintenant.[77]

Commençons par noter une absence remarquable; il n'est jamais parlé dans la *Théologie naturelle* d'un état de nature pure, jamais non plus d'une fin dernière qui serait naturelle à l'homme.

De la justice originelle, pratiquement rien non plus, ou si l'on préfère à peu près rien; Adam nous est montré dans le paradis terrestre comme possédant un souverain pouvoir sur les animaux ainsi qu'une connaissance surnaturelle;[78] Yves de Paris en sait beaucoup plus sans aucun doute et les allusions que nous avons relevées dans *Les heureux succès de la Piété*[79] en sont une preuve; il n'a pas jugé bon d'en dire davantage à son libertin, même converti.

Nous avons signalé plus haut que notre théologien parle très peu de la nature corrompue, mais qu'il n'ignore pas la nature affaiblie, la nature malade; le péché opposé à la Grâce joue un très grand rôle dans

[76] *Ibid.*, t. IV, p. 568.

[77] Cette équivoque se retrouve en d'autres chapitres; par exemple, au tome I, Première partie, chap. XVII, «Des moyens par lesquels se fait l'alliance des parties du monde.» Yves de Paris montre qu'il n'y a pas de solution de continuité du plus bas des métaux au plus intelligent des hommes et il dit des «esprits sublimes» qu'ils s'approchent et ne sont perfectionnés «que par l'union dont ses *grâces* les favorisent,» sans que soit précisé de quelle union et de quelles grâces il s'agit; voir encore le t. II. Première partie, chap. I, «L'homme doit connaître la perfection de sa nature,» on peut lire: «Si l'âme se rend attentive aux *grâces* du Ciel, elle trouve en soi les sentiments de la vérité... C'est pourquoi il faut avouer que de toutes connaissances *naturelles*... celle de lui-même lui est plus importante pour atteindre sa fin»; il semble bien cette fois que par le mot *grâce* il faille entendre un secours qui n'a rien de surnaturel.

[78] *La Théologie naturelle*, t. IV, p. 521: «Adam notre premier père fut créé de Dieu avec un empire absolu sur toutes les créatures inférieures»; *ibid.*, t. IV, p. 430: «La Théologie demeure d'accord que le premier homme avait avant son péché une double connaissance *naturelle* et *surnaturelle*.»

[79] Cf. *supra*, notes 47, 48.

La Théologie naturelle. Notons toutefois que les enfants morts sans baptême, sans jouir de la vision immédiate de Dieu, ne sont pas voués pour autant à la damnation éternelle; ils reçoivent «un être excellent et des contentements qu'ils n'ont nullement mérités.»[80] Il existe donc pour Yves de Paris entre l'état de gloire et ce que nous appelons aujourd'hui l'état de nature pure un intermédiaire mystérieux qui n'est pas nettement défini et auquel il n'est fait allusion qu'une seule fois.

Nous arrivons à la nature rachetée et là il nous faut faire une halte prolongée.

Le terme *surnaturel* est très peu employé. Nous ne l'avons rencontré que vingt-cinq fois, ce qui n'est pas beaucoup pour un ouvrage en quatre tomes; il est toujours utilisé comme adjectif, jamais comme substantif. Une fois il signifie: qui dépasse le monde physique, sans aucune allusion au monde de la Grâce.[81] Une fois il se rapporte au merveilleux magique.[82] Par trois fois, il ne présente pas de signification précise en raison de ce que nous appelons le *no man's land*; s'agit-il dans ces trois cas d'une élévation à l'ordre de la Grâce ou simplement de quelque chose d'extraordinaire mais qui nous laisserait dans l'ordre de la nature, le contexte immédiat ne permet pas de le déterminer.[83] Le reste du temps, c'est-à-dire vingt fois, la majorité, il est relatif au monde de la Grâce, soit que le contexte nous renseigne suffisamment quand nous trouvons les textes dans la *Théologie naturelle* proprement dite,[84] soit que ceux-ci se rencontrent dans la dernière partie de l'ouvrage consacrée à «l'éclaircissement des mystères.»[85]

[80] *La Théologie naturelle*, t. II, p. 472: «Les enfants morts-nés... ne sont pas si misérables qu'ils n'aient en cet état les satisfactions de l'intellect et de la volonté qui sont du ressort de la *nature*.»

[81] *Ibid.*, t. I, p. 191: «La lumière a trop de beauté pour n'être pas quelque chose de *surnaturel*.»

[82] *Ibid.*, t. IV, p. 117: «Il ne faut donc point imputer la diversité des mœurs qu'on remarque dans les diverses nations, aux intelligences qui les dominent, ni recourir à des causes occultes et *surnaturelles*.»

[83] *Ibid.*, t. I, Première partie, chap. XXI, «Les plantes et les brutes sont conduites en leur instinct par une Raison universelle,» p. 332; *ibid.*, t. III, Première partie, chap. III, «De la connaissance de Dieu par la raison,» p. 33; *ibid.*, t. III, Troisième partie, chap. VI, «La bonté infinie de Dieu n'émpêche pas qu'il ne punisse les péchés comme il récompense les vertus,» p. 419.

[84] *Ibid.*, t. III, Troisième partie, chap. III, «Des grâces suffisantes que Dieu donne aux hommes pour les aider en l'observation de ses lois,» p. 397, 399, 400; chap. XI, «Des morts qui surprennent l'homme dans le péché,» p. 472; *ibid.*, chap. XVI, «Des miséricordes de Dieu,» p. 514–516; t. IV, Première partie, chap. XVII, «La vraie religion ne peut être qu'une,» p. 169.

[85] *Ibid.*, t. IV, Deuxième partie, chap. III, «Jésus-Christ nait au monde pour le sauver,» p. 204; chap. X, «Des Martyrs,» p. 275; chap. XIV, «De l'unité et de l'étendue de la Foi chrétienne dans toutes les parties du monde,» p. 315; chap. XXIV, «Les sentiments qu'on

Dans tout le reste, le terme «grâce» est employé très souvent; quand il signifie «grâce sanctifiante» il est accompagné du mot «habitude» (habitude de la Grâce) ou du mot vie (vie de la Grâce), ce qui est assez rare,[86] l'état de grâce étant signifié plutôt par des métaphores et des verbes [87] comme dans *Les heureux succès de la Piété*; quand il signifie secours et c'est ainsi la plupart du temps, il s'agit d'une grâce suffisante au sens moliniste du mot;[88] l'expression «grâce efficace» n'est employée qu'une fois à propos du Christ.[89]

De tous ces textes bien et dûment analysés il résulte: 1° l'homme est orienté vers une fin surnaturelle dont il est uniquement question;[90] 2° cette fin surnaturelle est du domaine de la Grâce nettement distinct, nettement séparé du domaine de la Nature;[91] 3° pour passer du domaine de la Nature à celui de la Grâce un secours, appelé grâce suffisante, est absolument nécessaire [92] tout en étant absolument gratuit;[93] il est départi à tous les hommes, même à tous ceux qui

doit avoir sur la diversité des sectes qui sont au monde,» p. 414, 416, 418; Troisième partie, «Avant-propos,» p. 430, 431; chap. XI, «De la Passion et de la mort du Christ,» p. 554; chap. XIII, «Des grâces que les hommes reçoivent par les mérites de J. C.,» p. 568, 571; chap. XVI, «Le sacrement de l'Eucharistie,» p. 587; Deuxième partie, chap. IV, «De l'accomplissement des prophéties dans la naissance de J. C.,» p. 219: «Ces particularités (des prophéties) sont les marques assurées d'une science *surnaturelle*»; dans ce dernier passage il s'agit seulement du surnaturel «quoad modum,» non comme dans les autres cas du surnaturel «quoad substantiam.»

[86] *Ibid.*, t. II, p. 188.

[87] *Ibid.*, t. IV, p. 580–582; il s'agit des effets produits par le baptême «qui nous donne une naissance nouvelle et qui nous met en état de régler nos connaissances et nos volontés sur les révélations divines.»

[88] Sur le molinisme du P. Yves cf. C. Chesneau, *op. cit.*, t. II, p. 486–492.

[89] *La Théologie naturelle*, t. IV, p. 544: «Puisque le Ciel l'avait enrichi (le Christ) de toutes les *grâces efficaces* pour ce grand effet (le salut du monde), je ne sais pourquoi l'on veut qu'il ne s'en soit pas servi et que contre l'ordre de la Providence, ces principes *surnaturels* lui aient été inutiles.»

[90] *Ibid.*, t. I, p. 332: «Le souverain bien de l'homme est remis dans l'éternité et il *ne* jouit de la vie présente *que* pour en acquérir une *surnaturelle.*» A noter toutefois le cas des enfants morts sans baptême (*ibid.*, t. III, p. 472) qui sans avoir «la béatitude *surnaturelle*, qui consiste en la claire vision de Dieu» ont quand même gratuitement ce qui est nécessaire à leur bonheur, cf. *supra*, note 79.

[91] *Ibid.*, t. IV, p. 169: «Comme tous les peuples ont les mêmes principes dans l'ordre de la *nature*... ils doivent dans l'ordre *surnaturel* se conduire par une lumière commune de religion»; p. 315: «Puisque la Cause universelle imprime dans les âmes des peuples les premiers principes des vérités *naturelles*, il est convenable... qu'elle leur offre ceux des vérités *surnaturelles.*»

[92] *Ibid.*, t. IV, p. 558: «Considérez le corps humain avec une parfaite conformation de ses parties; il est néanmoins pesant, immobile, incapable d'action et de connaissance; sitôt que l'âme raisonnable lui survient, elle fait jouer tous les ressorts de cette machine... Il faut faire même jugement du corps moral de tous les hommes, particulièrement si vous les considérez avec leurs puissances affaiblies par le péché et conclure qu'il ne leur est pas possible d'avoir la paix avec eux-mêmes, avec le prochain, avec Dieu, ni de mériter une béatitude *surnaturelle* sans le secours d'un principe *surnaturel.*»

[93] *Ibid.*, t. III, p. 400: «Ces secours *surnaturels* (les grâces suffisantes) sont un *privilège* du Prince qui dépend continuellement de sa *faveur*, mais qu'il ne révoque que quand nous en

vivaient avant le Christ,[94] même à ceux qui après le Christ vivent dans l'hérésie ou dans l'infidélité;[95] cette grâce suffisante nous est méritée par le sang du Christ,[96] qui est au monde des rachetés ce que l'âme est au corps,[97] si bien qu'en définitive l'ambition sacrilège que les hommes ont eue autrefois d'être semblables à Dieu, est maintenant légitime, s'ils se proposent la vie de Jésus-Christ pour exemple et pour règle de leurs actions.[98]

L'Incarnation est donc le mystère qui domine les rapports du naturel et du surnaturel; elle le domine en raison du péché originel, car le Dieu fait homme peut satisfaire à la fois et en toute rigueur la justice et la miséricorde divine; elle le dominerait même sans cela, comme l'admettent certains docteurs;[99] il faut se rappeler ici une des lois qui commandent le système yvonien, celle de la médiation, qui veut qu'entre deux extrêmes il y ait un moyen qui participe de l'un et de l'autre et qui fait la liaison entre les deux;[100] ainsi l'homme tient le

sommes indignes par notre ingratitude»; *ibid.*, p. 514: «Elle (la Providence) exerce encore de plus grandes *libéralités* pour la vie de l'âme que pour celle du corps; car c'est une insigne *miséricorde* de nous donner des grâces *surnaturelles* pour nous rendre les lumières de la vérité et les pratiques de la vertu plus aisées et de relever nos actions par un mérite qui nous porte à la jouissance de notre dernière fin.»

[94] *Ibid.*, t. IV, p. 403–406: «*Tous* les siècles doivent demeurer satisfaits de ce qu'un seul a porté le bonheur du monde, à cause que la diffusion de ses mérites est *générale* et qu'on n'en saurait assigner aucun qui n'en ait reçu des gages de l'éternité. Il suffit que les hommes qui précédèrent la loi évangélique se pouvaient sauver en gardant la loi *naturelle* par le moyen des grâces qui leur étaient données pour cet effet... Si bien que *tous* les hommes se pouvaient sauver, s'ils étaient fidèles observateurs de la loi *naturelle*, devant la venue et par les mérites de Jésus-Christ... Ainsi les mérites de Jésus-Christ ont fait des effusions infinies de grâces qui anticipèrent sur le passé.»

[95] *Ibid.*, t. IV, p. 414–416. Ici le P. Yves met en présence les deux opinions qui avaient cours vers 1636, l'opinion large (Soto, Vega, Medina) qui soutient qu'après la venue du Christ infidèles et hérétiques peuvent être sauvés par l'observation de la loi naturelle, l'opinion étroite (A. Du Val) qui exige en plus la Foi explicite; puis il déclare: «Tous les docteurs demeurent d'accord que si les Barbares observent bien la loi *naturelle*, s'ils correspondent aux *grâces* que la miséricorde divine leur offre, qu'ils en recevront les instructions particulières nécessaires à leur salut.»

[96] *Ibid.*, t. IV, p. 416: «Il faut considérer que les grâces dont Jésus-Christ fait libéralité aux hommes par les mystères de la Foi, se rapportent à une béatitude *surnaturelle* qui ne serait pas due par récompense de nos bonnes œuvres sans les promesses qu'il nous en a faites, sans ses mérites infinis dont il veut que nous soyons participants»; *ibid.*, p. 587–588: «Jésus-Christ nous a fait participants d'une vie spirituelle par le moyen de son humanité sacrée: il nous a engendrés pour le Ciel par sa Passion, exposant sa vie pour nous donner l'être *surnaturel* de la Grâce.»

[97] *Ibid.*, p. 571: «Cela est vrai de Jésus-Christ; dans l'ordre de la Grâce il est l'âme de ce monde *surnaturel*.»

[98] *Ibid.*, t. IV, p. 538–539.

[99] *Ibid.*, p. 534: «Un grand nombre de docteurs célèbres tiennent que, quand même l'homme n'eût point péché, le Verbe divin se fût uni hypostatiquement à notre nature et que le remède qu'il donne à nos maladies n'est qu'un second effet qui procède des immenses communications de sa bonté.»

[100] Cf. C. Chesneau, *op. cit.*, t. II, p. 344–345.

milieu entre le monde purement matériel des corps et le monde purement spirituel des anges;[101] ainsi la religion naturelle est le nœud des choses divines et des choses humaines;[102] ainsi dans la Sainte Trinité elle-même le Verbe est comme le milieu proportionnel entre le Père et le Saint-Esprit.[103] Il convient donc que le monde surnaturel n'échappe pas à cette loi; il convient que lui aussi présente un médiateur qui participe à la fois au monde de la Nature et à celui de la Grâce et qui, s'unissant à cette frêle créature humaine «nœud, horizon, milieu, raccourci de deux mondes,» lui permet légitimement de réaliser ses aspirations vers l'infini et de clore en sa personne humano-divine le cercle d'amour, parti de Dieu pour retourner à Dieu. Ajoutons à cela la présence du péché qui pour avoir satisfaction complète demande un Rédempteur qui puisse se substituer pleinement à l'homme en même temps qu'il puisse offrir à Dieu un sacrifice d'une infinie valeur. Pour toutes ces raisons il convient, car nous sommes maintenant dans le domaine non pas de la nécessité mais de la convenance, il convient que la personne du Verbe tout en restant dans l'éminence qu'elle a dès l'éternité, s'unisse à la nature de l'homme et devienne comme l'un de nous.[104]

Ainsi pour Yves de Paris l'explication des rapports du naturel et du surnaturel se trouve dans la personne du Verbe incarné, explication forcément mystérieuse, puisqu'elle a pour fondement ce qu'il y a de plus mystérieux au monde: la vie intime de Dieu.

3. LES MORALES CHRÉTIENNES[105]

Nous venons avec *La Théologie naturelle* de faire un grand pas; nous sommes loin des incertitudes que nous avaient laissées *Les heureux succès de la Piété*. *Les Morales chrétiennes* vont nous apporter de précieux compléments. Nous commençons par l'ordre de la Grâce: notre exposé y gagnera en clarté.

[101] *Ibid.*, p. 414–417.
[102] *La Théologie naturelle*, t. IV, p. 149.
[103] *Ibid.*, p. 531.
[104] *Ibid.*, p. 527–541.
[105] Nous n'utilisons ici que les trois premiers tomes de cet ouvrage, le quatrième étant paru après le début de la querelle janséniste; nous renvoyons aux éditions suivantes: t. I, *Où il est traité des devoirs de l'homme en la vie particulière et publique*, 1638; t. II, *L'homme particulier*, 1639, t. III, *Police générale du Christianisme*, 1641.

De la justice originelle, cette fois encore peu de chose. Nous savons que la religion chrétienne nous donne des connaissances universelles qui ont du rapport avec celles qu'avait Adam avant son offense.[106] Nous apprenons ailleurs que la vie chrétienne est une renaissance, une résurrection «qui ne rétablit pas seulement l'homme dans les droits qu'avait sa nature devant le péché, mais qui l'admet encore à la participation des grandeurs de Dieu»;[107] d'où nous pourrions conclure qu'avant son péché Adam n'y participait pas. Par ailleurs Yves de Paris nous dit que «les âmes solitaires se remettent autant qu'il se peut en l'état où Dieu créa le premier homme, dans cette félicité de la nature, dans ce dégagement de l'opinion, dans cette indifférence qui est le grand effet de la Grâce»;[108] il nous certifie que nous n'avons pas le privilège du premier homme, qui possédait la science infuse.[109] Tout cela ne laisse pas d'être quelque peu incohérent; de toute évidence notre capucin ne s'est pas intéressé au problème de la justice originelle.

Par contre il est plus souvent parlé de la nature corrompue que dans la *Théologie naturelle*; l'optimisme yvonien semblerait s'être atténué;[110] ce n'est là toutefois qu'une apparence; les thèses sont restées les mêmes, thèses d'un humaniste chrétien, pour qui l'homme est blessé dans ses forces vives sans être pour autant réduit à l'impuissance absolue; il y a encore du bon en lui.[111]

Venons-en à la nature rachetée. Le terme *surnaturel* s'est fait encore plus rare; nous ne l'avons rencontré que neuf fois;[112] pour exprimer la

[106] *Les morales chrétiennes*, t. I, p. 130.
[107] *Ibid.*, p. 193.
[108] *Ibid.*, t. II, p. 78.
[109] *Ibid.*, t. II, p. 134; cf. *ibid.*, t. I, p. 559: «Quoique le premier eut en son état d'innocence un corps sujet de lui-même à se corrompre, étant composé de qualités contraires comme les nôtres, néanmoins nous l'estimons heureux et immortel en cet état.»
[110] *Ibid.*, t. I, p. 70, 78, 117, 118, 127, 178, 211, 469, 472, 522, 553; t. II, p. 218; t. II, p. 45, 129. Voici les passages les plus caractéristiques: t. I, p. 70: «La vérité et la vertu ne nous viennent pas de la *nature* parce que les semences en sont *corrompues*»; p. 178: «Il ne suffit pas de mourir au monde si on ne meurt à soi-même... si l'on ne surmonte les mauvaises inclinations d'une *nature corrompue*,» p. 469: «Ainsi nous avons sujet de croire que tout ce qui vient de notre *nature corrompue* et de notre raison *blessée* est trop faible pour mettre l'âme dans un tempérament où ses puissances n'agissent que pour son bien.»
[111] *Ibid.*, t. II, Première partie, chap. I, «De l'amour naturel de soi-même et comment il peut être fautif,» p. 9–18; chap. II, «Du légitime amour de soi-même,» p. 18–26; chap. III, «Des diverses inclinations naturelles,» p. 26–38; chap. IV, «La Grâce divine peut vaincre les inclinations naturelles,» p. 38–46; chap. V, «Ordinairement il faut faire choix d'une condition conforme à ses inclinations.» p. 46–56. Cf. *supra*, Ch. IV, p. 88 sv.
[112] *Les Morales chrétiennes*, t. I, p. 118, 119, 213, 334–335, 349, 422–423, 451, 546, t. II, p. 25.

grâce sanctifiante, Yves de Paris recourt à ses métaphores habituelles;[113] le mot *grâce* est presque toujours utilisé dans le sens de secours; il n'est accompagné qu'une fois de l'épithète *efficace*;[114] il est vrai que l'épithète *suffisante* a disparu elle aussi; la grâce est grâce purement et simplement, sans plus. Les thèses sont les mêmes: distinction nettement marquée des deux ordres;[115] impossibilité de passer de l'un à l'autre sans la grâce,[116] qui est offerte à tous les hommes sans exception,[117] par les mérites du Christ mourant,[118] en sorte que celui-ci est véritablement l'âme d'un monde surnaturel.[119] Tout ceci ne laisse que d'être et très orthodoxe et très connu.

Le problème demeure entier: quels sont les rapports de ces deux ordres; pour répondre à cette question, il nous faut finir par où jusqu'ici nous avons commencé: l'ordre de notre nature et de sa finalité.

Ce qui doit nous intriguer tout d'abord c'est le titre de cet ouvrage

[113] *Ibid.*, t. I, Première partie, chap. XVII, «La nouvelle vie du chrétien,» p. 189–201.

[114] *Ibid.*, t. I, p. 288: «Il faut des grâces *efficaces* et extraordinaires pour convertir une âme envieillie dans le péché.»

[115] *Ibid.*, t. I, p. 201: «Nous n'avons pas le pouvoir de déterminer *notre naissance corporelle*... Pour ce qui est de la *naissance spirituelle*, les grâces nous en sont offertes sitôt que nous avons l'usage de la raison»; t. II, p. 114: «Il (le sage) le (l'homme) met au rang qu'il doit tenir en la *nature* et le prépare aux avantages de la *Grâce*»; p. 126: «Le Chrétien a l'honneur de tirer son extraction de la Sagesse divine beaucoup plus par *la naissance de la Grâce* que par *celle de la nature*»; p. 242: «Si l'homme considère attentivement ses obligations envers Dieu pour les faveurs qu'il en a reçues dans l'ordre de la *nature* et de la *Grâce*... son zèle ne trouve point d'austérités trop rigoureuses»; p. 278: «Les secours du Ciel sont si puissants mais aussi les infirmités de l'homme sont incroyables, tellement qu'avec tout ce que *l'art*, la *nature* et la *Grâce* lui promettent, il se doit toujours tenir dans la défiance»; p. 298: «Si la volonté donne son consentement aux concupiscences, elle renverse l'ordre de la *nature*, en ce qu'elle soumet une puissance spirituelle aux passions de la matière...; elle refuse les *grâces* de Dieu»; p. 381: «Si le sage se contente des biens que la *nature* lui a faits et que la *Grâce* lui donne en secret..., il ne se fâchera jamais de ce que la force et la calomnie lui pensent ravir.»

[116] *Ibid.*, t. I, p. 118: «Il est certain que ces actions (des infidèles) renfermées dans l'ordre de la *nature* ne peuvent pas mériter une béatitude *surnaturelle* dans l'ordre de la *grâce*»; p. 197: «La volonté de l'homme croupit dans ses imperfections si la *Grâce* de Dieu ne la prévient, ne l'excite et ne l'emporte droit par des motions dont on ne peut trouver en nous aucun principe et qui semblent n'avoir point de fin parce qu'elles sont des progrès interminables pour toucher un infini.»

[117] *Ibid.*, t. I, Première partie, chap. XXV, «Il n'y a point de pécheur qui doive désespérer de sa conversion s'il veut se bien servir des grâces de Dieu,» p. 271–283.

[118] *Ibid.*, t. I, p. 206: «Cette faveur qui nous donne part aux mérites et à la Toute Puissance du Verbe incarné s'appelle une *grâce* à cause *qu'elle ne nous est pas due* selon le cours ordinaire de la *Providence* qui assortit tous les êtres des qualités convenables à leur espèce»; p. 218: «Nos espérances ne peuvent être bien fondées qu'en Jésus-Christ... qui possède tous les trésors de la grâce»; p. 219: «Il (le Fils de Dieu) couronne ses faveurs quand il récompense nos mérites, parce qu'ils sont les effets de ses grâces et que toute notre suffisance vient de sa grandeur.»

[119] *Ibid.*, t. I, p. 195: «Jésus-Christ est la véritable âme du monde qui donne la vie de la grâce à tous ceux qui seront sauvés; c'est l'astre de chacun, encore qu'il le soit de tous, parce que sa providence s'étend sur tous sans exception et son amour leur fait des faveurs aussi proportionnées à leurs forces que s'il n'était que pour eux en particulier.»

que nous sommes en train d'analyser. Le second ouvrage s'appelle: *La Théologie naturelle*; le troisième s'intitule: *Les Morales chrétiennes*; pourquoi n'avons-nous pas une morale naturelle? Au fond c'est tout un procès, un procès très intéressant qui va s'instituer.

La première thèse yvonienne s'énonce ainsi: *C'est un grand préparatif à la vraie sagesse de ne rien faire contre la conscience et la raison.*[120] L'adversaire ici visé, sans qu'il soit nommé, n'est autre que Baius, qui soutint autrefois «que toutes les actions des infidèles étaient des péchés, quoiqu'elles fussent conduites par la raison et avec toutes les bonnes circonstances de la morale.»[121] Les arguments yvoniens sont de deux sortes; d'abord positifs qui établissent en se référant à S. Thomas [122] l'existence d'un *droit naturel* «qui est une participation de la loi éternelle, un rayon de la lumière divine dans l'âme de l'homme, qui lui montre son devoir, qui l'excite à s'en acquitter»;[123] négatifs ensuite qui montrent l'absurdité de l'opinion adverse en ce qu'elle exagère les conséquences du péché originel,[124] en ce qu'elle fait de l'infidélité un principe vicieux qui infecte sans distinction toutes les actions humaines même quand elles sont conformes aux exigences de la conscience, en ce qu'elle nie la miséricorde d'un Dieu qui enverrait son ange plutôt que de laisser se perdre un païen de bonne foi.[125] En somme la raison est partout nécessaire et si l'on ôtait la raison du monde, la société des humains serait infailliblement vouée à sa perte.[126]

Mais, et c'est la contrepartie, si en matière d'apologétique la raison pouvait suffire en nous conduisant jusqu'au seuil de la Foi, en matière de morale la raison ne suffit pas; c'est ce que le P. Yves établit dans un chapitre qu'il intitule: *La Philosophie ne nous instruit qu'imparfaitement du souverain bien.*[127] Notons tout d'abord qu'il s'agit ici d'une impuissance non de droit, mais de fait; nous avons ici la critique non pas de la raison en tant que telle, mais seulement de l'éthique rationnelle inventée par les païens. Après avoir reconnu ce qu'ont de généreux ces systèmes «qui méprisent ce que le vulgaire adore et qui recherchent

[120] *Ibid.*, t. I, p. 111–122.
[121] *Ibid.*, p. 117.
[122] *Summa theologica*, Ia IIae, q. XCI, art. 2.
[123] *Les morales chrétiennes*, t. I, p. 113.
[124] *Ibid.*, p. 117; références à S. Thomas, *op. cit.*, IIa IIae, q. 6, art. 4; IIIa, q. LXXXIX, art. 6 ad 3.
[125] *Ibid.*, p. 119; références à S. Thomas, *op. cit.*, IIIa, q. LXXXIX, art. 6, ad 3; Ia IIae, q. CXII, art. 3.
[126] *Ibid.*, p. 120–121.
[127] *Ibid.*, p. 102–111.

la vérité par d'autres voies que l'opinion,» Yves de Paris réfute Aristote qui met le souverain bien dans les opérations de la vertu; il réfute le stoïcisme [128] qui dépouille l'homme de tous sentiments humains pour mettre le souverain bien dans une tranquillité toujours égale entre les secousses de la fortune; il constate en définitive que les sages antiques après avoir discouru de la félicité humaine en sont venus à se demander «si la vertu et le vice, si l'honnêteté et la turpitude étaient des choses bonnes en soi ou si elles n'étaient telles que par l'opinion des hommes»; il conclut en conséquence avec Plotin et Platon:[129] «Tout ce que l'homme peut faire pour sa félicité, c'est de purger son âme du vice par les exercices de l'amour et de la contemplation afin de la rendre comme une glace de miroir devant le Soleil divin.»[130]

Cette critique de la morale naturelle Yves de Paris la reprend sur le plan purement politique. Un premier chapitre établit que «le jugement humain n'est pas capable d'établir une vraie police»;[131] un second que «la vraie police doit être donnée de Dieu.»[132] L'incapacité du jugement humain s'établit de la sorte: tout bon politique pour gouverner sainement doit avoir une parfaite connaissance du passé, du présent, de l'avenir; or le passé nous est livré par des histoires ignorantes ou passionnées qui le déguisent; le présent consiste aux volontés des hommes secrètes et passionnées; quant à l'avenir il est entre les mains de la Divine Providence qui règle tout par un conseil où les raisons humaines ne sont point reçues. De fait les résultats sont déplorables: Machiavel établit la monarchie sur une autorité qu'il élève par toutes sortes de moyens; quant aux philosophes de l'antiquité païenne, ils

[128] Cf. Julien-Eymard d'Angers, «Sénèque et le stoïcisme dans l'œuvre d'Yves de Paris» (1590–1678), dans *Collectanea Franciscana*, t. XXI, 1951, p. 45–88.

[129] La référence à Platon n'est pas donnée; référence à Plotin: *Liber quae sint mala*, cap. XIII, *Liber de Providentia*, cap. XV; *Liber de profugis*. Yves de Paris dans cette critique qu'il fait de la morale naturelle se réfère encore à S. Augustin (*De civitate Dei*) et à Nicolas de Cuse (*Excitatio*, lib. V, cap. XXXI).

[130] Cette critique est annoncée dès «l'Avant-propos» des *Morales chrétiennes*, t. I, p. 20: «Je ne mésestime pas cette procédure (la méthode ordinaire des philosophes) et je la tiens très utile pour former des idées universelles de science. Mais il est à craindre qu'elle donne des lumières sans chaleur, qu'en ces matières générales il ne se fasse une abstraction de la volonté comme de l'esprit, qu'on ne porte même jugement des préceptes que des biens où l'on ne croit pas avoir beaucoup d'intérêt et qu'on regarde comme étrangers quand ils sont publics... On a vu de mauvais esprits (sans doute Machiavel) qui étudiaient les pratiques de l'innocence, les fourbes et les coups d'une tyrannie, le secret des arts défendus, les sentiments désespérés de l'athéisme dans des livres qui ne promettaient que l'innocence et la piété. Cela m'a fait prendre la résolution de me tenir aux premiers préceptes de la vertu et aux raisonnements qui la peuvent rendre recommandable, sans ressusciter le vice, sans donner place à des excès que la justice et le temps ont fait mourir. Je ne suis donc ni dans l'histoire, ni dans les formalités de la philosophie.»

[131] *Les Morales chrétiennes*, t. III, p. 74–79.

[132] *Ibid.*, p. 79–84.

ont soutenu les pires erreurs depuis le meurtre des enfants jusqu'à celui des vieillards, depuis l'adultère et le divorce jusqu'à la communauté des femmes. Il faut donc se hisser jusqu'à Dieu, qui seul peut nous donner la vraie police «sans laquelles les mœurs seraient dissolues et les plus importantes maximes de la religion violées.»[133]

Qu'il s'agisse de morale générale, qu'il s'agisse de morale politique, nous en revenons au même point: il nous faut un miroir de justice, il nous faut un souverain législateur; et dans les deux cas nous rencontrons celui qui fait l'union des deux mondes, celui de la Grâce et celui de la Nature: nous rencontrons le Verbe incarné.

Nous le rencontrons quand il s'agit de morale générale.[134] Aristote «a cru qu'un état ne peut éviter les disgrâces qui le menacent, ni s'établir dans une constitution qui le rende heureux si la loi n'y tient un empire très absolu.»[135] Platon au contraire exige que les sénateurs s'assemblent tous les jours pour délibérer sur les changements des lois.[136] Ces deux opinions ont du bon; ces deux opinions présentent des inconvénients notables. Ce qui nous conviendrait c'est une conciliation de «ces deux choses qui nous semblent contradictoires.» Or cette conciliation nous la trouvons dans le Verbe incarné qui est à la foi la loi et le législateur;[137] c'est lui qui met le chrétien dans cette sagesse qui juge de tout, qui fait l'épreuve de toutes choses, pour se tenir aux meilleures.[138] Déjà nous avons naturellement des aspirations vers l'infini: contenant par éminence tous les degrés inférieurs, nous en portons tous les appétits; notre intelligence, après être montée d'une

[133] *Ibid.*, p. 81–82. Yves de Paris invoque en faveur de cette thèse: 1° Les anciens «qui reconnurent par la seule lumière naturelle cette vérité» et qui en l'occurrence se réduisent au seul Platon (lib. I, *De legibus*, *Théagènes*); 2° La Sainte Ecriture: *Exode*, XXXI, 18; *Nombres*, XI, 17; *Psaume* LXXV, 13; III *Rois*, VII; *Sagesse*, IX, 4.

[134] *Les Morales chrétiennes*, t. I, Première partie, chap. X, «La Religion chrétienne est seule qui nous renseigne d'une parfaite morale,» p. 122–123.

[135] Référence à *Politiques* III, 10.

[136] Référence au *Protagoras*.

[137] *Les Morales chrétiennes*, t. I, p. 125: «Le Verbe divin est la première loi comme la première vérité, l'idée éternelle qui a déterminé l'être, les forces, les fins, les activités de toutes choses. C'est cette loi qui règne avec tant de puissance dans la nature, qui bannit l'injustice de ses commerces, qui entretient les cieux et les éléments dans des correspondances d'où procèdent les générations; enfin les ordres qu'elle donne sont si publics qu'elle pourvoit à toutes les nécessités des moindres petites choses, et si puissants qu'elle assujettit les êtres même déraisonnables à sa conduite. Et parce que notre nature jouissant d'une grande liberté ne doit recevoir que des instructions au lieu de contrainte, le Verbe incarné s'y est uni hypostatiquement pour l'informer de la vérité par la doctrine et par ses exemples. De sorte que Jésus-Christ gouverne les hommes et comme une loi éternelle à cause de sa personne divine et en qualité de souverain monarque du monde parce que l'empire universel est dû à sa nature humaine à cause du don que le Père lui en a fait, à cause de ses mérites incomparables et de l'union hypostatique du Verbe; il gouverne donc avec ces deux qualités de loi et de prince qui ne peuvent se rencontrer dans une créature humaine.»

[138] I *Thessaloniciens*, V. 21: «*Omnia probate*; *quod est bonum est tenete.*»

cause à l'autre veut en venir jusque à une première qui termine son mouvement; notre volonté après avoir mis toutes les passions en campagne pour faire de grandes conquêtes sent en soi de vastes désirs que rien ici-bas ne peut combler; et comme la nature ne donne aucun appétit qu'elle ne comble, il s'ensuit que Dieu seul est notre souverain bien.[139] C'est là ce que nous enseigne notre législateur, le Verbe fait chair;[140] il ajoute que ce bonheur nous est réservé dans une autre vie [141] à la condition que nous suivions ses voies, si bien qu'en définitive c'est l'imitation de Jésus-Christ qui nous conduit au souverain bien.[142]

Il en est de même dans l'ordre politique. Là encore c'est le Verbe incarné qui fait l'alliance des deux ordres. Le sage de l'Ecriture [143] et le prince des philosophes [144] conviennent en ceci que la sagesse est originairement en Dieu; nous découvririons donc les lois éternelles si nous pouvions les lire dans l'essence divine; si nous pouvions lire dans le Verbe les divines idées, nous y verrions les raisons qui font naître, vivre et mourir les états. Hélas! cela ne nous est pas possible; cela ne nous est pas permis; il nous faut interroger la nature où les lois éternelles sont sensiblement écrites, car la première vérité met ses traces dans l'ordre et dans la beauté des choses matérielles.[145] Néanmoins ce monde qui les reçoit, peut les méconnaître. D'où cet intense désir exprimé par Platon [146] qu'enfin une personne remplie de Dieu vienne sur terre pour faire des lois universelles et très équitables pour tous les peuples. L'effet a surmonté les souhaits et les «préjugés» de ce sage. Le Verbe s'est uni à notre nature pour lui donner ses perfections; il s'est abaissé pour l'élever;[147] ainsi il réunit toutes les créatures à leur principe en s'unissant à l'homme où elles sont contenues en abrégé;[148] ainsi il achève le cercle de l'amour et de la bonté divine; il est le

[139] *Les Morales chrétiennes*, t. I, Première partie, chap. XI, «Dieu est le souverain bien de l'homme,» p. 132–138.
[140] *Nemo bonus nisi Deus*; *porro unum est necessarium.*
[141] *Ibid.*, chap. XII, «La jouissance de notre souverain bien nous est réservée dans le Ciel; néanmoins nous pouvons en avoir quelque communication durant cette vie,» p. 138–140.
[142] *Ibid.*, chap. XIII, «L'imitation de Jésus-Christ conduit l'homme au souverain bien,» p. 140–160.
[143] *Ecclésiastique*, I, 1 : «*Omnis sapientia a Domino Deo est.*»
[144] Yves de Paris renvoie au livre VI de la *République.*
[145] *Les Morales chrétiennes*, Première partie, chap. IX, «Il y a des lois éternelles de gouvernement,» p. 85–95.
[146] Yves de Paris ne donne pas la référence.
[147] Référence à S. Augustin, *Tractatus in Joannem*, XXXIV.
[148] Cf. C. Chesneau, *op. cit.*, t. II, p. 414–417.

législateur et la loi; premier dans les idées divines,[149] conseiller admirable, Dieu fort, Père du siècle futur,[150] voie, vie et vérité,[151] lui dont l'esprit se répand universellement sur la masse de l'univers pour en tirer l'ordre et la beauté,[152] lui qui a surmonté le péché par de signalées victoires,[153] il est comme la fin que Dieu s'est proposée en donnant l'être au monde; il est l'alpha et l'oméga; il est la dernière explication de tout.[154]

L'analyse que nous venons de faire nous laisse une impression de cohérence et d'imprécision.

L'impression de cohérence provient d'abord de ce que le P. Yves de Paris est platonicien; l'univers qu'il nous présente est parfaitement hiérarchisé, depuis le monde élémentaire jusqu'à celui des anges de sorte que le monde la Grâce peut s'y insérer sans difficulté en occupant la première place; les ordres sont conçus et exécutés par le Divin ouvrier sur un modèle analogue, de sorte qu'ils sont à l'image l'un de l'autre et que l'on peut monter par «induction» de la nature à la surnature; une même force le traverse qui part de Dieu pour remonter à Dieu dans un cercle de lumière, de sorte que le Verbe éternel est à la fois le point de départ et celui d'arrivée; l'homme reçoit ainsi à l'instar de toutes les créatures une impulsion initiale qui lui fait rechercher son souverain bien dans celui qui est pour lui son lieu, son centre, c'est-à-dire Dieu. Enfin la loi de la médiation qui demande qu'entre chaque ordre hiérarchique il y ait un intermédiaire qui participe de l'un et de l'autre, s'applique aisément à l'Incarnation qui est ainsi d'une haute convenance et d'une haute portée.

L'impression de cohérence provient ensuite de ce que la P. Yves se place toujours en face de l'homme concret, tel qu'il nous est connu par la Révélation; pas un instant notre théologien se place dans l'hypothèse d'une nature pure; pas une seule fois, il distingue en Dieu la *potentia absoluta* et la *potentia ordinata*; pour cette seule raison il n'en-

[149] *Colossiens*, I, 15: «*Qui est imago Dei invisibilis, primogenitus omnis creaturae.*»
[150] *Isaïe*, IX, 6: «*Admirabilis consiliarius, Deus fortis, Pater futuri saeculi.*»
[151] *Jean*, XIV, 6: «*Via, veritas et vita.*»
[152] *Genèse*, I, 2: «*Et spiritus Dei ferebatur super aquas.*»
[153] *Jean*, XVI, 33: «*Confidite, ego vici mundum.*»
[154] *Les Morales chrétiennes*, t. III, Première partie, chap. X, «Jésus-Christ est le souverain monarque et le législateur du monde,» pp. 95–100. Plus loin dans le même ouvrage Yves de Paris rappelle que le Christ n'a pas voulu exercer le pouvoir temporel et il donne les raisons de ce refus (*ibid.*, pp. 237–238), mais il a soin de déclarer par ailleurs (*ibid.*, p. 39) que le Sauveur «comme il est le souverain monarque du monde par toutes sortes de titres, il a voulu honorer ceux qui le suivent du titre de roi, pour montrer qu'ils doivent être dans les emplois de la justice qui est une vertu royale toujours occupée pour le bien des autres.»

visage pour l'homme qu'une fin surnaturelle, qu'une béatitude surnaturelle;[155] pour cette seule raison il distingue morale imparfaite, celle qu'ont inventée les philosophes antiques, et morale parfaite, celle que nous apporte la Révélation chrétienne; en théorie une morale naturelle est possible; mais pourquoi s'arrêter à reconstituer une morale qui n'a jamais existé? Ce qui importe c'est l'ordre tel que Dieu l'a voulu et institué. Nous sommes faits pour le Ciel, et c'est en fonction du Ciel qu'il faut tout penser. Ainsi la destinée de l'homme se dessine en ligne droite, bien qu'interrompue, depuis l'état de créature pécheresse jusqu'à l'état de créature glorifiée en passant par l'état de nature rachetée. Impossible d'ailleurs de s'élever de l'un à l'autre par nos seules forces; la grâce du Christ nous est absolument nécessaire tout en étant absolument gratuite, la première parce qu'elle ne nous est due en aucune manière, les suivantes parce qu'en couronnant nos mérites le Rédempteur couronne ses dons.

Tout est clair, mais c'est là également juste au point où se coupe la ligne droite, que se trouve l'imprécision: l'accord du nécessaire et du gratuit; les expressions employées sont obscures et plus qu'obscures; nous avons vu ce que renferme d'équivoque l'adjectif *nécessaire*, l'adverbe *nécessairement*;[156] nous ne pouvons savoir que difficilement s'il s'agit d'une nécessité physique, métaphysique, morale ou théologique; ces qualificatifs sont complètement inconnus; d'une part, comme la nature ne laisse sans les combler aucun des désirs qu'elle imprime, il est nécessaire que nous entrions en possession de l'infini auquel nous aspirons de toutes nos forces tant dans l'ordre du vrai que dans celui du bien; d'autre part nous ne pouvons par nous-mêmes parvenir à ce bonheur attendu; la grâce nous est absolument nécessaire; nous avons le même adjectif employé dans deux contextes différents; une précision

[155] Après le début de la querelle janséniste Yves de Paris gardera la même position. Dans *Les miséricordes de Dieu* (1645) écrit contre Jansenius il a tout un chapitre pour montrer que l'homme a été créé pour une fin surnaturelle (pp. 50–55). Dans le *Jus naturale* (1658, p. 99), il montre en s'appuyant sur la *Genèse* qu'en fait l'homme *ad similitudinem Dei factus* a été créé pour une fin qui n'était pas due à la condition de la nature humaine; puis se demandant pourquoi l'homme a été créé pour une fin *surnaturelle* qu'il peut atteindre non par ses seules forces mais par le seul secours *surnaturel* de la Grâce, Yves de Paris répond en s'appuyant sur S. Augustin (*Enarratio in psalmum* LXXXIV) que c'est pour rappeler à l'homme qu'il doit vivre en dépendance de son Créateur.

[156] Cf. *supra*, p. 75, n. 1, 2. Dans *Les miséricordes de Dieu* (*Avis au lecteur*) Yves de Paris a senti le besoin de s'expliquer sur cette difficulté: «Ce livre étant sur le point de paraître, écrit-il, on me vient de donner l'avis qu'en quelques endroits, sans me les coter, je me suis servi du mot de nécessité pour dire une violence; je marque à cela que je marque la cause par son effet et que j'entends parler dans ces endroits de cette nécessité qui naît de la violence et de la contrainte. Cela paraît dans tout le corps du discours pour déterminer le sens d'une parole autrement douteuse.» Nous enregistrons l'aveu, remettant à plus tard pour savoir si véritablement satisfaction nous est donnée.

serait plus que désirable; nous restons sur notre soif et sur notre faim. Quant au mot *gratuit*, nous ne l'avons rencontré nulle part, mais surtout [157] son équivalent négatif: la grâce ne nous est pas due, nous la recevons sans aucune mérite de notre part, uniquement par les mérites du Rédempteur. Mais comment une grâce gratuite peut-elle en même temps être nécessaire? Comment une grâce nécessaire peut-elle en même temps être gratuite? Une phrase rapide semble équiparer la gratuité de la Grâce à celle de la Création.[158] Mais cela ne saurait satisfaire nos légitimes exigences. En fait Yves de Paris comme d'ailleurs saint François de Sales, ne s'est pas proposé le problème qui fait le tourment des théologiens modernes.

Reste à dire qu'il n'est pas seul de son espèce et que sa position se retrouve chez nombre de ses contemporains,[159] comme le montreront d'ailleurs nos pièces annexes.[160]

[157] Nous disons surtout parce que nous rencontrons également les expressions positives suivantes: *privilège*, *faveur*; cf. *Théologie naturelle*, t. III, p. 399: «Ces secours *surnaturels* sont un *privilège* du prince»; *ibid.*, t. IV, p. 16: «Les *faveurs* que nous avons reçues dans l'ordre de la Grâce sont bien plus grandes que celles de la nature.»

[158] *La Théologie naturelle*, t. III, p. 406–407: «Représentez-vous que les hommes devant leur *création* n'avaient aucun droit à l'existence, ni par conséquent aucun mérite prétendre à un plus sublime degré de *grâce*. Dieu leur a fait une assez grande faveur de leur donner un *être* si noble et il dépendait purement de sa libéralité de leur départir des *grâces* à proportion de ce qu'il en voulait faire réussir pour sa gloire, mais toujours suffisantes pour leur salut. Les lois donnent liberté à celui qui est maître d'une chose d'en disposer selon qu'il lui plaît; un Prince ne serait pas souverain s'il ne pouvait élever quelque favori, accorder des privilèges, des honneurs, des immunités. Dieu donc qui est une cause souverainement libre, ayant donné l'*être* aux âmes raisonnables sans aucun mérite de leur part, les peut élever au degré de *grâce* qu'il lui plaît, dont le moindre leur est une grande *faveur*, puisqu'elles n'y avaient aucun droit.»

[159] Cf. JULIEN-EYMARD d'Angers, «Le désir naturel du surnaturel: Jacques d'Autun (1649). Pascal Rapine (1658),» dans *Etudes franciscaines*, nouv. sér., t. VII, 1956, p. 45–62. «Le désir naturel du surnaturel: Sébastien de Senlis. Yves de Paris, Léandre de Dijon.» *Ibid.*, t. I, 1950, p. 211–224. «De beatificae visionis naturali desiderio apud Bonaventuram Lingonensem, O.F.M. Cap. et Marcum a Bauduino O.F.M. Cap.,» dans *Antonianum*, t. XXIX, 1954, p. 45–62. «De beatificae visionis naturali desiderio apud Petrum Trigosum a Catalavud.» *Ibid.*, t. XXXII, 1957, p. 3–16. «Naturel et surnaturel dans le traité «De la connaissance...» de J. B. Saint-Jure,» dans *Revue d'ascétique et de mystique*, t. XLII, 1966, p. 359–373.

[160] Cf. *infra* p. 146–165. Pour saint François de Sales cf. *supra*, p. 9, 15, 26.

CHAPITRE VI

DEUX TEXTES

Il nous paraît utile, après ces exposés, de citer deux textes, qui nous permettront de saisir les ressemblances fondamentales qui unissent saint François de Sales et Yves de Paris dans la grande famille des humanistes chrétiens, tout en nous faisant voir les différences accidentelles qui marquent leur originalité. Nous avons choisi à cet effet, entre beaucoup d'autres, deux passages qui ont trait à l'inclination naturelle que tout homme possède d'aimer Dieu par dessus toutes choses.

D'abord ni saint François de Sales, ni le P. Yves ne s'attardent à cousiderer la créature humaine, sous un angle négatif, comme sortie du néant, limitée de toutes parts et retournant d'elle-même vers le néant d'où elle est sortie. Au contraire, ils la voient de préference s-ous son aspect positif, comme pensée par Dieu, orientée vers Dieu, retournant à Dieu en qui elle retrouve la plénitude de son être. Par là, nos deux écrivains s'opposent à une école néantiste qui sévissait de leur temps.

Secondement le péché n'implique pas une corruption totale de la nature; il la blesse, il ne l'anéantit pas; il ne creuse pas entre le pécheur et son Maître un abime infranchissable, mais il laisse au fond du cœur humain une inclination vers le Souverain bien, par où la grâce pourra le prendre et le faire monter vers le Tout-Puissant. Pour le capucin comme pour l'évêque, la justification n'est pas une création mais une élévation.

Enfin si l'intelligence humaine n'est pas entièrement corrompue, les philosophes païens, s'ils se sont plus d'une fois trompés, voire gravement, du moins ont-ils trouvé et conservé des vérités qu'on peut leur prendre pour les christianiser; de la sorte il est possible de les utiliser, à la condition toutefois de réfuter les erreurs qu'ils ont professées; leur faute n'est pastellement celle d'une raison qui se dérobe devant le vrai, que celle d'une volonté qui n'a pas le courage du bien.

Il est possible que ces ressemblances n'apparaissent pas clairement à une première lecture. Nous n'avons pas pu souligner des passages qui indiqueraient de la part du P. Yves un emprunt direct à saint François de Sales. Au contraire l'ensemble de ces trois chapitres montre bien que celui-là s'est bien gardé d'imiter servilement celui-ci et qu'il a tenu à garder son originalité, pour ne pas dire son indépendance; c'est ce que nous devons montrer également.

Mais auparavant lisons les textes.

Traité de l'amour de Dieu
livre I, chap. XVI

Que nous avons une inclination d'aimer Dieu par dessus toutes choses.

S'il se trouvait des hommes qui fussent en l'intégrité et droiture originelle en laquelle Adam se trouva lors de sa création, bien que d'ailleurs ils n'eussent d'autre assistance de Dieu, que celle qu'il donne à chaque créature afin qu'elles puissent faire les actions qui lui sont convenables, non seulement ils auraient l'inclination d'aimer Dieu par dessus toutes choses, mais aussi ils pourraient naturellement exécuter cette si juste inclination; car comme ce divin auteur et maître de la nature coopère et prête sa main forte au feu pour monter en haut, aux eaux pour couler vers la mer, à la terre pour descendre en bas et y demeurer quand elle y est; ainsi ayant planté lui-même une spéciale inclination naturelle, non seulement d'aimer le bien en général, mais d'aimer en particulier et sur toutes choses sa divine bonté, qui est meilleure et plus aimable que toutes choses; la suavité de sa providence souveraine requérait qu'il contribuât à ces bienheureux hommes que

Les progrès de l'amour divin
L'amour naissant
chap. I

Le coeur de l'homme a de naturelles inclinations à l'Amour de Dieu

Dieu a tout produit par un amour éternel de sa bonté, dont il a voulu déployer les fécondités, et se faire de nouveaux objets de complaisance dans le temps que commença la durée du monde. De là vient que toutes choses étant les effets de l'amour et de la bonté, portent une vive ressemblance de ces principes dans leurs inclinations en ce qu'elles ont toutes de l'amour pour le bien. Néanmoins les êtres inférieurs ont leurs recherches limitées par les convictions de la nature et n'aiment pas le bien, à cause de ce qu'il a d'éminent en soi, mais parce qu'il leur est convenable et qu'ils s'en promettent un secours tel que le demandent leurs nécessités. Cet appétit aveugle, mais constant et infaillible, ne laisse pas d'être une secrète recherche de la bonté de Dieu, dit saint Thomas,[1] en ce qu'il se porte aux objets qui en sont l'image et qu'il se désaltère dans les ruisseaux, ne lui étant pas possible de monter jusqu'à la source. L'homme seul qui a des puissances plus nobles et plus étendues, forme

[1] *Prima pars*, q. VI, art. 2, ad. 3.

nous venons de dire, autant de secours qu'il serait nécessaire afin que cette inclination fût pratiquée et effectuée; et ce secours d'un côté serrait naturel, comme convenable à la nature et tendant à l'amour de Dieu, en tant qu'il est auteur et souverain maître de la nature, et d'autre part il serait surnaturel, parce qu'il correspondrait non à la simple nature simple de l'homme, mais à la nature ornée, enrichie et honorée de la justice originelle, qui est une qualité surnaturelle procédant d'une très spéciale faveur de Dieu. Mais quant à l'amour sur toutes choses, qui serait pratiqué selon ce secours il serait appelé naturel, d'autant que les actions vertueuses prennent leur nom de leurs objets et motifs, et cet amour dont nous parlons tendrait seulement à Dieu, selon qu'il est reconnu auteur, seigneur et souveraine fin de toute créature, par la seule lumière naturelle, et par conséquent aimable et estimable sur toutes choses par inclination et propension naturelle.

Or, bien que l'état de notre nature humaine ne soit pas maintenant doué de la santé et droiture originelle que le premier homme avait en sa création, et qu'au contraire nous soyons grandement dépravés par le péché, si est ce toutefois que la sainte inclination d'aimer Dieu sur toutes choses nous est demeurée, comme aussi la lumière naturelle par laquelle nous connaissons que cette souveraine bonté est aimable sur toutes choses, et n'est pas possible qu'un homme pensant attentivement à Dieu, voire même par le seul discours naturel, ne ressente un certain élan d'amour que la secrète inclination de notre nature suscite au fond des désirs pour un bien universel, et même sans y penser il conduit ses plus basses affections par cette sublime idée; son esprit cherche les lumières d'une vérité qui ne soit enveloppée d'aucun nuage, son coeur forme des désirs pour un bien qui ne soit mêlé d'aucuns défauts; il voudrait une beauté sans tache, des forces sans lassitude, une paix sans trouble, une grandeur, une puissance, une durée, une gloire sans bornes et sans fin. Les passions emploient leurs grands efforts et soulèvent tout ce que la nature a de puissance pour faire rencontre de cette parfaite félicité; et, parce que les objets des sens sont d'un ordre trop bas, d'une étendue trop raccourcie pour contenter ces vastes souhaits d'une substance immortelle, l'on aspire aux dignités, à l'honneur, à ces autres biens d'opinion, qui semblent plus nobles, de ce qu'ils sont plus dégagés de la matière: mais enfin la pauvre âme trouve partout des imperfections qui la rebutent, des inconstances qui la renversent, des travaux, des combats qui la consument et qui après avoir fait le dégat universel de ses forces, en expose les restes misérables au désespoir.

N'accusons point ici la Providence, de nous avoir donné de trop grandes avidités avec des puissances trop faibles, et dans un monde trop contingent pour les contenter; elle est trop bonne et trop sage pour nous imprimer des mouvements qui seraient inutiles ou contraires à notre bien; que s'ils nous nuisent, c'est que nous ne savons pas nous en servir. Pécheurs, rentrez en vous-mêmes, dit le prophète; [2] revenez des troubles du monde dans la solitude de votre coeur, vous y verrez les grandes ma-

[2] *Isaïe*, XLVI, 8.

du coeur, par lequel à la première appréhension de ce premier et souverain objet, la volonté est prévenue et se sent excitée à se complaire en icelui.

Entre les perdrix il arrive souvent que les unes dérobent les oeufs des autres, soit pour l'avidité d'être mères, soit pour la stupidité qui leur fait méconnaître leurs oeufs propres; et voici, chose étrange, mais néanmoins bien témoignée, car le perdreau qui aura été éclos et nourri sous les ailes d'une perdrix étrangère, au premier réclame qu'il ait de sa vraie mère qui avait pondu l'oeuf duquel il est procédé, il quitte la perdrix laronnesse, se rend à sa première mère et se met à sa suite, par la correspondance qu'il a avec sa première origine, correspondance toutefois qui ne paraissait point, ains est demeurée fort secrète, cachée et comme demeurante au fond de la nature jusques à la rencontre de son objet, par lequel étant soudain excitée et comme réveillée, elle fait son coup, et pousse l'appétit du perdreau à son premier devoir. Il en est de même, Théotime, de notre coeur; car quoiqu'il soit couvé, nourri et élevé emmi les choses corporelles, basses et transitoires, et, par manière de dire, sous les ailes de la nature, néanmoins au premier regard qu'il jette en Dieu, à la première connaissance qu'il en reçoit, la naturelle et première inclination d'aimer Dieu, qui était comme assoupie et imperceptible, se réveille en un instant, et à l'imprévu paraît comme une étincelle qui sort d'entre les cendres, laquelle touchant notre volonté lui donne un élan de l'amour suprème, dû au souverain et premier principe de toutes choses.

ximes de votre salut écrits avec des caractères de lumière, et que ces généreuses impulsions pour qui la nature se trouve trop pauvre, vous doivent élever par dessus toutes les choses créées jusqu'à Dieu. C'est en lui que vous trouverez la vérité, la bonté, la vie, la grandeur, la gloire, la paix, l'idée, le centre de tous les biens, dont le coeur forme de grands désirs et le monde quelques confuses images. Donnez-moi un coeur dans le repos où le nature le met quand il n'est point agité de passions, ni sali de crimes, dans ces libertés aussitôt il s'élève à Dieu par un mouvement pareil à celui qui porte le feu à sa région et l'aimant au droit de son pôle. Cela se fait avec une douce suspension des sens, par une tranquille effusion de lumières, par une vue très simple, qui découvre des miracles de félicités que l'on ne peut expliquer après tout ce que le ciel nous en donne d'expériences: ces splendeurs divines, ces torrents d'une volupté céleste se passent bientôt parce que l'âme n'est pas ici-bas dans un état pour les soutenir longtemps et qu'approchant trop ce principe de la vie elle ne pourrait plus s'abaisser aux fonctions qu'elle doit au corps pour le défendre de la mort. Dans l'intervalle de ces sentiments divins, la raison tâche de suppléer à leur défaut, elle s'efforce de se rappeler ces chères idées par le discours comme si elle pouvait s'en faire une science; elle considère qu'il doit y avoir une première cause qui a produit, qui a composé, qui conserve les cieux et toutes les parties du monde dans l'ordre de leurs existences et de leurs mouvements, qu'il y a quelque sagesse infinie qui conduit les choses déraisonnables à leur fin avec des adresses aussi peu fautives que si elles étaient elles-mêmes pour-

Chapitre XVII
Que nous n'avons pas le pouvoir d'aimer Dieu sur toutes choses.

Les aigles ont un grand coeur et beaucoup de force à voler, elles ont incomparablement plus de vue que de vol, et étendent beaucoup plus vite et plus loin leur regard que leurs ailes; ainsi nos esprits, animés d'une sainte inclination naturelle envers la divinité, ont bien plus de clarté en l'entendement que de force en la volonté pour l'aimer; car le péché a beaucoup plus débilité la volonté humaine qu'il n'a offusqué l'entendement, et la rébellion de l'appétit sensuel, que nous appelons concupiscence, trouble voirement l'entendement, mais c'est pourtant contre la volonté qu'il excite principalement sa sédition et révolte, si que la pauvre volonté déjà toute infirme, étant agitée de continuels assauts, que la concupiscence lui livre, ne peut faire si grands progrès en l'amour divin, comme la raison et inclination naturelle lui suggèrent qu'elle devrait faire.

Hélas! Théotime, quels beaux témoignages, non seulement d'une grande connaissance de Dieu, mais aussi d'une forte inclination envers icelui, ont été laissés par ces grands philosophes, Socrate, Platon, Trismégiste, Aristote, Hippocrate, Epictète, Sénèque! Socrate, le plus loué d'entre eux, connaissait clairement l'unité de Dieu, et avait tant d'inclination à l'aimer, que, comme saint Augustin témoigne, plusieurs ont estimé qu'il n'enseigna jamais la philosophie morale par autre occasion que pour épurer les esprits, afin qu'ils pussent mieux contempler le souverain bien, qui est la très unique Divinité. Et quant à Platon, il se déclare assez en la célèbre définition de la philosophie et du philosophe, disant que philosopher n'est autre chose qu'aimer Dieu, et que le philosophe n'est autre chose qu'un amateur de Dieu. Que dirai-je du grand Aristote, qui prouve si solidement l'unité de Dieu, et qui en a parlé si honorablement en tant d'endroits?

vues d'une parfaite raison, qu'il y a une souveraine intelligence qui fait dans tout le monde des offices proportionnés à ceux que fait notre âme dans notre corps et un sage prince dans ses états. Ce premier être étant la première cause contient avec éminence les perfections de toutes; c'est pourquoi le coeur reconnaît qu'il mérite tout son amour et pour un hommage de la grandeur qu'il possède et pour une reconnaissance des faveurs qu'il distribue. Ces instincts et ces raisonnements naturels qui nous portent à la connaissance de Dieu, sont communs à tous les peuples qui tous ont eu quelques sentiments de religion, comme j'en ai fait la preuve en d'autres traités. Les plus sages ont contemplé le monde comme un grand temple qui a la beauté des créatures pour ses ornements, les révolutions des cieux pour cérémonies, les morts et les naissances pour sacrifices et où l'homme doit rendre les principales adorations en esprit et en innocence au Dieu de la nature qui est esprit et vérité. Ce sublime sentiment ne doit pas être moins naturel à l'homme que le sont les qualités matérielles aux autres créatures, parce que cette élévation d'esprit est le véritable office qui reporte les choses créées à leur Créateur et qui par cette connaissance, par ce retour renferme aucunement en lui le cercle de sa bonté. Ces idées qu'ont tous les hommes d'une justice naturelle, peuvent servir à la conduite des hommes; mais elles ne peuvent donner le véritable amour de Dieu, qui est un effet de la grâce.

nition de la philosophie et du philosophie,[1] disant que philosopher n'est autre chose qu'aimer Dieu, et que le philosophe n'était autre chose que l'amateur de Dieu. Que dirai-je du grand Aristote, qui avec tant d'efficace prouve l'unité de Dieu et en a parlé si honorablement en trois endroits.[2]

Mais, ô grand Dieu éternel! ces grands esprits qui avaient tant de connaissance de la Divinité et tant de propension à l'aimer, ont tous manqué de force et de courage à le bien aimer. «Par les créatures visibles, ils ont reconnu les choses invisibles de Dieu, voire même son éternelle vertu et divinité, dit le grand Apôtre, de sorte qu'ils sont inexcusables, d'autant qu'ayant connu Dieu, ils ne l'ont pas glorifié comme Dieu, ni ne lui ont fait action de grâces.»[3] Ils l'ont certes glorifié, lui donnant des souverains titres d'honneur; mais ils ne l'ont pas glorifié comme il le fallait glorifier, c'est à dire qu'ils ne l'ont pas glorifié sur toutes choses, n'ayant pas eu le courage de ruiner l'idolâtrie, ains communiquant avec les idolâtres, retenant la vérité, qu'ils connaissaient, en injustice, prisonnière dans leur coeur, et préférant l'honneur et le vain repos de leurs vies à l'honneur qu'ils devaient à Dieu, ils se sont évanouis en leurs discours.[4]

N'est-ce pas grande pitié, Théotime, de voir Socrate, au dire de Platon,[5] parler en mourant des dieux, comme s'il y en avait plusieurs, lui qui savait si bien qu'il n'y en avait qu'un seul? N'est-ce pas

Chapitre II

Le véritable amour de Dieu est un effet de la Grâce

Si la nature nous donne l'inclination de tourner les vues de notre esprit sur une première cause, comme sur la source de tout ce que nous avons de lumière, si elle nous inspire de l'amour pour ces souveraines perfections, ce mouvement affectif de la divinité doit être commun à tous les peuples, comme l'est aux flammes celui qui les porte en haut. Néanmoins les nations n'ont pas pour cela quitté les vices qui semblent particuliers à leur climat. Elles ne sont pas moins brutales en leurs dissolutions, infidèles en leurs traités, furieuses en leurs vengeances, quoiqu'elles paraissent affectionnées au culte religieux. Les philosophes mêmes qui cultivèrent ce sentiment naturel par le discours de la raison et par quelques pratiques de la morale, connurent vraiment Dieu, mais ils ne le glorifièrent comme Dieu, dit l'Apôtre; [3] ils ne lui rendirent pas ce qu'ils lui devaient de respect et d'amour, puisque leur vie perdue dans une infinité de désordres fut si contraire aux perfections de cette souvereine bonté. L'instinct que nous avons de le connaître et de l'adorer, est une petite semence qui est étouffée dedans notre coeur par les mauvaises productions de notre nature corrompue; on suit les habitudes que l'on a prises dés le premier âge, de vivre selon l'appétit des sens; on se laisse aisément gagner

[1] Référence à saint AUGUSTIN, *De civitate Dei,* Livre VIII, chap. III.
[2] *Ibid.*, chap. IX.
[3] *Romains*, I, 20, 21.
[4] *Ibid.*, I, 18.
[5] Référence à saint AUGUSTIN, *De civitate Dei,* livre VIII, chap. XII.

chose déplorable que Platon ait ordonné que l'on sacrifie à plusieurs dieux, lui qui savait si bien la vérité de l'unité divine? [6] Et Mercure Trismégiste, n'est-il pas lamentable de lamenter et plaindre si lâchement l'abolissement de l'idolâtrie, lui qui, en tant d'endroits, avait parlé si dignement de la divinité?

Mais surtout j'admire le bonhomme Epictète, duquel les sentences sont si douces à lire en notre langue, par la traduction que la docte et belle plume du R. P. Jean de Saint-François, provincial de la Congrégation des feuillants és Gaules, a depuis peu exposée à nos yeux; car quelle compassion, je vous prie, de voir cet excellent philosophe parler parfois de Dieu avec tant de goût, de sentiment et de zèle, qu'on le prendrait pour un chrétien sortant de quelque sainte et profonde méditation, et néanmoins ailleurs, d'occasion en occasion, mentionner les dieux à la païenne!

En somme, Théotime, notre chétive nature, navrée par le péché, fait comme les palmiers que nous avons de deça, qui font voir vraiment certaines productions imparfaites, et comme des essais de leurs fruits, mais de porter des dattes entières, cela est réservé pour des contrées plus chaudes; car ainsi notre coeur humain produit bien naturellement certains commencements d'amour envers Dieu, mais d'en venir jusqu'à l'aimer sur toutes choses, qui est la vraie maturité de l'amour dû à cette suprème bonté, cela n'appartient qu'aux coeurs animés et assistés de la grâce céleste et qui sont en l'état de la sainte charité; et ce petit amour imparfait, duquel la nature en elle-même par la présence, par les délices de leurs objets; leurs abus mêmes passent pour des usages légitimes, ou comme un droit commun de nature dans le grand nombre de personnes qui les suivent. Ce sentiment de la divinité est une lumière qui jette toujours quelques éclats parmi les ténèbres et qui n'en est pas tellement enveloppée, comme dit saint Jean,[7] qu'elle en soit tout à fait éteinte; mais étant entrecoupée de la sorte, elle ne donne pas assez de jour, ni de chaleur pour les constantes fidélités que l'on doit au service de la divine Majesté; et comme l'imparfaite digestion de l'humide avec la chaleur, fait l'amertume des fruits, ce bon sentiment ne se pouvant accorder avec une mauvaise nature, y sert à produire les aigreurs de la conscience: que si quelques étincelles d'esprit et de chaleur, qui restent comme des traces de vie dans un corps mort, servent à former les vers qui les rongent, et si leur activité qui ne peut être tout à fait oisive, augmente la corruption qui le consume, on peut dire que le sentiment divin est très souvent diverti à de très pernicieux effets dans une âme morte par le péché et que de l'abus de cet éminent principe naissent les plus horribles abominations. De là sont venus les sacrilèges de l'idolâtrie, qui rendirent des honneurs divins à des hommes, des serpents, des bois, des pierres, des vices et des diables. De là sont venues toutes les extravagances des superstitions et des hérésies, toutes les impiétés du libertinage et ces sanglantes tragédies qu'un faux zèle de religion a fait si souvent paraître sur le théâtre du monde.

On doit donc tirer cette conséquence que le seul instinct de la na-

[6] *Ibid.*, chap. XXIII et XXIV.
[7] *Jean*, I, 9.

sent les élans, ce n'est qu'un certain vouloir sans vouloir, un vouloir qui voudrait, mais que ne veut pas, un vouloir stérile, qui ne produit point de vrais effets, un vouloir paralytique,[8] qui voit la piscine salutaire du saint amour, mais qui n'a pas la force de s'y jeter; et enfin ce vouloir est un avorton de la bonne volonté, qui n'a pas la vie de la généreuse vigueur requise pour en effet préférer Dieu à toutes choses, dont l'Apôtre parlant en la personne du pécheur s'écrie: Le vouloir est bien en moi, mais je ne trouve pas le moyen de l'accomplir.[9]

Chapitre XVIII

Que l'inclination naturelle d'aimer Dieu n'est pas inutile.

Mais si nous ne pouvons pas naturellement aimer Dieu par dessus toutes choses, pourquoi donc avons-nous naturellement inclination à cela? Le nature n'est-elle pas vaine de nous inciter à un amour qu'elle ne peut nous donner? Pourquoi nous donne-t-elle la soif d'une eau si précieuse, puisqu'elle ne peut nous en abreuver? Ah! Théotime, que Dieu a été bon! La perfidie que nous avions commise en l'offensant, méritait certes qu'il nous privât de toutes les marques de sa bienveillance et de la faveur qu'il avait exercée envers notre nature, lorsqu'il imprima sur elle la lumière de son divin visage, et qu'il donna à nos coeurs l'allégresse de se sentir enclins à l'amour de la divine bonté, afin que les anges, voyant ce misérable homme, eussent occasion de dire par compassion: Est-ce là la créature de ture ne suffit pas pour avoir un véritable amour de Dieu, que cette lumière est trop confuse, ce mouvement trop faible, trop sujet au change et aux révolutions pour donner à Dieu le souverain empire qu'il doit avoir dessus les coeurs. Le soleil imprime aux fleurs en leur naissance cette inclination qu'elles ont de s'ouvrir devant sa face et de se tourner avec son mouvement, mais cette sympathie serait comme morte s'il ne les animait par la présence de ses rayons et si son influence ne les tirait pour les faire suivre: cet astre qui est le principe de la lumière sensible, contribue plus que tous les autres à la formation des humeurs diaphanes et des esprits lucides dont se compose l'organe de notre vue; mais avec toute cette merveilleuse fabrique notre oeil ne le verrait pas, s'il ne se présentait à lui et s'il ne lui envoyait ses lumières pour en être vu. Il est vrai de même, que si Dieu a mis comme par préciput, dans notre nature raisonnable, des lumières pour le connaître et des inclinations pour l'aimer, néanmoins elles ne sont pas capables d'elles-mêmes de nous donner sa puissance, s'il ne les fortifie par les secours particuliers de sa grâce. Une grandeur infinie de perfections l'élève tellement au dessus de ses créatures, qu'il nous serait impossible de nous porter à lui, s'il n'était descendu jusqu'à nous pour nous faciliter ces unions sacrées où consiste notre félicité. Le Verbe éternel par un prodigieux effort de son amour infini s'est fait homme, s'est personnellement uni à la nature humaine; Jésus-Christ l'Homme-Dieu a vécu, a conversé avec les hommes; l'infini-

[8] *Jean*, V, 2.
[9] *Romains*, VII, 18.

parfaite beauté, l'honneur de toute la terre?[10]

Mais cette infinie débonnaireté ne sut onc être si rigoureuse envers l'ouvrage de ses mains; il vit que nous étions environnés de chair, un vent qui se dissipe et qui ne revient plus.[11] C'est pourquoi selon les entrailles de sa miséricorde, il ne voulut pas du tout ruiner ni nous ôter le signe de sa grâce perdue, et sentant en nous cette alliance et propension à l'aimer, nous tâchassions de le faire et que personne ne pût justement dire: Qui nous montrera le bien?[12] Car encore que par la seule inclination naturelle nous ne puissions parvenir au bonheur de l'aimer comme il faut, si est-ce que si nous l'employons fidèlement, la douceur de la piété divine nous donnerait quelque secours, par le moyen duquel nous pourrions pousser plus avant. Que si nous secondions ce premier secours, la bonté paternelle de Dieu nous en fournirait un autre plus grand, et nous conduirait de bien en mieux avec toute suavité, jusques au souverain amour, auquel notre inclination naturelle nous pousse, puisque c'est chose certaine qu'à celui qui est fidèle en peu de chose, et qui fait ce qui est en son pouvoir, la bénignité divine ne dénie jamais son assistance pour l'avancer de plus en plus.

L'inclination donc d'aimer Dieu sur toutes choses, ne demeure pas pour néant dans nos coeurs.; car quant à Dieu il s'en sert comme d'une anse, pour nous pouvoir prendre et retirer à soi, et semble que, té s'est comme raccourcie dans les conditions d'une nature particulière, l'éternité dans le temps, néanmoins avec des effusions de bonté qui se communiquent à toutes les personnes et à tous les siècles. Tous ceux qui viennent au monde sont éclairés par les lumières de ce soleil, dit saint Jean;[13] tous sont échauffés par ses ardeurs après son coucher, comme devant son aurore; les années de sa vie furent comme le milieu et le centre de tous les temps, parce qu'il envoie de là ses vertus sur le passé et sur l'avenir. L'éternité de sa nature divine donne cette étendue aux mérites de son action faite dans le temps; et, si les ténèbres de l'esprit, les chutes, les froideurs, les corruptions de la volonté, tous ces moyens de mort accablent le monde par le péché d'un seul homme, les lumières, les forces, les saintes ardeurs nous sont en récompense données, dit l'Apôtre, par la grâce de Jésus-Christ. Son âme suivait inviolablement la conduite de la divinité qui lui était unie et de l'amour éternel qui l'y avait jointe. Il possédait aussi dés cette vie la gloire des bienheureux au plus haut point de lumière et de charité, dont une créature peut être capable. Or il est le chef de tous les hommes, c'est pourquoi tous sont animés par l'influence de ses mérites, et notre amour envers Dieu tire ses forces du sien, comme tous les mouvements du corps dépendent des nerfs et des esprits qui leur viennent de la tête. Jésus-Christ, fut, dit le prophète,[14] une victime qui s'immola dés le

[10] *Lamentations*, II, 15.
[11] *Psaume* LXII, 39.
[12] *Psaume* IV, 6.
[13] *Jean.*, I, 7.
[14] *Psaume* XXXIX, 7–8.

par cette impression, la divine bonté tienne en quelque façon attachés nos coeurs comme des petits oiseaux par un filet, par lequel il puisse nous tirer quand il plaît à sa miséricorde d'avoir pitié de nous; et quant à nous, elle nous est un indice et mémorial de notre premier principe et Créateur, à l'amour duquel elle nous incite, nous donnant un secret avertissement que nous appartenons à sa divine bonté. Tout de même que les cerfs, auxquels les grands princes font quelques fois mettre des colliers avec leurs armoieries, bien que peu après ils les font lâcher et mettre en liberté dans les forêts, ne laissent pas d'être reconnus par quiconque les rencontre, non seulement pour avoir été pris une fois par le prince duquel ils portent les armes, mais encore pour lui être réservés; car ainsi connut-on l'extrème vieillesse d'un cerf qui fut rencontré, comme quelques historiens disent, trois cents ans après la mort de César, parce qu'on lui trouve un collier où était la devise de César, et cet mots: César m'a lâché.

Certes l'honorable inclination que Dieu a mise en nos âmes, fait connaître à nos amis et à nos ennemis que non seulement nous avons été à notre Créateur, mais que si bien il nous a laissés et lâchés à la merci de franc arbitre, néanmoins nous lui appartenons, et il s'est réservé le droit de nous reprendre à soi, pour nous sauver, selon que sa sainte providence le requerra. C'est pourquoi le grand Prophète royal appelle cette inclination, non seulement lumière parce qu'elle nous fait voir où nous devons tendre,[15] mais aussi joie et allégresse parce qu'elle nous console en notre égarement, nous commencement de sa vie à la gloire du Créateur pour le salut de tous les hommes; nos espérances sont donc toutes fondées sur ce sacrifice d'expiation, qui nous remet en grâce avec le Père céleste, qui rejoint les extrémités désunies par le péché et qui nous reporte à notre principe. Il dit aussi: Mon Père et moi nous opérons continuellement; le Père à qui nous attribuons la puissance, nous donne la vie naturelle par la création et par le concours qui est comme une suite; le Fils offre aussi continuellement à l'âme la vie de la grâce, qui nous rend ses créatures et qui commence la vie de la gloire que nous aurons pleinement au ciel. Il veut achever son oeuvre, nous rendre heureux, puisqu'il nous a fait siens; pour relever notre bassesse, il confond ses droits avec les nôtres; il ne veut être qu'un corps et qu'un esprit avec ses élus: nous ne pouvons donc aimer que par son amour, comme les artères n'échauffent et ne battent que par les esprits et le mouvement du coeur; la grâce est comme l'âme de notre âme, qui lui donne tout ce qu'elle a de puissance pour le ciel par divers moyens.

Chapitre III

Les divers moyens de la vocation divine

Chaque ciel peut bien avoir son intelligence motrice, chaque élément, chaque composé sa forme, chacun de nos corps son âme, parce qu'il faut des principes différents en tous ces sujets qui doivent faire le multitude dans le monde et qui doivent être remplis par des forces proportionnées à leur indigence. Mais dans l'ordre surnaturel établi

[15] *Psaume* IV, 7.

donnant espérance que celui qui nous a empreint et laissé cette belle marque de notre origine, prétend encore et désire de nous y ramener et réduire, si nous sommes si heureux que de nous laisser reprendre à sa divine bonté.

pour nous élever au dessus de toutes les basses conditions de la matière et pour nous unir autant qu'il se peut à l'unité divine, il ne faut que la seule grâce qui y tient lieu de forme universelle; elle est seule toute puissante, pour donner la pureté, les lumières, la perfection à toutes les âmes, car elle procède, comme nous l'avons vu, d'un Jésus-Christ, qui était le chef de tous les élus, et qui leur imprime la sainteté par l'influence de ses mérites infinis, comme anime tous les organes du corps par l'effusion qu'elle y fait de ses esprits ....

....Il est vrai que cette première impulsion nous vient du Saint-Esprit, et non pas du nôtre, de la grâce et non de la nature: mais elle peut prendre progrès par le raisonnement, par la crainte, par l'espérance, par d'autres semblables moyens ....

....Quelques uns viennent de bonne heure adorer Jésus, comme les bergers.

....Il y en a d'autres qui viennent de loin comme les mages....

....Quelques uns se font appeler plusieurs fois comme Samuel....

....Quelques uns y sont conduits par des prodiges et des miracles....

....La Grâce ne détruit pas la nature, elle la perfectionne; elle peut donc introduire les esprits par les lumières de la raison dans celles de la foi, comme elle peut employer les bonnes habitudes de tempérament dans les oeuvres de la charité. C'est un coup de la divine Sagesse de nous gagner à soi par nos propres inclinations....

Ce qui frappe, croyons-nous, à la lecture de ces textes, c'est que la pensée, pour semblable qu'elle soit, n'évolue pas dans le même univers. Non pas, certes, que saint François de Sales ignore le monde yvonien; il évoque à la manière du P. Yves «le feu» qui monte «en haut,» «les eaux» qui coulent «vers la mer,» «la terre» qui descend «en bas»; mais c'est vite dit, et rapidement l'aimable écrivain retourne à ses agréables comparaisons, à ses riantes images, à cette «perdrix larronesse» qui est frustée de son larcin. Le capucin, lui, place ce microcosme qu'est l'homme dans un univers bien ordonné, bienhiérarchisé, régi par les lois très souples de la médiation, de l'antipathie et de la sympathie. D'où ces comparaisons souvent génantes et qui l'ont fait passer pour un écrivain baroque ou pour un rhéteur endurci, de ce mouvement qui «porte le feu à sa région, et l'aimant au droit de son pôle,» de «la digestion de l'humide avec la chaleur qui fait l'amertume des fruits,» du soleil qui «contribue plus que les autres à la formation des humeurs diaphanes et des esprits lucides dont se compose l'organe de notre vue.»

Nous pouvons ajouter à cette première remarque que le climat est plus affectif chez l'auteur du *Traité de l'amour de Dieu*, plus intellectuel chez celui des *Progrès de l'amour divin*. Cela tient, sans doute, à un tempérament différent, à une formation différente, mais plus encore, croyons-nous, à un exercice différent de l'apostolat. Saint François de Sales s'est d'abord heurté aux protestants; il n'est pas sorti du domaine de la foi; l'administration d'un grand diocèse, la direction des âmes, la fondation d'une congrégation féminine l'ont toujours maintenu sur un plan pratique et pastoral; en somme il ne prouve pas que nous avons une inclination d'aimer Dieu; il se contente de le constater, puis de le situer du point de vue théologique en examinant d'abord l'état de justice originelle, puis l'état de nature déchue, pour revenir immédiatement à cet élan d'amour que la secrète inclination de notre nature suscite au fond de notre cœur. Yves de Paris, dés le début de sa carrièr apostolique s'est heurté aux libertins et il a dû prendre position dans un problème alors très débattu, celui des rapports de la raison et de la foi; il a opté pour la position de saint Thomas en recourant au discours pour amener l'incroyant à se convertir et c'est pourquoi il écrivit sa *Théologie naturelle*. Ce besoin de prouver se retrouve dans le texte cité; suivant les débuts de la *Prima pars primae partis* de la *Somme*, il montre que le besoin de bonheur qui nous tourmente ne trouve son accomplissement ni dans les richesses, ni dans les grandeurs, ni dans la science mais en Dieu et en Dieu seul; un peu plus loin il sent le besoin de recourir à l'argument du consentement universel et il renvoie à ses premiers ouvrages. L'évangile qu'il cite est le prologue de saint Jean qui nous parle de la lumière éclairant tout homme qui vient dans ce monde; cette citation, saint François de Sales, en l'occurence, ne la fait pas.

Dernière différence, mais qui déborde notre texte, le P. Yves, partant de notre besoin de bonheur montera moins haut dans les voies de la mystique, que saint François de Sales, qui, lui, part de notre inclination à l'amour. Déjà ceci est impliqué dans les titres des chapitres; celui du *Traité de l'amourde Dieu* porte *Que nous avons une inclination d'aimer Dieu par dessus toutes choses*. Celui des *Progrès de l'amour divin* porte que *Le cœur de l'homme a de naturelles inclinations à l'Amour de Dieu*; le «par dessus toutes choses» a disparu. Par suite le plan des deux ouvrages n'est pas rigoureusement le même. Saint François de Sales après avoir montré la naissance de l'amour divin ainsi que sa décadence et sa ruine, parle du progrés et de la perfection de l'amour et il termine ce livre en évoquant l'union des esprits bienheureux avec Dieu en la vision de Dieu; puis il prend son essor et nous décrit successivement l'amour de bienveillance, l'amour de complaisance, l'amour de conformité, enfin l'amour de soumission qui se présente à nous sous deux aspects, celui de la résignation, puis celui de l'indifférence; c'est ainsi que nous avons le désir transitoire et conditionné des peines infernales et le fameux apologue de ce «musicien sourd» qui chantait sans avoir le plaisir d'entendre son chant en raison de sa surdité, ni celui de plaire à son prince puisque celui-ci se retirait sans prendre le loisir de l'entendre; c'est aimer Dieu pour Dieu, sans avoir le plaisir de plaire à Dieu; c'est le pur amour. Les *Progrès de l'amour divin* comportent quatre livres: l'*Amour naissant*, *l'Amour souffrant*, *l'Amour agissant*, *l'Amour jouissant*; ce dernier titre est significatif; dans ce livre il n'est question que de joie: complaisance aux félicités du prochain, triomphe du cœur dans les solennités de l'église, joies et espérances dans la solennité des saints, transport de l'esprit dans l'union des bienheureux, triple jouissance de l'Amour dans la contemplation, la complaisance et l'imitation des perfections divines et pour terminer ce dernier chapitre qui s'intitule: *Humble et diligente conduite pour retenir les faveurs divines*. Sans doute Yves de Paris distingue «divers étages» dans les voies de la perfection; il y a, dit-il, des hommes qui agissent chrétiennement par crainte de l'enfer et par désir du ciel; il en est d'autres qui se consacrent à la vertu par le seul motif de la charité; ils ne conçoivent de bonheur que celui de vivre et de mourir au service divin. Ce terme «bonheur» est à retenir; dans la montée vers le pur amour, le capucin ne va pas si loin que l'évêque; il s'est arrêté en chemin.

Il n'en est pas moins de la même école; il peut arriver que les disciples aient moins de souffle que les maîtres; ils n'en sont pas moins des disciples.

CONCLUSION

Il nous faut maintenant, ainsi que nous l'avons promis dans notre introduction, jeter un rapide et vaste coup d'oeil sur les contemporains de nos humanistes, qui peuvent de plus ou moins loin, se rattacher au grand courant de l'humanisme chrétien, non sans avoir au préalable rappelé ce qui à nos yeux caractérise cette tendance, à savoir, pour employer l'expression de M. H. Gouhier, une certaine suffisance de l'humaine nature. Cette suffisance suppose que dans le naufrage du péché originel a été sauvegardée une inclination soit à aimer Dieu par dessus toutes choses, soit à voir Dieu face à face dans un bonheur qui n'a pas de fin. Nous ne mentionnons que pour mémoire la prédestination *post praevisa merita* et le concours simultané, car si saint François de Sales s'est prononcé en faveur de la première de ces deux thèses, à l'inverse d'Yves de Paris il ne s'est pas prononcé en faveur de la seconde, sans pour autant adopter la prémotion physique des dominicains.[1]

Ceci dit, le premier personnage que nous rencontrerons, sera Bérulle. Dans une note de son excellent ouvrage sur *Le sens de la créature dans la doctrine du Cardinal Pierre de Bérulle*,[2] le P. R. Bellemare donne incidemment son opinion personnelle sur la question qui nous occupe: «On a parlé d'humanisme, écrit-il, ou, au contraire, de pessimisme à propos du Cardinal. Il faut laisser à qui emploie ces termes le soin de fournir leur dernière précision. Mais, les prenant comme des suggestions vagues, il ne faut pas moins indiquer dans quel sens doivent aller les précisions. Répondant à ce que j'ai appelé «le fait brut de l'existence,» on découvrirait chez Bérulle une considération de la nature humaine en elle-même comme nature. Ce sont les textes qui permettent à M. Dagens, pour ne pas remonter à Bremond, de parler d'hu-

[1] Cf. *supra*, p. 18, 23.
[2] p. 52–53, note 22. Paris, Desclée de Brouwer, 1959.

manisme en les rapprochant par exemple de Pic de la Mirandole. Restent d'autres confrontations possibles, probablement aussi légitimes. Ailleurs Bérulle regarde la nature humaine comme formellement créée, comme relation à Dieu. Tandisque le premier point n'est pas modifié pour l'essentiel, même lorsque les textes affirment explicitement la création, le second est constitué par le concept même de création. Evidemment c'est le second qui porte la marque spécifique du bérullisme.» Un double point de vue est donc à considérer; quand Berulle considère la nature humaine en tant que telle, il y discerne un mouvement vers Dieu qui élève l'homme par dessus tout ce qui est créé, qui le fait tendre à l'être incréé, et qui le rend capable de Dieu et lui fait porter son image et semblance en plusieurs manières; on pourrait voir là, dans une certaine mesure, l'inclination naturelle à aimer Dieu par dessus toutes choses dont fait état le *Traité de l'amour de Dieu*;[3] de ce point de vue on pourrait le dire humaniste chrétien. Mais quand il considère la nature humaine comme créée, c'est à dire comme relation à Dieu, relation d'effet à cause et de cause à effet, alors il y discerne un mouvement vers le néant originel; et si le péché vient briser cette relation, alors le pécheur devient «un néant de grâce, néant opposé à Dieu, néant résistant à Dieu et l'enfer est la consommation et l'établissement en ce néant misérable, où le damné perd tout l'usage de tout le bien qui est en son être naturel, et est irréparablement établi dans l'état de servitude du péché;»[4] si bien que pour lui la justification est en quelque sorte une création (*cor mundum crea in me Deus*) (*creati in Christo Jesu*), tandisque pour saint François de Sales elle est une élévation; les humanistes disent de l'âme déchue qu'elle est *gratuitis spoliata, vulnerata in naturalibus*; Bérulle dirait plus volontiers: *anima formaliter, scilicet in quantum creata, corrupta.* On voit la différence. R. Bellemare demande que ces vues soient assouplies. L'on pourrait, croyons-nous, les assouplir, en établissant avec précision la chronologie des œuvres bérulliennes. Il est fort probable que le Cardinal a évolué d'un certain humanisme qu'il devait à son éducation, à un certain antihumanisme qui était dans la logique de ses idées et de ses tendances. L'ouvrage de M. Orcibal (*Le Cardinal de Bérulle: évolution d'une spiritualité*) nous montre qu'en fait ce théologien, «loin d'opter pour un juste milieu, suit aussi loin qu'il le peut les thèses opposées,» quitte à revenir sur ses pas s'il se laisse entrainer trop loin.[5]

[3] *Op. cit.*, p. 54.
[4] *Op. cit.*, p. 57–58.
[5] p. 150. Paris, 1965.

Cet essai avorté de conciliation entre deux tendances contraires, nous le retrouvons chez deux capucins Laurent de Paris et Philippe d'Angoumois. Tous les deux étaient sous l'influence du mystique Benoît de Canfeld, pour qui le sommet de la vie spirituelle consiste en l'unité expérimentale de l'esprit et de la volonté avec Dieu, unité expérimentale à laquelle on parvient avec le concours de la grâce et sous l'influence de l'amour (don de sapience) en considérant Dieu comme le tout, et les créatures comme rien, c'est à dire comme étant quant à leur être et leur opération, dans l'ordre naturel et surnaturel, une pure dépendance de Dieu.[6] Par ailleurs tous les deux également ont une formation humaniste non seulement dans le sens littéraire du mot, mais aussi dans le sens doctrinal, c'est à dire qu'ils considèrent la création et spécialement l'homme comme une splendide image de l'éternel, l'homme qu'il faut conduire à sa perfection propre en développant les immenses qualités qu'il tient de son Créateur. Laurent de Paris a écrit des litanies où il célèbre en termes magnifiques les splendeurs de l'humaine nature.[7] Mais en même temps il jette un long regard pessimiste sur l'abominable néant d'un être qui est le plus misérable des animaux, un rien qui ne comprend rien de moins que trente deux pièces de misère et de néantise; il prône l'anéantissement non seulement moral mais aussi mystique de l'entendement, de la volonté, de la mémoire, afin que par là ce rien qu'est l'homme parvienne à ce tout qu'est Dieu.[8] Ainsi nous nous trouvons devant une contradiction; d'un part un humain, perfection vivante, qui ne demande qu'à s'épanouir en Dieu; d'autre part un humain, corruption foncière, qu'il faut anéantir, pour parvenir au pur amour de Dieu, contradiction que Laurent de Paris n'arrive à résoudre ni lorsqu'il assimile l'anéantissement à l'apathie stoïcienne, ni lorsqu'il donne à l'anéantissement un sens moral, contradiction qui éclate enfin lorsque parvenu au sommet de la mystique il donne comme conséquence normale du mode humain d'agir et de penser, une annihilation de tout l'homme; faute de n'avoir pas su mettre en évidence dans l'humaine nature une tendance au surnaturel comme saint François de Sales, il aboutit à une impasse.[9]

[6] Optat de Veghel, *Benoît de Canfeld (1562–1610) Sa vie, sa doctrine, et son influence*, p. 344–348. Roma, 1949.

[7] Cf. H. Bremond, *op. cit.*, t. I, p. 320 sv. M. Dubois-Quinard, *Laurent de Paris, Une doctrine du pur amour en France au début du XVII° siècle*, p. 155–161. Rome, 1959.

[8] C. Dubois-Quinard, *op. cit.*, p. 165–170.

[9] Cf. Julien-Eymard d'Angers, «L'humanisme chrétien du XVII° siècle dans *Studi Francesi*, t. XVIII, 1962, p. 414–420. Voir une tentative de conciliation du pessimisme et de l'humanisme laurentien dans C. Dubois-Quinard, *op. cit.*, p. 170–175.

Il en est de même pour Philippe d'Angoumois. Nous nous trouvons, cette fois, devant un littéraire qui, à la manière de J. P. Camus, exprime sa pensée dans des romans. Son œuvre comporte deux cycles, le cycle lyonnais qui intéresse surtout les femmes, le cycle parisien qui intéresse surtout les religieux. Notons, ce qui est plus important, qu'il est tiraillé entre deux tendances, l'une optimiste qui admet comme possible la dévotion dans le monde, l'autre pessimiste qui conseille au contraire la fuite du monde comme condition nécessaire de sanctification. La conséquence, c'est qu'à l'inverse d'un François de Sales et d'un Yves de Paris il est pris comme entre deux feux. Passe encore pour le style, car la bienséance demande de bien écrire, comme elle demande de bien s'habiller.[10] La création peut être considérée sous un triple point de vue; d'abord dans son «opacité,» c'est à dire comme profane, donc dangereuse; ensuite dans son «indifférence,» mais il faut se défier, car souvent le serpent est caché sous l'herbe; enfin comme moyen d'accès à la prière, mais alors elle perd de sa consistance en devenant un pur symbole; elle passe de «l'opacité» à l'évanescence.[11] Le laïc est aussi placé entre deux impératifs inconciliables et irréductibles; cela se voit dans les considérations sur le mariage, où Philippe d'Angoumois, d'une part insiste sur les devoirs d'un état voulu du Seigneur, de l'autre conseille à ses dirigées la pratique du Tout et du rien, Dieu étant le Tout, et le rien le mari et les enfants.[12] Cette difficulté vient de ce que le capucin n'a pas su discerner dans l'homme, et par l'homme dans les créatures, une finalité surnaturelle, qui aurait fait d'emblée entrer toute la création dans le grand courant de la prière. L'on comprend en face de ces obscurités la défiance qu'éprouve à l'égard d'une certaine mystique l'auteur de l'*Introduction à la vie dévote*, lui qui, dans son ascension vers l'amour pur, ne rencontre pas de contradiction à résoudre.[13] Philippe d'Angoumois, au contraire, choppe à chaque instant devant l'impossibilité de con-

[10] Cf. SECOND de Turin, «Un apprenti romancier de la vie dévote au XVII° siècle,» dans *Etudes franciscaines*, nouv. sér., suppl., t. XV, 1965, p. 45–74. Idem, «Une apologie littéraire et doctrinale de la dévotion séculière, d'après le capucin Philippe d'Angoumois (†1638),» dans *XVII° siécle*, n° 74, p. 3–25; n° 75, p. 3–22. Paris, 1967.

[11] Cf. *Idem*, «De l'opacité à l'évanescence: une sacralisation du profane *au XVII° siècle*,» dans *Etudes franciscaines*, nouv. sér., t. XVI, 1966, p. 5–47.

[12] *Idem*, ««L'emprise de l'idéal monastique sur la spiritualité des laïcs au XVII° siècle,» dans *Revue des sc. relig.*, t. XL, 1966, p. 209–238, 353–383. Cf. CH. BERTHELOT DU CHESNAY, «La spiritualité des laïcs,» dans *XVII° siècle*, n° 62–63, 1964. M. DE CERTEAU, «Politique et mystique. René d'Argenson,» dans *Rev. d'asc. et myst.*, t. XXXIX, 1963, p. 45–82.

[13] *Introduction à la vie dévote*, Partie III, chap. II, «Traité de l'amour de Dieu,» «Préface,» «Lettre à la Mère de Chastel, 13–20 juin 1620 (*Oeuvres complètes*, t. III, p. 131; t. IV, p. 13; t. XIX, p. 253).

cilier les devoirs de la vie quotidienne et les exigences annihilantes de sa contemplation.[14]

Il est temps de franchir ces frontières indécises pour pénétrer dans le pays de l'humanisme chrétien, nous ne disons plus de «l'humanisme dévot.» Nous n'y trouverons pas une ennuyeuse uniformité; là aussi la variété est de règle; de nombreuses nuances s'y rencontrent. Comme nous l'avons noté à propos du stoïcisme et de son influence, «nous avons comme un éventail, dont chaque branche porte une couleur plus ou moins nuancée, de telle sorte, que malgré quelques tons violents semés de ci de là, l'oeil qui n'est pas exercé, ne discerne qu'une dégradation successive, qui va du clair au sombre,»[15] c'est à dire, en l'occurence, d'un certain amour intéressé de Dieu jusqu'à l'amour le plus pur qui soit. Nous nous bornerons à trois noms: Yves de Paris, J. P. Camus, Julien Hayneuve, que nous situerons par rapport à saint François de Sales.

Nous trouvons chez saint François de Sales deux principes qui permettent de passer de l'ascèse à la mystique, sans perdre l'homme de vue, l'un dont nous avons déjà parlé longuement, l'autre qu'il est nécessaire de mettre maintenant en évidence. Le premier concerne la finalité humaine: l'homme est naturellement ordonné à aimer Dieu par dessus toutes choses; cette inclination n'est nullement supprimée par le péché; elle demeure en l'homme tombé, impuissante sans doute, mais Dieu s'en sert comme d'une anse pour nous élever dans le royaume de la grâce.[16] Ainsi la perfection chrétienne et la perfection humaine ne sont pas en contradiction l'une de l'autre; elles sont toutes deux dans le même ligne de montée vers la plénitude de l'amour de Dieu. Le second principe est celui du double amour de soi, l'un mauvais que l'on appelle l'amour propre, l'autre légitime, car nous sommes obligé de nous aimer en Dieu et selon Dieu.[17] Cet amour légitime peut aller s'épurant, devenir amour d'espérance d'abord, qui nous fait aimer le bonheur que le Seigneur nous réserve, amour de charité ensuite qui nous fait aimer le Seigneur qui nous réserve ce bonheur, amour pleinement désintéressé enfin parce qu'il nous fait renoncer à ce bonheur même si, par hypothèse impossible, telle était le bon

[14] Second de Turin, «Action et prière. Difficulté d'une synthèse au XVII° siècle d'après le P. Philippe d'Angoumois (†1638),» dans *Rev. d'asc. et myst.*, t. XLIII, 1967, p. 393–423.

[15] Julien-Eymard d'Angers, *Pascal et ses précurseurs*, p. 145. Paris, 1954.

[16] Cf. *supra*, p. 107–108.

[17] Cf. J. P. Camus, *L'esprit de saint François de Sales*, Partie XII, chap. III, «De l'amour propre et de l'amour de nous-même» p. 308–310. Paris, 1770.

vouloir du Seigneur.[18] Dans l'esprit de saint François de Sales, cet hypotétique souhait n'a rien de contraire à son humanisme, parce qu'il permet à l'homme de réaliser au sens plein ce désir naturel d'aimer Dieu par dessus toutes choses et par conséquent de se réaliser lui-même pleinement. L'on comprend dés lors que le docteur de l'amour pur parle très peu d'anéantissement[19] et qu'il préfère le terme de dépouillement;[20] car le naturel amour n'est nullement anéanti; il est sublimé dans un renoncement total.

Nous trouvons dans Yves de Paris les deux principes salésiens, celui de la finalité naturelle de l'homme et celui des deux amours du moi.[21] Il distingue à côté de l'amour propre un amour légitime de soi, et il déclare que l'espérance est là non pour détruire mais pour rectifier les mouvements de l'amour propre et les faire concourir avec les volontés de Dieu, en ce qu'elle nous propose la fin même pour laquelle il nous a créés.[22] Il décèle aussi en nous un mouvement qui nous porte à aimer Dieu sans prétention de récompense, de la même manière que Dieu s'aime soi-même à cause de ses infinies perfections.[23] L'on pourrait donc s'attendre qu'il monte jusqu'aux sommets qui nous sont montrés dans le Traité salésien. Il n'en est rien. Le capucin s'arrête en route. S'il lui arrive dans les *Progrès de l'amour divin*, Bremond s'y est trompé,[24] de consacrer tout un chapitre à l'amour pur, c'est dans un sens tout à fait restreint qui exclut les consolations sensibles, mais non pas le repos que trouve en son Seigneur l'âme qui se donne toute entière à lui.[25] Bien plus l'on trouve chez lui et plus d'une fois une certaine défiance à l'égard de cette mystique absolument passive qui porte le désintéressement jusqu'au renoncement hypothétique du ciel, jusqu'à l'acceptation hypothétique de l'enfer. Bien plus il éprouve une certaine répugnance devant les dévotions délicates de ceux qui ne

[18] *Traité de l'amour de Dieu*, Livre IX, chap. IV.

[19] Nous n'avons trouvé ce terme que quatre fois dans le *Traité de l'amour de Dieu*; Livre VI, chap. XII, «De l'écoulement et de la liquéfaction de l'âme en Dieu»; Livre VII, chap. VI, «Des marques du bon ravissement et de la troisième espèce d'icelui»; Livre IX, chap. XIII, «Comme la volonté étant morte à soi vit purement dans la volonté de Dieu»; Livre XI, chap. XIX, «Comme l'amour sacré comprend les douze fruits du Saint-Esprit avec les huit béatitudes de l'Evangile.»

[20] *Ibid.*, Livre IX, chap. XVI, «Du parfait dépouillement de l'âme unie à la volonté de Dieu.»

[21] *Les Morales chrétiennes*, t. II, chap. I, «De l'amour naturel de soi-même et comment il peut être fautif,» chap. II, «Du légitime amour de soi-même,» p. 9–25. Paris, 1639.

[22] *Ibid.*, t. I, Part. II, chap. VIII, «De l'amour de Dieu et de quelques uns de ses effets,» p. 423. Paris, 1638.

[23] *Ibid.*, p. 424.

[24] Cf. *supra*, p.. X–XI

[25] *Les Progrès de l'amour divin*, *L'amour naissant*, chap. X, «Sentiments du pur amour,» dans *Oeuvres complètes*, t. I, p. 771–772. La première édition des *Progrès de l'amour divin* est de 1643.

savent rien refuser aux sens, en s'imaginant qu'ils satisfont suffisamment à Dieu par ce qu'ils appellent des actes de pur amour.[26] L'illuminisme ambiant n'explique qu'en partie cette répugnance. Yves de Paris, en effet décèle en l'homme ce que nous appelons de nos jours un désir naturel de la vision béatifique, l'homme étant fait pour voir Dieu face à face. Dés lors on comprend qu'il ne suive pas jusqu'au bout saint François de Sales jusqu'au bout de sa suprème montée, jusqu'à la pure passivité; si l'on trouve chez lui la comparaison de la cire malléable entre les doigts de l'Esprit Saint, du moins, quand il est question dans ses ouvrages de mort des sens, de mort de l'esprit humain, il faut entendre ces expressions dans un sens ascétique et non dans un sens mystique; cette mort est le résultat d'un long effort entrepris avec le secours de la grâce et non d'une action divine qui surprend l'âme en son envol et la façonne à son gré.[27] Yves de Paris est resté en deçà.

J. P. Camus est allé au delà. Lui aussi n'hésite pas à reconnaître que l'homme est naturellement incliné à aimer Dieu par dessus toutes choses.[28] Lui aussi distingue ce qu'il appelle «l'amour propre» et «l'amour nôtre,» l'un qui s'arrête délibérément en nous en méprisant la loi de Dieu, l'autre qui fait partie de la charité puisque le Seigneur nous ordonne d'aimer le prochain comme nous-même.[29] Jusque là tout irait bien. Le malheur c'est que Camus déteste tellement «l'amour propre» qu'il le pourchasse partout, jusque dans «l'amour nôtre.» Celui-ci, dit-il, au lieu de subordonner la crainte de l'enfer et le désir du ciel à l'amour divin, en vient au contraire à subordonner l'amour divin à notre bonheur personnel. «Les amoureux de leur propre intérêt, au lieu de se perdre en Dieu par un sujet d'entier renoncement, veulent s'unir à Dieu pour leur propre contentement, le voir pour la délectation, le posséder pour leur utilité et en jouir pour leur aise propre, se cherchant en Dieu au lieu de ne chercher que Dieu.»[30] Et c'est ainsi que l'on voit apparaître chez lui ces termes que saint François de Sales n'employait qu'à regret: s'anéantir, anéantissement.

[26] *Ibid.*, *L'amour souffrant*, chap. VI, «Détachement aisé des choses sensibles par le moyen de l'amour,» *loc. cit.*, p. 825–826. Cf. *Ibid.*, *L'amour agissant*, chap. «La pratique des vertus,» *loc. cit.*, p. 793. *Les Morales chrétiennes*, t. I, Deuxième partie, chap. XXVII, «Des dévotions délicates qui flattent les sens,» p. 608–616.

[27] Cf. Julien-Eymard d'Angers, «Problèmes et difficultés de l'humanisme chrétien,» dans *XVII° siècle*, n° 62–63, 1964, p. 24–26. Cf. *supra* p. 92.

[28] J. P. Camus, *La souveraine fin des actions chrétiennes*, p. 4. Caen, 1637.

[29] *Idem*, *La Caritée. Ou le portrait de la vraye charité. Histoire dévote tirée de la vie de saint Louis*, p. 442–443, 470. Paris, 1641.

[30] *Idem*, *La souveraine fin des actions chrétiennes*, p. 23. *Retraite spirituelle de dix jours*, p. 29–33. Paris, 1636.

L'on sait même qu'il ira plus loin, puisqu'il mettra dans les mains de sa Caritée une cruche pleine d'eau pour éteindre les flammes de l'enfer et une torche enflammée pour réduire en cendres le Paradis.[31] L'on sait les embarras du bon évêque pour sortir des impasses où l'a jeté son zèle excessif; cela n'empêche que le *Traité de l'amour de Dieu* est dépassé et de beaucoup.[32]

Le jésuite Julien Hayneuve se tient beaucoup plus, comme il le dit lui-même,[33] dans la modération, ce qui ne l'empêchera nullement de gravir les sommets salésiens: «Cette matière est trop délicate, dit-il, pour s'en tenir à son sentiment personnel. Il faut s'en tenir à ce que dit Mgr. de Genève.»[34] Lui aussi discerne en l'être humain une inclination à aimer Dieu par dessus toutes choses. C'est là l'effet de la loi éternelle qui régit toutes les créatures et les fait agir par le poids de ses principes naturels.[35] Il en est de même pour l'homme qui porte en lui une sainte loi qui le pousse à servir et à aimer Dieu en cette vie, pour le posséder en l'autre, avec cette différence toutefois qu'il est libre de suivre ou de repousser cette impulsion qui a son origine dans sa nature.[36] A lui donc de règler ses appétits suivant les exigences de son être raisonnable; bien à lui de s'attacher au Christ et de christianiser cette raison; ce faisant il ne renonce pas pour autant à sa perfection humaine; il la dépasse en l'accomplissant: «C'est là l'ordre, c'est être homme que cela, c'est l'âme de notre âme, puisque c'est la fin qui la fait vivre.»[37] Julien Hayneuve, avec la même force et la même clarté, distingue un double amour de soi, l'amour propre qui n'aime que les routes écartées et les détours, capable seulement de nous arrêter, de nous faire reculer, de nous perdre, l'amour légitime ensuite, car il est une façon de s'aimer qui est non seulement recommandable, mais obligatoire; c'est là que paraît la sagesse de Dieu qui a tellement mêlé ses intérêts avec les nôtres et sa gloire avec notre bonheur qu'il nous est impossible de les séparé sans lui être infidèle.[38] Aurons-nous pour autant condamné tout amour désintéressé, tout amour pur? Que non

[31] *Idem*, *La Caritée*, p. 621.
[32] Cf. G. Joppin, *Une querelle autour de l'amour pur. Jean-Pierre Camus évêque de Belley*. Paris, Beauchesne, 1938. Le P. G. Joppin a bien vu les embarras de J. P. Camus. Il n'en a peut-être pas bien vu la cause: le passage indû de «l'amour propre» à «l'amour nôtre.»
[33] *L'Ordre de la vie et des moeurs*, t. II, p. 246, Paris, 1639. «La charité n'est pas vraie charité, si elle n'est bien règlée.»
[34] *Ibid.*, t. II, p. 137–138.
[35] *Ibid.*, t. I, p. 206.
[36] *Ibid.*, t. II, p. 489.
[37] *Ibid.*, t. I, p. 154–156. «C'est la fin qui la fait vivre moralement, comme elle fait vivre naturellement notre corps.»
[38] *Ibid.*, t. III, p. 525.

pas. La charité montant à travers les trois voies purgatives, illuminatives et unitives, ira se purifiant, se fortifiant jusqu'à devenir ferme comme la mort, ferme comme l'enfer. Cette expression de l'Ecriture,[39] écrit Julien Hayneuve, «je ne crains point de l'interpréter à la lettre,» en ce sens du moins que cet amour divin «endurerait une éternité de peine, s'il savait que ce fut agréable à son bien aimé»; mais «quant et quant, prend-il soin de préciser, il faut avouer que tous les plaisirs et les disgraces de la terre sont aussi peu capables de le toucher que s'il était bienheureux, de sorte que, si cet amour lui est un enfer, cet enfer lui est un paradis.»[40] La mort mystique est passée par là.

Tel est l'humanisme chrétien sous ses différents aspects; mais chez tous les écrivains qui peuvent se réclamer de lui, nous retrouvons ce souci primordial, conduire l'homme à sa perfection humaine et plus qu'humaine en faisant de lui un parfait chrétien; tout se résume dans cette phrase déjà citée de saint François de Sales: «Quant à nous, nous voyons que nous ne pouvons pas être vrais hommes sans avoir inclination d'aimer Dieu par dessus toutes choses, ni vrais chrétiens sans pratiquer cette inclination.»[41]

Avant de clore cette étude sur l'humanisme chrétien nous voudrions dire que nous ne mesestimons pas pour autant la tendance qui lui est, nous ne disons pas contraire, mais parallèle, celle qui a pour chef de file tant Benoît de Canfield que Pierre de Berulle; elle aussi a sa grandeur, elle aussi ne méconnaît pas l'humain, mais d'une autre façon; l'humanisme chrétien considérant l'homme dans son orientation vers Dieu, part de l'homme pour monter vers son Créateur et Rédempteur; nous l'avons, croyons-nous, suffisamment montré; l'autre tendance considérant l'homme dans sa dépendance à l'égard de Dieu, ou pour parler sa langue, dans son néant, part de Dieu pour descendre vers l'homme; c'est ce qu'ont bien montré R. Bellemare pour Bérulle,[42] et, pour Benoît de Canfeld, le P. Optat de Veghel.[43] Le malheur fut que ces deux tendances se soient combattues, parfois avec une certaine violence; belle leçon pour nous. Puisse-t-elle, dans des controverses courtoises, apprendre aux chrétiens d'aujourd'hui qu'ils doivent, eux du moins, malgré la divergence des opinions, se respecter mutuellement.

[39] *Cantique des Cantiques*, VIII, 6.

[40] *L'Ordre de la vie et des moeurs*, t. III, p. 588–591.

[41] *Traité de l'amour de Dieu*, Livre X, chap. X.

[42] *Le sens de la créature dans la doctrine du Cardinal de Bérulle*, p. 82–91.

[43] «Aux sources d'une spiritualité des laïcs: Benoît de Canfeld,» dans *Etudes franciscaines*, supplément, t. XV, 1965, p. 33–44.

ETUDES ET DOCUMENTS

1. Le désir naturel du surnaturel chez Yves de Paris et ses disciples
2. Les «omissions» de l'abbé H. Bremond

LE DÉSIR NATUREL DU SURNATUREL CHEZ YVES DE PARIS ET SES DISCIPLES

Au cours du présent ouvrage nous avons signalé qu'Yves de Paris n'était pas un isolé lorsqu'à la suite de saint François de Sales il décelait dans l'homme déchu une poussée naturelle vers le surnaturel.[1] Les textes que nous allons donner maintenant sont la preuve de cette assertion. Disons que nous n'avons pas à faire à des théologiens de profession qui discuteraient gravement de questions subtiles.[2] Ce sont des vulgarisateurs qui écrivent pour un grand public et qui disent simplement ce qu'ils ont à dire dans l'unique but d'instruire leurs lecteurs et de les porter à aimer Dieu par dessus toutes choses. Nous publierons d'abord plusieurs textes d'Yves de Paris, puis des textes de ceux que nous pouvons considérer comme ses disciples. Ils sont au nombre de quatre: Sébastien de Senlis (1637), Jacques d'Autun (1649), Pascal Rapine (1658) et Léandre de Dijon (1661).

I. YVES DE PARIS

D'Yves de Paris nous donnerons trois textes, deux antérieurs à la querelle janséniste, tirés de la *Théologie naturelle*, l'autre contemporain de cette querelle et tiré des *Miséricordes de Dieu en la conduite de l'homme.*

a) L'appétit insatiable de la volonté (1635)

Pour prouver l'immortalité de l'âme, en s'appuyant sur la seule raison, le capucin décèle dans l'humaine volonté un appétit qui ne peut trouver son apaisement que dans la possession d'un bien infini; ne faisons pas dire à ce texte plus qu'il ne signifie; ainsi que nous

[1] Cf. *supra*, p. 99, 117–118.
[2] Sur ce problème au XVII° siècle cf. H. DE LUBAC, *Le surnaturel. Etudes historiques*. Paris, Aubier, 1946. *Idem, Le Mystère du surnaturel.* Paris, Aubier, 1965.

l'avons signalé en son lieu,[3] nous restons dans l'ordre naturel; aucune précision n'est donnée sur l'essence de ce bien qui est l'objet de nos désirs; est-ce simplement Dieu connu dans la lumière de la simple de l'humaine conscience? Il faut tout de même noter ce premier pas vers un ordre qui pourra se déterminer plus tard.

....J'ai quelques fois considéré l'homme avec de profondes admirations, de ce que dans un si petit corps, exposé (ce semble) à toutes les incommodités de la nature, il a une certaine puissance qui agit toujours, qui contrôle l'ordre du monde, qui porte ses désirs et ses connaissances au delà des cieux. L'on regarde avec respect ces puissants génies, qui donnent les lois au peuple, qui conduisent de grands desseins de paix et de guerre, qui se concilient la fortune, qui se donnent quelque droit sur l'avenir par leur prudence. Néanmoins ces merveilles sont bien peu de chose, si vous en faites la comparaison avec la capacité infinie de l'esprit de l'homme. Car après que ces personnes auront gagné des batailles, assujetti des rebelles, traité les ennemis, et les alliés, avec une conduite qui change l'envie en admiration, tout ce qu'ils ont fait de bien n'est que la moindre partie de ce qu'ils sont disposés de faire; les biens, les honneurs, les dignités, les acclamations que leur donne un peuple ravi du bon succès de leurs entreprises, sont des vents qui allument les flammes de l'ambition; la grandeur qui leur devient ordinaire leur semble insipide; ils veulent toute autre chose que ce qu'ils voient; et quoi qu'ils ne puissent bien exprimer ce qu'ils désirent, leurs coeurs poussent les soupirs qui témoignent leur pauvreté parmi leurs richesses.

D'où vient cela sinon de ce que l'âme humaine étant capable d'un bien infini, se fâche de se voir toujours trompée en la jouissance des objets sensibles qui promettent beaucoup et lui donnent peu; après tant de désirs frustrés, il ne lui reste sinon à porter ses affections plus loin que ses yeux et ses espérances.

Il est vrai que les biens du monde ne nous donnent du contentement que dans la poursuite, parce que l'âme se trompe elle-même, et se figure dans ce mouvement, qu'elle avance où consiste sa dernière félicité; mais quand elle arrive au terme de la possession où ses souhaits ne finissent pas, c'est lors qu'elle les redouble, que ces gouttes d'eau irritent sa soif, et que son amour s'enflamme par des objets qui ne peuvent la rassasier. Comme si l'on rencontre plusieurs portraits d'une personne que l'on tient chère, on les considère tous, on cherche celui qui la représente le plus au naturel; mais enfin l'imagination ayant fortifié son idée par ces espèces, se lasse de cette trompeuse présence, et le coeur soupire pour l'objet dont ces coloris ne sont qu'une morne représentation.

Notre volonté se mesure à nos connaissances; et comme nous concevons quelques vérités universelles par abstraction du lieu, du temps, de la matière,[4] comme nous avons une idée confuse [5] qui nous fait parler d'un

[3] Cf. *supra*, p. X–XI.

[4] Sur l'abstraction dans Yves de Paris cf. C. CHESNEAU, *Le P. Yves de Paris et son temps*, t. II, *L'apologétique*, t. II, p. 428–429.

[5] Sur l'innéisme d'Yves de Paris, cf. *ibid.*, p. 152–155, 156, 426–427.

objet souverainement accompli, ainsi notre coeur a une secrète, mais puissan teinclination pour un bien qui comprend tous les biens, et qui est exempt de tous les défauts imaginables.

Nous trouvons par expérience que ce bien ne se rencontre pas en cette vie.[6]

b) Des récompenses des bonnes actions en l'autre vie et de la vision de Dieu (1636)

Nous avons ici un texte qui conclut nettement à la vision béatifique; seulement il n'est pas certain qu'il le fasse au nom de la seule raison. Les chapitres qui précèdent[7] traitent en effet de la grâce suffisante et, bien qu'il n'y ait pas d'indication précise, le domaine philosophique est momentanément abandonné pour celui de la foi; il est possible qu'il en soit de même ici. Le moins qu'on puisse dire, est que la position n'est pas claire, ainsi que nous l'avons déjà montré.[8]

Cette prodigieuse diversité d'appétits qui partagent le coeur des hommes, se rapportent à un souhait général d'être dans une condition affranchie de toute misère et bienheureuse par la jouissance de toute la félicité possible....

Mille raisons que j'ai déduites au tome précédent, nous persuadent que notre âme n'est pas seulement créée pour donner la vie à un corps où ses bienfaits lui sont préjudiciables, et qui lui est une prison si obscure, qu'elle est contrainte d'en sortir autant qu'il lui est possible par les abstractions, pour avoir quelque connaissance de la vérité. J'ai fait voir que la vertu ne rencontre ici que des périls, des fatigues et des combats au lieu de triomphes, qu'elle s'impose des peines, au lieu de servir de récompense; qu'elle souffre tant de calamités sous les persécutions de l'envie, et, par une particulière permission du Ciel, qu'elle est l'objet ordinaire de nos compassions. D'où il est nécessaire de conclure, que Dieu ne serait pas juste, ni souverainement bon, s'il ne lui donnait un état de gloire, qui comprenne en abrégé tout ce qu'il y a de bien; et ses libéralités ne seraient pas assez magnifiques, si elles n'accomplissaient nos désirs en *surmontant* nos espérances.[9]

Il ne nous est pas possible d'avoir une parfaite idée de ce bienheureux état, que nous n'avons pas expérimenté; néanmoins entre les ignorances de notre nature, nous pouvons connaître que notre intellect recherche une première vérité, et que notre volonté soupire pour un souverain bien, de sorte que la gloire que *nous espérons au Ciel*,[10] consiste en un parfait acquiesce-

[6] Yves de Paris, *Théologie naturelle*, t. II, éd. 1642, Première partie, chap. XXXI, p. 313–323. La première édition de ce tome est de 1635.

[7] *Idem*, *Théologie naturelle*, t. III, éd. 1645. Troisième partie, chap. III, «Des grâces suffisantes que Dieu donne aux hommes pour les aider en l'observation de ses lois,» p. 388–405; chap. IV, «De l'inégalité des grâces divines,» p. 404–409.

[8] Cf. *infra*, p. 107–108.

[9] *Surmontant*, tel est le terme important de ce passage; jusqu'ici le P. Yves s'est placé uniquement sur le plan naturel, son raisonnement s'appuyant sur les données de l'expérience, et nullement sur les données révélées.

[10] Maintenant le passage est fait, et le P. Yves ne parle plus en philosophe, mais en

ment de ces deux puissances *en la vision de Dieu*; c'est dire que nous jouirons de cette lumière primitive, de la première vérité, du Souverain Etre intelligible qui se possède proprement par l'intellect. Cette souveraine bonté pénétrera très intiment l'essence de nos âmes, et, s'y unissant par soi-même, sans l'entremise d'aucunes espèces, elle les comblera par cette étroite union de joies, de délices inconcevables. Sans ces discours et sans ces longueurs qui accompagnent nos raisonnements une grande lumière nous montrera d'une vue toutes les vérités dans leurs principes; une affluence de gloire nous fera jouir de tous les biens imaginables dans celui qui les comprend tous.[11]

c) L'homme est créé pour une fin surnaturelle (1645)

Le passage que nous citons ici est tiré du livre suivant: *Des miséricordes de Dieu en la conduite de l'homme*,[12] ouvrage composé en 1645 contre le jansénisme naissant. L'auteur montre d'abord que l'amour éternel de Dieu a pourvu aux nécessités futures de l'homme, que le monde matériel est une magnifique demeure qui attend notre naissance et que le monde civil s'est formé pendant plusieurs siècles pour notre bien. Puis il constate la présence du mal moral, réfute les diverses explications qu'en donnent les philosophes et finit par exposer la doctrine théologique du péché originel. Les miséricordes divines apparaissent alors dans le décret éternel de l'Incarnation, dans les grâces qui forment le monde surnaturel de l'Eglise, et dans le sacrement du baptême. A cet endroit Yves de Paris revient à l'ordre naturel et se demande quels sont les avantages de la raison dans un âge mur; il écrit:

L'enfance est un nuage qui couvre les lumières de la raison et ses faiblesses tiennent comme captive une puissance née pour l'empire de toutes les créatures....

Que les miséricordes de Dieu sont grandes, de donner une forme spirituelle, immortelle, capable des choses divines à un corps qui se forme avec les mêmes impuretés, qui souffre les mêmes altérations que les autres!

Notre âme est véritablement la dernière en l'ordre des intelligences, car elle n'a pas ses lumières, ses activités, ses résolutions si pures, si promptes, si universelles que les anges; cependant cette essentielle union avec un corps qui est l'abrégé du monde, cette secrète sympathie qu'elle conserve avec toutes choses, dont elle veut avoir la jouissance, lui donne un étonnant rapport avec l'infinité du premier Principe, qui comprend toute l'étendue de la

théologien. La description très littéraire qu'il donne de la vision béatifique semble prouver qu'il ne s'appuie plus sur la raison seule, mais sur la Révélation. Plus loin dans le même chapitre, il établira que «les bienheureux posséderont le souverain bien mais différemment.

[11] Yves de Paris, *Théologie naturelle*, t. III, éd. 1645. Troisième partie, chap. V, p. 409–415. La première édition de ce tome est de 1636.

[12] Paris, 1645, in-4°, 22 ff., 256 p. 12 ff.

perfection: c'est pourquoi Trismegiste dit que l'homme est l'horizon, le noeud, et comme l'arbitre des deux mondes matériel et spirituel, qu'on ne doit pas estimer moindre à cause qu'il a de vastes puissances qui tiennent aux deux extrémités de l'être, et qui en joignant les choses divines peuvent régir et gouverner les mortelles.

Rien n'est impossible à l'esprit de l'homme, il va dans les cieux et dans les abimes, il entre dans les conseils de la nature, il en sonde les forces et les secrets, il la divise et l'affaiblit quand il veut pour la commander, et n'emploie rien contre elle que ses propres forces, pour la tenir en sujétion. Aussi les Platoniciens disent que notre âme est de même trempe que l'âme du monde, parce qu'elle se peut remplir de ces maitresses idées, qui contiennent des choses périssables sous des raisons immortelles, qui forment de nouveaux mondes immatériels et qui semblent avoir droit sur toutes les existences dont elles possèdent les principes et les raisons.

Cette vaste capacité de notre esprit se reconnaît moins dans la pratique des arts nécessaires aux commodités du corps que dans la spéculation des sciences et dans la conduite de ces éminentes vertus qui l'avoisinent de Dieu. Notre pensée peut aller plus loin que le dernier globe des cieux dans des espaces immenses, d'où cette machine du monde ne lui paraît qu'un point: il conçoit une durée sans commencement, sans progrès, sans fin au delà de ce premier jour d'où l'on commence à compter le temps: il monte par une suite de causes des éléments jusques aux cieux, des cieux jusques à un premier principe intellectuel, un premier acte, un premier moteur, tout bon, tout puissant, une lumière, une vérité, une vertu, une gloire essentielle qui possède infiniment plus de perfections dans sa très simple unité que la nature n'en partage en toutes ses différences: c'est là l'original de toutes les lois qui entretiennent la police du monde et des hommes, de toutes les beautés qui nous donnent de la complaisance, de tous les vrais biens dont notre coeur forme les désirs.

Notre âme fait naturellement des élans qui l'enlèvent à ce souverain bien, quoique les passions l'attachent à la matière et que ces transports irréguliers interrompent le cours de ce mouvement; parmi ces désordres, l'esprit et le coeur ne laissent pas de jeter toujours quelque pointe vers son Dieu comme la flamme vers son centre, parmi les vents qui l'agitent ou les obstacles qui la rabaissent.

Quand le raisonnement seconde l'instinct et que la Philosophie devient sainte jusques à s'élever au Créateur par la contemplation, il n'est pas possible qu'on ne conçoive un sublime sentement de ses perfections et de sa bonté, et que par ces deux titres on ne se sente obligé de le servir.[13]

Après avoir ainsi étudié les capacités infinies de l'humaine intelligence, Yves de Paris établit que notre volonté est libre,[14] puis, toujours par la seule raison, il démontre que l'homme est créé pour une fin surnaturelle:

[13] *Op. cit.*, Première partie, chap. VII, p. 37–43.
[14] *Ibid.*, chap. VIII, p. 43–50.

L'esprit humain fait d'étranges courses par la nature, pour tout voir, tout connaître, tout expérimenter, et ne rien omettre de ce qui lui peut donner quelque lumière, ou quelque contentement. Dans cette recherche, il se rebutte des choses communes, il trouve mille défauts dans les belles, il s'emporte aux nouveautés par un travail qui se nourrit longtemps d'espérances et qui se termine par un désespoir de rencontrer ici-bas une entière satisfaction. L'âme ainsi tant de fois trompée, toute confuse, mais bien instruite par ses propres expériences de la vanité des choses, revient en elle-même comme dans un sujet plus noble que n'est le monde pour y trouver plus de douceur et moins de travail en la jouissance de ses propres biens; mais elle n'est pas plutôt en la revue de son intérieur qu'elle y remarque des indices lamentables, qu'elle y ressent une extrème faim, qui la presse de sortir et de se remettre encore en la recherche des choses extérieures au moins pour divertir ses pensées plus affligeantes quand elles sont seulement attentives à son mal.

La vie se passe dans ces inquiétudes d'un malade qui ne guérit pas de sa fièvre éthique pour changer de lit: ce n'est qu'une révolution de misères, qui, de l'intérieur où elles sont fort cuisantes, nous rejettent dans un monde où elles ne sont pas soulagées. Notre coeur soupire pour quelque bien infini, pour une première vérité, une perfection, une paix, une gloire, une constance sans défaut et sans fin; elle demande des satisfactions spirituelles proportionnées à sa nature que la terre ne peut lui donner, et ses puissances immortelles se peuvent moins contenter par cette foule d'objets sensibles que la faim par le discours, ou la peinture d'une bonne table.

Néanmoins ces vastes inclinations ne lui sont point inutiles et ces insatiables avidités qu'elle a du vrai bien montrent qu'elle est créée pour en avoir la jouissance: car si dans toutes les choses naturelles l'on ne voit point de capacité qui ne soit remplie, l'homme ne sera pas de pire condition et la providence ne permettrait pas que son coeur conçût de grands désirs pour une félicité qui lui serait impossible. L'air et le feu qui se forment dans les abimes de la terre, ne laissent pas d'avoir l'inclination de s'élever de leur centre et de forcer leur prison avec ces efforts prodigieux où toute la nature se met en alarme,[15] ainsi quoique l'âme soit élevée dans cette basse région du corps, elle ne laisse pas de tendre à celle qui lui est propre et d'y être tirée par les secrètes influences de son principe. Si tôt qu'elle apaise le désordre de ses passions, elle en est ravie au dessus de soi dans une région de lumières, de paix, de félicité: elle se trouve encore trop faible pour l'entière jouissance de ce bien qui excède infiniment plus de capacités qu'elle ne surpasse les objets du monde; les trop grands éclats de ces lumières lui sont des ténèbres; elle se trouve perdue dans ces torrents de divine volupté; son amour languit par un excès de jouissance et se console néanmoins dans sa faiblesse qui en lui cachant les perfections de son objet, les lui montre comme infinies.

Il est vrai qu'elle tombe en peu de temps de cet éminent état et que ces transports ressemblent aux élans des flammes qui se dissipent en l'air, si elles

[15] Le P. Yves fait allusion à l'horreur du vide; comme nombre de ses contemporains, il fonde là-dessus l'une de ses preuves de l'existence de Dieu cf. C. Chesneau, *op. cit.*, t. II, p. 384–385.

ne retombent bientôt dessus la matière: mais au défaut de ces ravissements, l'esprit trouve de quoi se consoler dans la contemplation des créatures pour de là venir à l'origine de la beauté, de la bonté dont tout ce qui paraît ici-bas n'est qu'une petite ombre.

L'amour suit la connaissance: on ne saurait contempler Dieu comme infiniment parfait en soi et libéral envers nous, qu'on ne se sente obligé par ces deux grandes considérations de lui rendre ses hommages. De là vient le sentiment et le culte de la religion commun à tous les peuples; de là sont venus les sacrifices, les offrandes, les prémices, les décimes, les actions de grâce, et ce souverain pouvoir anciennement donné aux prêtres pour honorer la Divinité en ces personnes consacrées à son service.

Ces effets publics et particuliers sont les preuves que l'homme est né pour une fin surnaturelle, outre les autres témoignages que chacun en peut tirer par une enquête plus exacte de sa vie. Car comme on peut observer dans un désordre d'humeurs et dans les accès du mal quel est le tempérament qui prédomine durant la santé, comme dans les ruines d'un palais, il reste des pièces d'où l'on fait le jugement de sa symétrie. L'on peut ainsi remarquer quelques traits des instincts sublimes de l'âme, même parmi le déréglement de ses passions. Car cette curiosité qui veut fouiller dans le secret des choses même défendues, cette ambition qui veut tout assujettir à sa puissance, cette avarice qui veut tout enfermer dans son domaine, cette vanité qui demande des admirations du peuple et qui veut vivre dans tous les siècles par la renommée, cette superstitieuse créance des philosophes qui voulaient attacher les vertus des cieux et les éminentes qualités de l'âme du monde à la forme d'un particulier par les opérations de la magie, sont tous les efforts extravagants de l'esprit qui abuse d'une bonne inclination et qui par ces excès veut comme entrer en jouissance d'un bien infini, de la sagesse, de la puissance, de la gloire, de l'immensité, de l'éternité de Dieu.[16] Ce sont des grands desseins mal conduits, qui sont des fautes énormes; c'est un lâche mouvement qui se répand sans ordre autour de la matière qu'il ne peut percer. C'est enfin la faiblesse humaine qui pèche contre la même perfection qu'elle voudrait imiter, quand elle la pense acquérir par ses propres forces.[17]

2. SÉBASTIEN DE SENLIS [18]

Sébastien de Senlis est surtout connu par deux ouvrages: *les Entretiens du sage*[19] et le *Flambeau du juste*.[20] Le premier étudie l'homme dans son état de nature, le second dans son état surnaturel. Le passage que nous donnons se trouve à la fin du premier.[21]

[16] Yves de Paris renvoie ici à Marsile Ficin, *Theologia platonica*, lib. XIV.
[17] Yves de Paris, *op. cit.*, Première partie, chap. IX, p. 50–55.
[18] Sur Sébastien de Senlis, cf. Ubald d'Alencon, «La spiritualité franciscaine,» dans *Etudes franciscaines*, t. XXXIX, 1927, p. 460.
[19] Paris, 1637. In-4°, 530 p.
[20] Paris, 1643, 2 vol., in-4°.
[21] *Les entretiens du sage*, deuxième partie, chap. XVI, p. 520, 524.

Rien n'est capable de contenter nos désirs immenses qu'une vie sans corruption, une vérité sans tromperie, une bonté sans malice, une grandeur sans limites et une gloire qui dure toujours. Toutes les affections que nous avons pour la terre ont moins de douceurs dans la jouissance que dans leurs recherches parce que notre âme qui aspire à l'infini se trouve abusée par des objets d'une si petite étendue et il est vrai qu'elle soupire pour un bien universel qui ne se trouve qu'en peinture parmi les choses créées. Tout ce qui peut nous faire bons et nous rendre heureux n'est pas loin de nous; nous nous pouvons rendre sages en bien peu de temps, et quasi pour rien, mais pour en venir à ce point, il ne faut pas tenir le chemin battu du vulgaire dont la coutume est d'envoyer toutes ses pensées au dehors sans jamais faire réflexion au dedans de soi. Le bonheur de l'homme ne se doit point chercher ni dedans, ni dessus la terre; il ne faut point traverser les mers pour en jouir, ni le chercher parmi les étoiles; il loge dedans nous et non ailleurs ou s'il en est absent par le désordre de nos passions, il est en notre pouvoir de l'y faire revenir quand bon nous semble....

L'homme étant un voyageur durant cette vie, il se doit proposer Dieu pour dernier terme, à l'exemple du Dauphin du Ciel qui étant descendu du sein de son Père n'a avancé ici-bas que pour y retourner. Quelques présents que nous fasse le monde, de quelques désirs qu'il flatte nos sens, il est toujours l'objet de nos mépris aussi longtemps que nous jetons le yeux sur les biens du Ciel: notre esprit ne se peut contenter des choses qui se peuvent accroitre, pour ce qu'il est créé pour jouir d'un bien infini. Le vivre doucement et tranquillement ne procède point des choses externes, qui sont hors de l'homme. Ainsi au contraire c'est l'homme qui donne du contentement és choses qui l'avoisinent, pourvu que ses moeurs et ses affections soient bien composées au dedans. La source de la vraie tranquillité est dans notre âme: curons la diligemment de la boue de toutes sortes de terrestres affections, puis nous jouirons avec plaisir de la beauté et douceur de ses eaux. Personne ne nous empêche d'aimer Dieu, d'observer ses commandements, d'être justes, constants et tempérants, de mépriser les plaisirs, les honneurs et les richesses, de chérir nos ennemis et de réduire toutes nos passions sous l'empire de notre raison. Bref, il ne tient qu'à nous que le Royaume ne soit dans nous-mêmes et que nous ne jouissions tranquillement de tous les plaisirs qu'il produit dans les coeurs où il habite. Or il est bien certain que la tranquillité d'esprit ne peut être appuyée que sur Celui seul qui étant Eternel par sa Nature, est exempt par son pouvoir infini des lois de la mort et de l'inconstance. La vicissitude des choses humaines est une des plus fortes preuves que nous ayons, qu'il est impossible de jouir ici-bas d'une tranquillité perdurable: car si le bonheur que nous cherchons tous et si peu trouvent, consiste en une paix et repos de l'âme, qui possède à souhait tout ce qui est capable de la combler d'une heureuse joie avec assurance de n'en être jamais privé, comment pourrait-on jouir de ce contentement perpétuel en un lieu où il n'y a rien qui ne soit muable? Véritablement nous ne sommes pas si peu hommes que nous ignorions que l'Eternité et l'Immutabilité sont logées dans le Ciel. C'est pourquoi Dieu étant la source éternelle de la félicité et du vrai amour, l'homme ne saurait jouir d'un plus grand heur, que de réunir le sien à son origine et de prendre pour objet de sa dilection le principe d'où elle est sortie.

Comme la pierre n'est jamais en repos qu'elle ne soit arrivée à son centre, ainsi l'homme ne peut être parfaitement heureux qu'il ne soit uni à cette Bonté infinie.[22] Cela étant, l'on peut bien assurer qu'il n'y a point de véritable félicité durant cette vie et que nous n'en pourrons jouir ici, bas que par une bien petite participation. Il est vrai que la terre est faite pour nous, mais nous ne sommes pas fait pour la terre: il y a un second séjour plus heureux où nous devons attacher nos affections et y élever nos pensées, que le Tout Puissant a préparé pour ceus qui le servent. Dieu veut que pour aller à lui nous tenions le même chemin qu'il a pris pour venir à nous et que comme il s'est dépouillé des ornements de sa gloire, nous renoncions à l'amour des choses terrestres pour être revêtus de l'innocence et être éclairés de ses lumières. Nos âmes sont trop nobles pour se ravaler à l'amour de choses si viles, comme sont les biens du monde et c'est des seules richesses des vertus et de la grâce dont elles doivent être passionnément amoureuses. Elles sont créées pour règner à jamais dans le Ciel et le mépris de tout ce que les mondains estiment si fort leur est la plus sure voie pour y parvenir.

3. JACQUES D'AUTUN[23]

Le capucin Jacques d'Autun, polémiste de talent, lutta contre Jean-Pierre Camus d'abord,[24] ensuite contre les jansénistes. Contre eux, il écrivit les *Justes espérances du salut*. Le titre est à lui seul tout le sujet. Contre le désespoir du siècle, contre ceux qui prônent le petit nombre des élus et la grâce donnée à quelques priviligiés, il recherche dans le monde surnaturel les raisons que nous avons de penser le contraire et de nous ouvrir à la confiance; il les recherche aussi dans le monde de la nature, et c'est ce qui lui permet de trouver dans l'homme comme un désir de la vision béatifique et une certaine aptitude au surnaturel. Jacques d'Autun distingue deux sortes de désirs, les uns qui procèdent du fond même de notre être, les autres de la connaissance d'un bien qui nous est proposé. Parmi ces derniers se trouve celui de contempler Dieu face à face; nous ne pourrons tendre vers ce but qu'une fois éclairé par la Révélation. Cela n'aurait rien d'original si la capucin ne s'empressait de dire que cette Révélation correspond à une tendance profonde de tout notre être, si bien que plus d'une fois il parle de «désir naturel,» de «recherche naturelle» du souverain bien,

[22] Citation de saint Thomas: *Somme théologique*, 1a, 2ae, quaest. 5, art. 3: «Aliqualis participatio beatitudinis in hac vita haberi potest; perfecta autem et vera beatitudo haberi non potest.»

[23] Sur Jacques d'Autun cf. RAOUL DE SCEAUX, «Jacques d'Autun,» dans *Catholicisme*, t. VI, col. 273. Paris, Letouzey, 1963.

[24] Cf. JULIEN-EYMARD D'ANGERS, *Le P. Yves de Paris et son temps*, t. I, «La querelle des évêques et des réguliers,» p. 159–160. Paris, 1946.

entendu dans toute sa plénitude, c'est à dire la possession de Dieu. Il prend grand soin par ailleurs de réfuter l'hérésie pélagienne et de montrer que les idées exposées dans son ouvrage n'ont rien à voir avec cette erreur. Dans ces pages[25] le capucin veut surtout montrer qu'il n'est pas semi-pélagien de rejeter la grâce nécessitante et d'admettre la grâce suffisante de Molina. Souvenons-nous qu'il écrit en 1649 et que la condamnation des cinq propositions (1653) lui donna raison.

L'économie de l'univers nous fait cette belle leçon, tout ce qui a l'être doit agir, et tout ce qui agit, se doit proposer la fin de son action; les créatures insensibles s'y portent par un certain poids qui les entraine à leur centre, les irraisonnables y courent par un instinct naturel et les hommes regardent leur fin comme le but de leurs entreprises; elle a toujours des attraits qui dérobent les coeurs de ceux qu'elle engage à sa poursuite parce que de tous les biens c'est le plus excellent.

Il est vrai qu'il y a diverses fins et qu'elles ne sont pas également bonnes; il y en a qui n'ont qu'une bonté de rapport, et celles-là ont très peu d'attrait pour mériter ses caresses; la boisson de médecine ne peut être que dégoutante et l'on en voit peu qui l'avalent sans faire la grimace; tous les déguisements de la pharmacie ne la peuvent rendre agréable et jamais la presse n'y est comme à un vin délicat, parce qu'elle est mauvaise en elle-même et bonne seulement en ses effets: lorsque elle est confortative et que le musc et la rose font la meilleure partie de la composition, alors elle a un double appât, et l'on chérit également sa bonté absolue et relative: mais il y a une troisième fin qui est la plus parfaite, parce qu'elle est la fin des autres qui lui sont subordonnées et qu'elle renferme dans soi tout ce qui peut rassasier notre appétit.

Cette fin, c'est Dieu même, très simple et très parfait, qui est le centre de cette sphère intellectuelle que les anciens ont adoré sans la connaître; je l'appelle centre parce que toutes les créatures regardent Dieu comme leur dernière fin, et sphère parce que dans le centre de son immensité, il enferme tout: les trois divines personnes sont comme les trois signes de cette sphère, lesquelles unies en vertu de l'essence font un triangle équilatéral.

La mathématique se perd dans les dimensions infinies et souffre avec étonnement ce qui choque les règles de la science: elle est ravie de voir qu'un centre de mathématiques ne puisse être égal à trois lignes, parce qu'elles sont divisibles et que Dieu ne l'est pas, n'ayant point de parties; néanmoins l'essence divine comme un centre indivisible, égale indivisiblement l'immensité des trois divines personnes. Elle sait qu'un triangle ne peut remplir la capacité du cercle, parce que les trois angles sortiraient de la circonférence et laisseraient du vide à leur côté; elle voit néanmoins que l'essence remplit parfaitement les trois personnes et que ces mêmes personnes divines embras-

[25] *Les justes espérances du salut opposées au désespoir du siècle*, t. I, seconde partie, chap. XXIII, «Que les inclinations que nous avons à notre dernière fin exige les moyens de la pouvoir joindre,» p. 219–224. Paris, 1649, 3 vol. in-4°.

sent également l'infinité de l'essence sans aucun excès ou inégalité. Elle est interdite en vue d'un triangle qui ne peut être mesuré que par son semblable, et néanmoins les personnes mesurent parfaitement l'essence parce qu'il n'y a rien d'accompli dans l'essence qui ne soit dans les personnes. Or toutes les âmes généreuses cherchent Dieu ce divin centre avec des désirs impatients parmi les obscurités de la foi et tourneront toujours à l'entour de cette circonférence jusques à ce qu'elles reposent dans son centre qu'elles ne peuvent trouver que par le moyen de la grâce.

Saint Augustin travaillé de cette inquiétude disait amoureusement: Mon Dieu, vous nous avez faits pour vous et notre coeur témoigne par ses mouvements continus que vous êtes sa fin; hors de vous il n'y a point de repos et dans vous nul mouvement que celui d'une jouissance immobile par des actes de connaissance et d'amour.[26] Les créatures peuvent occuper ses désirs mais elles ne peuvent remplir sa capacité infinie; tandisqu'il ne sera pas rempli de votre plénitude ses efforts ne seront pas moins violents que ceux de la nature pour chasser le vide de ses productions [27] et jamais sans vous son appétit ne sera content.

Il y a deux sortes d'appétit chez les philosophes; l'un de ces appétits est *naturel* et une propriété des formes *naturelles* auxquelles il donne une inclination aveugle pour leur fin; l'autre part d'un acte de volonté mais qui n'agit qu'avec connaissance de cause et par les belles lumières de l'entendement; le premier de ces appétits recueille toujours nos désirs et les porte à la béatitude qui est la fin de leur être; mais cet appétit est si confus qu'il cherche un bien général dont la jouissance lui est interdite s'il ne le rend particulier; néanmoins la confusion de son objet est si charmante que tous les hommes soupirent pour lui....

...Vous ne trouverez pas un homme qui dans toutes ses actions ne forme le dessein de contenter sa volonté et satisfaire ses désirs; il recherche donc la béatitude en général parce qu'elle consiste en un bien parfait capable de le rendre content et qui voudra faire des réflexions sur le *désir naturel* que nous avons au bien trouvera cette vérité plus sensible; n'est-il pas vrai que nos coeurs brûlent d'un désir du vrai bien? Cette passion nous est si propre qu'elle nait avec nous et ne nous quitte pas en mourant parce que c'est le vrai bien qui fait notre félicité et nous engage dans sa recherche; il faut donc conclure que tous les hommes le désirent, qu'ils veulent généralement être bienheureux.

Le désir d'être parfait leur augmente encore cette inclination; c'est lui qui fait faire des efforts à l'arbre pour arriver à un point de consistance ou du moins de son accroissement et qui oblige les animaux à rechercher leur nourriture pour acquérir leur juste grandeur; c'est lui-même qui ne partage plus les empressements de notre âme, mais la détache de tout le reste pour lui imprimer les mouvements qui l'emportent à la fin parce qu'elle n'est pas libre pour en faire le choix, bien qu'elle ne soit pas forcée pour en faire élection des moyens. Or elle ne trouve cette fin que dans la béatitude en commun qui recueille toujours ses pensées pour l'obliger à sa poursuite; il ne

[26] *Confessions*, I, 1.
[27] Cf. *supra*, note 15.

faut donc plus s'étonner si elle court après elle, comme une aiguille aimantée qui tourne toujours vers un pôle: et si ses désirs l'engagent dans un perpétuel mouvement pour la trouver.

Il est vrai que cette recherche est *naturelle* et ne fait que soupirer après le bien général; c'est une félicité indéterminée qui ne discerne pas la vraie de l'apparente, mais aussi elle n'empêche pas une plus parfaite, qui se fait par les poursuites de la volonté éclairée de l'entendement; j'avoue quelque connaissance surnaturelle par la foi ou par les fortes persuasions de ceux qui nous entretiennent de ses mystères et ces lumières quoique très obscures peuvent recueillir dans une âme un désir *naturel* de voir Dieu, comme notre principe et notre fin.

L'Ange en vue des perfections de son essence connait, bien qu'imparfaitement, celle de Dieu qui l'a créé; il voit le Créateur dans la créature et cette connaissance fait naître en lui un désir *naturel* de le voir, comme nous sommes dans une inquiétude *naturelle* quand nous avons admiré ses effets. Pourquoi ne serions-nous pas travaillé du même désir? Quand l'on nous dit que notre fin c'est de voir Dieu, vu même que les pécheurs les plus obstinés ne peuvent se défendre de ce désir imparfait.[28]

Je conclus donc que si Dieu n'a jamais donné un appétit à ses créatures qu'il n'ait donné de quoi le rassasier, si la matière première a des formes sans nombre, parce que son appétit est sans limite, les hommes qui ont une inclination si violente pour leur dernière fin ne doivent pas manquer de moyens pour la satisfaire; mais parce qu'ils ne la peuvent rechercher qu'ils ne soient élevés au dessus de la nature, Dieu leur a donné des grâces suffisantes pour l'atteindre et a rendu les moyens universels comme les appétits.

4. PASCAL RAPINE

Pascal Rapine n'est pas un capucin mais un Frère Mineur récollet de la Province de Rennes; il appartenait à l'une des principales familles de Nevers. On l'a longtemps confondu avec son frère l'historien Charles Rapine et sa vie est complètement inconnue. On ignore même la date de sa mort. L'ouvrage qui le rend digne d'une étude approfondie comprend neuf volumes dont voici les titres: *Le Christianisme naissant dans la gentilité;* t. I, *De la foi des gentils;* t. II, *De la religion des patriarches;*t. III, *Du salut des gentils* (Paris, 1659, 3 vol. in-4°). *Le Christianisme florissant au milieu des siècles;* t. I, *Le portrait de Jésus-Christ;* t. II, *De l'adoration en esprit et en vérité;* t. III, *Le portrait de la sainteté* (Paris, 1666, 3 vol. in-4°). *Le Christianisme fervent dans la primitive église et languissant dans celle des derniers siècles;* t. I, *La face de l'église universelle;* t. II, *La face de l'église primitive considérée dans ses exercices de piété;* t. III, *La face de*

[28] Jacques d'Autun renvoie à saint Thomas d'Aquin, *Summa contra gentiles*, cap. V. Voici la référence exacte: «Summa contra gentiles,» lib. III, cap. L: «Quod in naturali cognitione quam habent substantiae separatae de Deo, non quiescit eorum desiderium.»

l'église primitive considérée dans ses moeurs (Paris, 1671, 3 vol. in-4°).

Le passage que nous citons est tiré du tome III de la première partie: *Du salut des gentils* (1659); le premier traité de ce tome est consacré à la «sanctification des gentils dans la loi de nature» et le second chapitre de ce premier traité considère «les étranges jugements de Dieu sur l'abandon des gentils qui cependant n'ont pas manqué des secours nécessaires»; enfin la section première de ce second chapitre montre les secours naturels que le Seigneur a donnés aux païens en leur montrant «qu'il est la voie, la vérité, la vie de tous ceux qui viennent en ce monde.» Les titres mêmes du chapitre et de la section indiquent suffisamment le contexte du passage que nous citons. Pascal Rapine répond à une objection des libertins qui se scandalisent de voir les chrétiens damner «tous ces hommes qui ayant vécu avant la venue du Christ n'avaient pu le connaître»; l'apologiste dans sa réponse rappelle que les mystères divins exigent l'humble soumission de l'esprit et considèrent que, d'après saint Paul, les gentils furent abandonnés de Dieu par leur propre faute, puis il apporte trois arguments en faveur de sa thèse: 1° les Gentils ont reçu au point de vuc naturel tous les secours dont ils avaient besoin; 2° la grâce elle-même ne leur a point fait défaut; 3° ils ont encore reçu d'autres secours par l'intermédiaire des anges et des prophètes. Le passage que nous citons, n'est autre que le premier de ces trois arguments.

Le nouvel homme est enté sur le vieil et trouve en lui un fond disposé à recevoir ses bonnes habitudes; celui-ci est le rudiment et le crayon de l'autre et Dieu produisant un homme ébauchait un chrétien: Ce grand ouvrage méritait avoir des figures qui nous fissent attendre et estimer et c'eût été trop entreprendre que de l'achever tout d'un coup sans en faire l'essai: le Verbe faisant l'office de Créateur se disposait à faire l'office de Rédempteur; produisant un homme, il songeait à former un chrétien; de là vient que ce dernier se trouve ébauché dans le premier: comme rédempteur, il devait se faire notre vérité par le don de la foi, notre vie par sa grâce, notre voie par ses enseignements; et comme Créateur il a déjà fait quelque chose de semblable ayant mis en chaque homme dés le point de sa nativité un instinct qui l'éclaire, un désir du souverain bien qui l'anime et la conscience qui lui sert de directeur.

C'est la grâce qui fait le chrétien et non pas la nature; la vocation et non pas la naissance; l'eau du baptème et non pas le sang et le lait qu'il reçoit de ses parents. Néanmoins il porte un caractère naturel en son âme qui fait qu'on le prend pour un catéchumène et que les Pères mêmes donnent à tout homme le surnom de chrétien. Tertullien dit que notre âme est naturellement chrétienne.[29] Minutius Felix ajoute que l'instinct naturel pousse

[29] Tertullien, *Apologétique,* chap. XXVII: «O testimonium animae naturaliter chris-

souvent par la bouche de l'idolâtre des propos qui sont des confessions de bons chrétiens [30] et saint Jérôme expliquant les paroles de saint Jean [31] qui disait du Messie: Il y a parmi vous un homme que vous ne connaissez pas, dit que Jésus-Christ est dans l'intérieur de chaque homme et que personne ne vient en ce monde qu'il n'y rentre avec lui.[32] Ce sont des propositions glorieuses, mais hardies, avantageuses aux gentils, mais qui semblent les égaler aux chrétiens. Je les explique en ce discours et fais voir que ces avantages *naturels* sont de bonnes semences qui étant arrosés d'une grâce *surnaturelle*, conduisent tous ceux qui les cultivent dans notre Religion.

Trois choses constituent un vrai chrétien: la Foi, l'Espérance, et la Charité appliquée aux bonnes oeuvres. Or je montre que les plus barbares en ont aussi trois autres qui leur ont quelque rapport.: un instinct qui les instruit de nos plus communs mystères, un secret désir de la béatitude et le poids de la conscience qui les retire du mal et les incite au bien....[33]

Cette foi humaine est accompagnée d'une espérance semblable et de même que tous ont la croyance d'un Dieu ils ont aussi une puissante inclination de le posséder qui est mêlée de confiance de pouvoir réussir en leur recherche: l'expérience perpétuelle de leurs maux porte témoignage contre eux et leur fait voir qu'ils ne peuvent trouver en eux-mêmes la béatitude. Cette connaissance les oblige d'en sortir et de faire d'autres conquêtes. Or qu'est-ce qu'ils cherchent? Qu'est-ce qui les attire? Qui ravit ainsi tous leurs désirs si ce n'est la Bonté Souveraine? Albert le Grand dit qu'ils sont si véhéments, si impétueux qu'ils ont mérité d'être appelés des rugissements [34] s'avisant de faire venir le mot *bonum* de *boo*, comme si ce que nous nommons le Souverain Bien nous appelait à soi d'une voix aussi puissante que peut être celle d'un boeuf et que toutes nos actions qui ne sont que des contentions pour y aller, fussent des ardeurs semblables à celles des bêtes qui sans délibération s'abandonnent à leurs passions et à la poursuite de leurs commodités.

Il est vrai que l'on se méprend, que l'on s'enivre de contentements de cette vie et que dans cette ivresse on perd l'idée du Souverain Bien, qu'on ne recherche puis après qu'en ivrognes et à pas incertains et chancelants; tantôt on se porte aux honneurs, tantôt on jette les mains sur les richesses, souvent on tombe et on cherche le ciel en terre, la félicité dans le péché, la béatitude dans la misère, tant est grande l'attache que nous avons à Dieu que nous ne pouvons la rompre, que nous le poursuivons lorsque nous le fuyons, que nous l'aimons lorsque nous le persécutons, que nous en voulons en jouir lorsque nous provoquons sa colère.

Mais si notre conduite est mauvaise, notre désir est toujours innocent et

tianae.» Patrologie latine, t. I, col. 377. Sur ce passage de Tertullien, cf. A. D'ALES, *La théologie de Tertullien*, p. 38.

[30] MINUTIUS FELIX, *Octavius*, cap. XVIII. Patrologie latine, t. III, col. 291–292.

[31] *Jean*, I, 26.

[32] S. JEROME, *Commentarium in Epistolam ad Galatas*, cap. I, «Patrologie latine,» t. XXVI, col. 326.

[33] Dans les pages que nous ne citons pas (p. 52–56) Pascal Rapine parle de l'instinct naturel qui, selon lui, correspond à la Foi; il se réfère surtout à Platon; sur ce sujet cf. C. CHESNEAU, *op. cit.*, t. II, p. 149–204.

[34] Pascal Rapine renvoie à ALBERT LE GRAND, *Eth.* tract. 2, cap. 6.

égal; il fait entendre qu'il regarde un bien infini et que lui seul est capable de contenter une âme raisonnable: De là vient que nous nous courrouçons contre ces biens quand nous les avons acquis comme contre des trompeurs qui ne nous tiennent pas la parole; que nous cherchons en eux de plus grands plaisirs que ceux qu'ils nous fournissent, que nous les lèchons, que nous les tournons de tous côtés pour tirer d'eux par force et par ces douces tortures des contentements qui répondent à notre attente, et qu'après les avoir quittés nous les reprenons de nouveau, afin que cet usage répété donne à notre félicité imaginaire une plus longue durée. Mais enfin, nous en connaissons la vanité, et après avoir longtemps gémi auprès d'eux, nous convertissons nos amours en dédains, nos caresses en outrages et nous usons pour nous en défaire de la même force que nous avions employée à leur poursuite. Dans ce retour, dans cette fuite où est-ce que nous irons? Et après que toutes les créatures nous ont dit par la voix de leurs imperfections qu'elles ne peuvent contenter nos désirs, où les porterons-nous et quel en sera le terme?

Notre origine, ainsi que dit Sénèque, nous rappelle et nous montre le Ciel qui est notre Patrie: «La capacité de notre esprit est plus étendue que le monde et il s'élève au dessus de lui si les vices l'abaissent: de même que notre corps est d'une stature droite [35] et regarde le ciel, ainsi notre âme s'y porte et prend tout l'effort qu'elle veut; elle a été formée de la nature avec intention qu'elle eût des désirs semblables à ceux des dieux, qu'elle employât toutes ses forces pour parvenir à leur félicité et qu'y étant arrivée elle prît place parmi eux: si elle se portait avec violence aux choses hautes, elle aurait à s'y guider, au lieu qu'elle y va d'elle-même et que son voyage n'est qu'un retour facile à ce terme qu'il attend: c'est le droit qu'elle y a qui fait qu'elle y va avec confiance, qu'elle surmonte tous les obstacles et qu'elle méprise l'éclat du monde qui veut la retenir.» [36]

Voici les élans que la Philosophie envoie au Ciel, voilà les soupirs que la raison revenue à elle-même porte au Souverain bien; *son désir est planté dans le sein de la nature* et quoiqu'elle ait besoin de la grâce pour s'y élever, au moins elle salue de loin et lui représente sa nécessité comme une tacite demande de ce qui lui a été promis.

N'est-ce pas le sentiment chrétien que Tertullien reconnaît dans les gentils, quand il dit ces paroles: «Voulez-vous que nous apprenions par le témoignage de l'âme quelle est son alliance avec Dieu? Quoiqu'elle soit pressée dans la prison de son corps, quoi qu'elle soit environnée de mauvais exemples, quoiqu'elle soit énervée par ses lascivités et se soit asservie aux faux dieux, lorsqu'elle revient à elle-même comme d'une crapule, comme de quelque maladie et qu'elle veut un peu se sentir en santé, elle ne nomme qu'un dieu, elle l'appelle l'unique, le véritable, le bon seulement en singulier; elle reconnaît qu'il est l'auteur de son bonheur, disant communément que Dieu lui a fait ce bien; elle l'interpelle comme un juge, disant: Dieu le

[35] Cette allusion à la stature droite de l'homme se retrouve au XVII° siècle chez presque tous les apologistes qui traitent de l'immortalité de l'âme, cf. C. Chesneau, *op. cit.*, t. II, p. 419–422.

[36] Seneque, *Epitre* 92, 30. Cf. Julien-Eymard d'Angers, «Epictète et Sénèque dans le développement du monde, d'après les oeuvres de Pascal Rapine de Sainte-Marie, récollet (1655–1673),» dans *Collectanea Franciscana*, t. XXIII, p. 229–264.

voit, je recommande cela à Dieu, il me le restituera. O confessions ingénues qui sont des témoignages d'une âme *naturellement* chrétienne! parce que c'est le siège du Dieu vivant; c'est lui qui fait qu'elle est venue, c'est de ce lieu qu'elle est descendue, ce qui fait qu'elle en parle comme d'une chose qui ne lui est point tout à fait étrangère.» [37]

....Sans attendre notre baptême, Dieu nous prévient de ses faveurs et dés le point de notre naissance, il se fait notre vérité par l'instinct qu'il nous donne, notre vie par le désir du souverain bien qui est le principe de tous nos mouvements et notre voie par la conscience qui nous montre le bon chemin. Le Bienheureux est un chrétien victorieux et d'une perfection consommée; le fidèle en cette vie est un chrétien combattant dans la lice et l'homme en sa nature est un chrétien ébauché, qui reste à la porte et qui attend que la grâce lui ouvre pour s'exercer dans le combat....

....Que manque-t-il donc aux hommes qui ont en eux-mêmes et hors d'eux-mêmes tant de secours? Apprenons-le de saint Augustin qui conclut ce discours:

«Le Ciel, la Terre et tout ce qu'ils contiennent me disent de toutes parts que j'ai à vous aimer et ils ne cessent de répéter cette leçon à tous les hommes en sorte qu'ils restent sans excuse; vous ferez toutefois une plus haute miséricorde à ceux auxquels vous ferez la grâce. La grâce au surplus est nécessaire et sans elle le Ciel et la Terre publient vos louanges aux savants qui n'ont point d'oreilles pour les entendre.» [38]

5. LÉANDRE DE DIJON [39]

Dans son ouvrage sur le *Cantique des cantiques*, Léandre de Dijon (1598–1667) commence par expliquer l'origine de l'amour divin. Se plaçant tout d'abord au point de vue historique, il montre les désirs amoureux des siècles pour la venue du Verbe, ceux des anges, ceux des hommes, ceux des femmes et singulièrement de la sainte Vierge. Après une disgression sur l'amour principe de l'adoration, il explique le rôle que doivent jouer dans notre sanctification la parole des prédicateurs, les lectures spirituelles; il décrit les délices du saint amour, son origine dans la contemplation de Dieu, sa règle dans la bonté de Dieu, sa manifestation dans l'anéantissement de Dieu. Après de nombreux développements sur des thèmes semblables, Léandre de Dijon étudie «les voeux et les désirs enflammés de l'épouse pour voir clairement la face de son époux.» Il apporte une seule proposition qui est

[37] TERTULLIEN, *op. cit.*, chap. XVII, «Patrologie latine,» t. I, col. 377.

[38] S. AUGUSTIN, *Confessions*, lib. X, cap. VI. PASCAL RAPINE, *Le Christianisme naissant dans la gentilité*, t. III, chap. II, p. 50–64. Paris, 1658.

[39] Sur Léandre de Dijon, cf. LUC DE LYON, *L'Amour. Etude de théologie franciscaine, d'après les écrits du R. P. Léandre de Dijon, o.f.m. cap.* (†*1667*). Saint-Etienne, Messager de saint François, 1945.

prouvée «par raisonnement et par autorité.» Il donne en plus un exemple illustre à ce sujet.[40]

Le désir de voir Dieu est si *naturel* à l'âme raisonnable qu'elle tend à cette fin si sublime par le poids et par l'inclination de sa nature. C'est le sentiment de quelques célèbres théologiens et l'illustre saint Augustin la favorise par ces fameuses paroles: Seigneur vous nous avez fait et nous vous reconnaissons pour notre principe et notre coeur souffre une noble inquiétude jusques à ce qu'il repose en vous comme en sa dernière fin qui doit être le terme de ses poursuites. Et certes il n'y a point d'apparence que ce grand Docteur parle d'un désir que l'Ecole nomme élicite, puisque sa proposition regarde la nature de tous les hommes, qui a été formée pour voir Dieu face à face, mais seulement d'un *désir naturel*, qui suit sa condition comme un instinct et un poids qui le porte à cette vue. En effet il n'est point de créatures qui ne souhaite *naturellement* sa perfection et comme la béatitude perfectionne notre entendement, il ne faut pas s'étonner si l'inclination en est *naturelle*; et à dire le vrai, c'est une douce disposition, quand chaque chose arrive à la fin qu'elle désire par un effort de sa nature, et c'est un bénéfice de notre Médiateur, qui nous a invité à une gloire éternelle, que l'homme désire *naturellement* quoiqu'elle ne puisse l'acquérir par les seules forces de sa nature. Saint Augustin disait à ce propos: *Posse habere fidem et caritatem hominis est, habere autem gratiae Dei.* L'homme a une inclination *naturelle* pour la foi, pour la charité et pour la gloire, mais il ne les peut posséder sans la grâce de Dieu dont il porte l'image *naturelle*, qui l'incline à voir clairement son prototype et son poids ne peut être arrêté que par cette vision très claire. Et qu'il disait à Dieu: *Ostende faciem tuam et salvi erimus*,[41] montrez nous votre face et nous serons sauvés: mais quand ce poids de la nature est secondé par le poids de la grâce, que l'entendement est éclairé par la foi et que la volonté ressent le mouvement d'un amour surnaturel, les voeux et les désirs de voir Dieu dans la clarté de sa gloire s'enflamme. Et l'Epouse sainte en témoigne les ardeurs lorsqu'elle s'écrie: O vous que mon âme chérit, montrez-moi où vous paissez et reposez àmidi afin que je ne paraisse pas comme une vagabonde après les troupeaux de vos compagnons....

....C'est une maxime des philosophes et des théologiens que toutes les créatures ont des mouvements pour atteindre leur fin, où elles trouvent leur repos et que plus elles en approchent, elles y tendent avec des efforts plus violents et des saillies plus généreuses. Le feu envoie ses flammes en haut comme autant de soupirs qui regrettent l'éloignement de son terme. La terre qui était suspendue en l'air par une innocente cruauté qui violentait sa nature, descend en bas par une vitesse précipitée, si tôt qu'elle est délivrée de cette gêne. Les fleuves ne cessent de rouler leurs eaux sans être arrêtés ni par les fleurs des prairies qu'elles arrosent, ni par les paillettes de leurs lits, ni par les concerts mélodieux des oiseaux qui gazouillent sur leurs rivages, mais ils continuent leur course avec rapidité jusqu'à la mer dont ils empruntent leur origine pour être transformés dans son sein et y perdre son

[40] *Les vérités de l'Evangile ou l'idée parfaite de l'amour divin imprimée dans l'intelligence cachée du «Cantique des Cantiques.»* Paris, 1661. 3 vol. in-fol.

[41] *Psaume* LXXIX, v. 4.

nom.[42] Or l'âme qui est épouse de Dieu regarde ce souverain bien comme sa fin universelle où elle est conduite non seulement par une inclination *naturelle*, mais aussi par un mouvement très efficace de la grâce; le poids de la nature qui l'y porte, ne peut être plus grand, dit le Docteur subtil, parce qu'elle agit selon toute sa force et le poids de l'amour surnaturel seconde son instinct: donc plus elle s'avance, ses voeux doivent être plus fervents, et ses souhaits plus embrasés pour y voir clairement son époux dont la vue est la dernière fin et le terme de toutes ses poursuites.[43]

Dans d'autres passages, Léandre de Dijon revient indirectement sur ce même sujet, et, par le fait même, il donne les fondements métaphysiques de ce désir naturel de la vision béatifique.

D'abord à propos de l'excellence de l'âme.

La connaissance de nous-mêmes est si nécessaire pour entrer dans les secrets de Dieu que l'Epouse sainte ayant témoigné qu'elle souhaitait d'être élevée à une haute contemplation de ses grandeurs, il lui fait connaître par sa réponse que le fondement de cette élévation devait être la connaissance de ce qu'elle est. En effet, si une âme se contemple dans la condition de sa noblesse, comme formée à l'image et à la ressemblance de Dieu, elle trouve un puissant motif d'aimer sa bonté souveraine, qui l'a enrichie de ses dons. Certes si elle prétend avoir des notions claires de sa bonté, elle doit faire de sérieuses réflexions sur sa dignité, sur sa science et sa vertu. Sa dignité l'élève par dessus toutes les créatures privées de la raison, sa science lui doit persuader cette vérité que toute son excellence relève de son premier principe et qu'elle doit reconnaître qu'elle est en dépendance et sa vertu l'excite à rechercher son Dieu dont elle porte l'image et à s'unir à lui après l'avoir trouvé....

C'est une maxime que plus une chose est éloignée de la matière, elle est plus élevée en perfection et plus elle est impliquée en ce sujet commun, qui est le principe de la corruption, elle est plus imparfaite. Dieu qui n'admet en son être aucune matière ni physique, ni métaphysique, parce qu'il est un esprit très pur et très simple sans aucune composition possède une excellence souveraine. Les Anges qui sont épurés de la matière, sont sublimes en la noblesse de leur être. A l'opposite les éléments qui sont composés de matière et de forme, les planètes qui sont enveloppées de cette masse de corruption et les animaux qui sont plongés dans cette sentine qui est l'origine de leur changement, en sont déprimés en leur être sujet aux altérations. Or notre âme créée immédiatement de Dieu, qui la tire du néant par une saillie de sa puissance, n'a en soi aucun principe qui tende à la défaillance, et elle reconnait seulement hors de soi un principe souverain qui la peut anéantir; donc considérée par rapport à la cause matérielle, elle dépasse en excellence

[42] On peut reconnaître la méthode yvonienne, ce que le P. Yves appelle l'induction. Comme tous les degrés d'être sont taillés selon le même modèle depuis les éléments jusqu'au plus parfait des anges, pour connaître les lois qui les régissent, il suffit de les étudier les uns après les autres et de leur appliquer les constatations faites. Cf. C. Chesneau, *op. cit.*, t. II, p. 329–338.

[43] Léandre de Dijon, *Les vérités de l'Evangile*, t. I, Dix-huitième discours, p. 133–140.

toutes les créatures qui sont privées de la raison. C'est la conclusion de saint Augustin[44] lorsqu'il dit en l'Epitre qu'il adresse à Dieudonné que notre âme n'est ni la terre, ni la mer, ni les astres, ni le soleil, ni la lune ni aucun être qui puisse être vu, ni pas même le Ciel que nous ne pouvons découvrir. Et nous sommes convaincus par la force de la raison que toutes ces choses sont inférieures à la noblesse de l'âme raisonnable, d'autant que tous les êtres sont ensevelis dans la matière et que son être est spirituel et qu'elle tend à Dieu pour s'allier avec le principe et avec la fin de sa perfection; et enfin qu'elle s'écrie avec le prophète dans l'estime de sa noblesse: qu'y a-t-il au ciel et en la terre qui me puisse contenter hors de vous, qui êtes le Dieu de mon coeur et ma portion pour l'éternité.[45]

....Ne sont-ce pas les termes d'une sage consultation, lorsque les personnes divines disent dans leur conseil: Faisons l'homme à notre image et ressemblance? Dieu n'extrait pas son esprit de la terre comme l'âme des plantes, il ne le puise pas des eaux comme l'âme des poissons et des oiseaux, mais il le tire du néant pour lui communiquer un être raisonnable orné de l'image de ses perfections, afin que comme dans l'unité de l'essence divine nous adorons trois personnes distinctes, nous reconnaissions aussi dans l'unité de notre être trois puissances la mémoire, l'entendement et la volonté, et que, comme Dieu est une charité increéée,[46] qui est toujours dans l'acte d'amour de soi-même, ainsi notre âme fût toujours disposée pour aimer un souverain bien que peut être seul le terme de ses désirs.[47]

Enfin Léandre de Dijon fait encore une allusion très discrète au désir naturel de la vision béatifique, lorsqu'il parle de la beauté de Dieu. N'y trouvons nous pas encore un fondement métaphysique? Après avoir considéré la beauté du Verbe incarmé, après avoir montré que Dieu est le principe de toutes les beautés, que le Verbe incarné est l'idée de toutes les beautés, il fait voir que cette même idée en est aussi la fin:

C'est en ce sens que saint Denis disait que le souverainement beau appelle à soi comme à leur fin toutes les créatures qu'il orne de ses rayons.... Et un célèbre platonicien versé dans la doctrine de saint Denis et de Plotin définit la beauté en des termes très convenables à mon dessein. *Pulchritudo est circulus quidam divinae lucis, a bono manans, in bono residens et ad bonum sempiterne reflexus.*[48] La beauté est un certain cercle de lumière qui procède du bien, qui réside dans le bien, et qui par le bien se réfléchit toujours au bien, comme le ruisseau à sa source et le rayon à son soleil. Et il ajoute que Platon avait appris ce mystère de la Sibylle Diotime et l'a déclaré en peu de mots, quand il dit que le bien était l'unique principe de toutes choses, et un acte pur qui les vivifie et que le beau était un acte de vie, qui coule de la fontaine primitive des

[44] *De genesi ad litteram*, cap. XIX, Patrologie latine, t. XXIV, col. 363.
[45] *Psaume* CXVIII, v. 57.
[46] *I Jean* IV, 5, v. 8.
[47] Léandre de Dijon, *op. cit.*, t. I, Dix-neuvième discours, p. 141 sv.
[48] Léandre de Dijon renvoie au Pseudo-Denis: *De divinis nominibus* cap. IV, et à Marsile Ficin: *in Philebem*, cap. V.

biens, qui orne l'esprit divin de l'ordre des idées, qui enrichit les anges d'espèces, qui embellit les âmes des discours, qui distribue à la nature la vertu de produire et qui enfin relève la bassesse de la matière par une riche variété de formes et que toutes ces beautés partagées qui ont pour leur principe et pour leur idée la beauté suprème du Verbe incrée, y retournent comme à leur fin.

En effet, la beauté divine a des charmes si puissants qu'elle engendre l'amour, c'est à dire le désir de soi-même en toutes les créatures, d'autant que si Dieu attire à soi le monde, et que le monde se laisse ravir, cet attrait part de Dieu en son commencement, passe par le monde en son progrès et en son terme se rapporte à Dieu. Parce que c'est comme un cercle qui commençant à Dieu, fait un rond par le monde, et aboutit à Dieu. Et certes en tant qu'il tire son commencement de Dieu et qu'il attire, il est appelé beauté, en tant que passant par le monde et le ravit, il est nommé amour, et en tant qu'il retourne à son auteur et qu'il lui conjoint son ouvrage il porte le nom de plaisir. Donc l'amour sollicité par la beauté se termine par la satisfaction d'autant que Dieu est une beauté essentielle que toutes les créatures respirent et dans la possession de laquelle elles trouvent leur repos comme dans leur cause finale.[49]

Tels sont les textes. Ils présentent tous ce caractère fondamental; la nature humaine, comme telle, de par son intelligence et de par la volonté qui suit l'intelligence, est orientée vers la vision béatifique. Ils présentent tous la même lacune, car nul d'entre eux met en question la gratuité de la grâce. Par ailleurs chacun d'entre eux porte sa marque originale, due soit à la date (avant ou après la querelle janséniste) soit à la vue d'ensemble, Sébastien de Senlis, en bon moraliste, étant le moins précis, Léandre de Dijon, en bon mystique doublé d'un métaphysicien, étant le plus net, Pascal Rapine, en théologien de l'histoire, présentant le plan le plus vaste. De toutes façons nous pensons par là jeter une lumière neuve sur l'humanisme chrétien du XVII° siècle français.

II. LES «OMISSIONS» DE L'ABBE BREMOND DANS SON «HUMANISME DEVOT»

Dans l'introduction de *l'Histoire littéraire du sentiment religieux*, l'abbé H. Bremond sent le besoin de circonscrire l'objet de se recherches et de préciser ainsi non pas les écrivains qu'il se propose d'étudier mais bien ceux qu'il entend laisser dans l'ombre. C'est ainsi qu'il néglige les inédits littéraires, qu'il fait une place modeste aux poètes chrétiens,

[49] LÉANDRE DE DIJON, *op. cit.*, t. I, Trentième discours, p. 212–217.

et qu'il agit de même à l'égard des prédicateurs; il entend bien s'enfermer dans un enclos mystique, bien plus dans un enclos exclusivement catholique; enfin il veut fermement se borner aux ouvrages qu'il appelle *praecipui*, c'est à dire à ceux qui ont exercé une influence notable, manifestant de la sorte un aspect religieux du XVII° siècle. L'historien se voit dans l'obligation de faire un tri, et, malgré ce tri, c'est un nombre considérable d'ouvrages qui s'offrent à sa curiosité; sa bibliographie ne compte pas moins de soixante-quinze écrivains pour la plupart complètement oubliés depuis trois siècles, si bien qu'il lui faut pour ainsi dire rendre vie à près de soixante-quinze morts. Pour réaliser cette résurrection, il ne s'agit certes pas de tout lire, la plume à la main, en disséquant chacun des chapitres, en pesant chacun des mots; ce n'est pas nécessaire, c'est embarrassant, c'est inutile. Il faut à travers les mots deviner les âmes, discerner les mouvements de la vie intérieure, et les traduire par un choix lumineux de textes qui seront encadrés dans un commentaire de bon aloi. Voici donc notre consciencieux abbé en plein travail. Il est aisé de l'imaginer, l'oeil averti, le regard vif, tournant d'un geste vif les feuillets de ces vieux livres. Soudain voici un texte piquant, inattendu au milieu de pages inertes, un texte qui semble décèler, qui décèle vraiment le merveilleux objet de la recherche; vite il est noté, fiché, classé pour servir en temps voulu à illustrer la grande histoire. Le danger d'une telle méthode, c'est qu'à son insu, l'historien se laisse guider par ses propres vues, par son goût personnel, et qu'il transpose ses idées à lui par le truchement des citations d'autrui. Un contrôle permet de constater que les textes sont assez nombreux dont l'omission probablement involontaire constitue comme une déformation de l'histoire et risque d'orienter les historiens sur des fausses pistes. Ne pouvant nous étendre longuement, nous nous bornerons à quatre écrivains dont nous avons eu l'occasion de parler: le capucin Laurent de Paris, qui est, avons-nous dit, tiraillé entre deux tendances, celle de l'humanisme et celle de la mystique canfeldienne, les jésuites Louis Richeome et Julien Hayneuve qui signalent dans l'homme aussi bien les bons que les mauvais penchants, enfin Yves de Paris lui-même, que nous étudierons cette fois sous son aspect scientifique.

I. LAURENT DE PARIS

Le Palais de l'amour divin (1602) commence par un *Discours notable de l'être et noblesse de l'homme;* dans ce chapitre le capucin n'entend nullement nous donner sa pensée, mais simplement rapporter celle des sages du monde sur cette oeuvre du Créateur. Il commence par citer ceux qui l'*ont considérée comme misérable;* il continue en citant ceux qui l'ont *contemplée en sa nature honorable;* les noms des auteurs cités, sacrés et profanes, sont écrits en marge avec des références plus ou moins précises.

Dans son *Humanisme dévot*, l'abbé H. Bremond s'est contenté de donner la seconde partie, sans même faire allusion à la première. Pourtant il est nécessaire de connaître l'un et l'autre aspect, pour avoir une juste idée de la spiritualité laurentienne; celle-ci comporte en effet un double anéantissement, d'abord un anéantissement moral, qui consiste à supprimer par une ascèse des plus sévères ce qu'il y a de mauvais en nous, ensuite un anéantissement mystique, qui consiste à se laisser vider de tout l'humain pour se laisser remplir par tout le divin sous l'action du Saint-Esprit vivant en nous, qu'il s'agisse de l'intelligence, de la mémoire ou de la volonté qui sont nos trois maitresses pièces. Omettre dans Laurent de Paris les sentences qui soulignent l'humaine misère, c'est rendre incompréhensible l'anéantissement moral; souligner les sentences qui soulignent la grandeur humaine, sans dire que cette grandeur même doit être considérée comme un néant devant l'infini, c'est encore mutiler la pensée laurentienne. Voici les titres de chapitres qui concernent l'un et l'autre anéantissement:

Chap. L, *Enumération de diverses sortes d'anéantissement spirituels en la presence de Dieu.*
Chap. LI, *Volonté anéantie en toutes façons moralement.*
Volonté anéantie mystiquement
Chap. LII, *Entendement moralement anéanti*
Anéantissement mystique de l'entendement
Chap. LIII, *Memoire moralement annihilée*
Annihilation mystique de la mémoire ou simple pensée
Chap. LIV, *Anéantissement de tout l'homme, pièce fort remarquable et admirable.*
Chap. LV, *Du néant de la créature et de la dépendance essentielle de l'âme à Dieu*
Chap. LVI, *Néant de l'être de nature*
Rien quant au corps en une certaine manière
Rien en grandeur et noblesse
Rien en inclination

Rien en valeur
Rien en la grâce première de la justification au baptême
Rien en la grâce seconde de la justification
Rien en une certaine manière es bonnes oeuvres faites en grâce et en l'accroissement d'icelles
Rien es bonnes oeuvres de foi et ès autres qui sont indifférentes
Rien au maniement des affaires et autres administrations temporelles
Rien en ses bonnes pensées
Rien en savoir
Rien en ses bonnes paroles
Rien en l'exercice des vertus en une certaine façon
Rien aux grâces données gratis
Rien es divines grâces de spécial amour
Rien en sa conversion à Dieu

Nous pourrions continuer longtemps la série de ces néants; l'abbé Bremond n'en dit mot; s'il les ignore complètement, comme c'est probable, nous pouvons déduire de là qu'il n'est pas allé jusqu'au bout de l'énorme volume; s'il les a entrevus au cours d'une très rapide lecture, nous savons par là qu'il n'a pas soupçonné les difficultés rencontrées par Laurent de Paris dans l'élaboration de sa synthèse; de toutes façons c'est une omission regrettable. Venons en maintenant aux premières pages; le premier chapitre comprend deux parties, la première qui concerne l'humaine misère, l'autre qui concerne l'humaine grandeur; celle-là est complètement oubliée et cette fois l'omission est volontaire; celle-ci est sortie de son contexte lointain; Bremond lui donne un nom «les litanies de l'homme» qui ne se trouve pas dans le *Palais de l'amour divin* et il l'insère dans un commentaire de son cru, sans se douter que ces grandeurs sont, dans la pensée laurentienne, destinées à un double anéantissement. En somme si Bremond n'avait pas bousculé sa plume dans l'enthousiasme de ses rapides lectures, il aurait étudié Laurent de Paris non pas dans le tome consacré à ce qu'il appelle «l'humanisme dévot,» mais dans celui qu'il consacre à l'invasion mystique; il l'aurait placé à côté de son frère en saint François: Benoît de Canfeld.

Pour être bref, nous nous contenterons de mettre en parallèle le passage cité par Bremond avec le commentaire qui l'accompagne et le passage oublié par Bremond nous devinons trop pour quelle raison. Rappelons pour mémoire que l'un et l'autre sont composés de sentences empruntées tant à l'Ecriture et aux Pères qu'à l'antiquité grecque et latine. Nous n'avons là somme toute que deux compilations.

H. Bremond, *Histoire littéraire du sentiment religieux*, t. I, *L'humanisme dévot*, p. 360. Paris, Bloud & Gay, 1929.

La splendide chose que l'humanité, disait Shakespeare! Nos humanistes, pensent comme lui. Un d'eux, la capucin Laurent de Paris, dans son *Palais de l'amour divin*, va jusqu'à écrire les litanies de l'homme. En voici quelques versets:

L' homme contemplé honorable en sa nature

Le modèle de concorde, de tous les animaux le plus accostable, le plus social....
Homme de son naturel, animal politique et civil....
Seul entre les bêtes, se plaisant aux odeurs, signe de son naturel honnête, amateur de vertus....
Le compas et mesure de toutes choses....
Divin intellect, lié de terrestres liens....
La possession de Dieu, difficile héritage, qui ne peut être vil esclave puisque Dieu l'a choisi pour son *peculium*....
Amas et assemblage de toutes perfections....
Grand Protée et noble caméléon qui peut être fait toutes choses et revêtu de toutes formes créées et incréées....
Le très droit et très prudent, le très noble et très haut....
Perfection de l'univers, abime de capacité en son intellect, en son estimative, en sa volonté....
Provide animal, sage, caut, plein

Laurent de Paris, *Le palais de l'amour divin*, p. 1–2. Paris, 1603.
Discours notable de l'etre et noblesse de l'homme

Chapitre I

Les Sages du monde, âme chrétienne, mettant sur le théâtre de leur discours et jugement cette belle créature, l'homme, pour en dire leur avis et semblant, chacun d'eux, selon l'oeil de considération duquel il l'a envisagé, en a aussi jeté hors des paroles et tenu des propos, ou de los, ou de honte, ou de prix ou de mépris.

L'homme considéré misérable

Ceux qui ont eu égard à sa vie et à sa fin naturelle, comme elle est maintenant l'ont appelé....

Ombre passagère, voire passage d'ombre et songe d'ombre....

Girouette à tous vents qui ne dure longtemps dans le même état....

Exemple d'imbécillité, modele de faiblesse, dépouille du temps, le jeu de la fortune, image d'inconstance, balance d'envie, trébuchet de misères, ...

Ecume de mer dissipée par l'orage ....

De tous les animaux respirant et rampant et serpant le plus calamiteux, le très misérable....

Pourriture, ver de terre, naissant tout nu, mourant de même, qui pour toutes richesses n'emporte qu'un linceul....

Pauvre créature, héritier de serpents et de vers, sac de lombrics, fumier couvert de neige, grand hyde desseins et de replis, subtil, mémoratif, plein de raison et de conseil, constant de corps et d'âme, ...né pour la justice et la vertu....

Perle des créatures, le joyau du monde....

Jusques ici s'étend le pourpris de l'excellence humaine, quant à sa nature et capacité naturelle....

Si l'homme «considéré en sa nature» les enthousiasme à ce point, ne craignez pas qu'ils refusent leur admiration aux «vertus naturelles» qui font «l'honnête homme.»

pocrite, qui paraît quelque chose et toute fois n'est rien....

Un point, moins qu'un point, un songe de nuit, un mensonge, une fausseté, universelle vanité, un rien, un néant.

L'homme contemplé honorable en sa nature

Mais ceux qui de près l'ont considéré en son propre être, et qui de près ont remarqué ses actions et fonctions naturelles, qui ont aussi considéré sa fin surnaturelle, l'ont au contraire trouvé si beau et jugé si excellent, que ravis en admiration d'une si rare pièce du monde, d'un sujet si noble et si admirable l'ont à contrepoil appelé:

le modèle de concorde....

2. LOUIS RICHEÔME ET JULIEN HAYNEUVE

Il s'agit maintenant de deux jésuites, l'un étudié par H. Bremond dans un long chapitre, l'autre cité par lui plus brièvement sans doute mais avec autant d'affirmation brutale, nous voulons dire sans nuance. Rappelons pour mémoire que l'humaniste chrétien admet une certaine suffisance de la nature humaine, suffisance qui se manifeste tout particulièrement dans cette inclination soit à voir Dieu face à face, soit à l'aimer par dessus toutes choses; il admet également que cette nature sans être corrompue est du moins profondément blessée en sorte que cette inclination naturelle ne se peut réaliser sans le secours absolument nécessaire de la grâce. Grandeur et misère de l'homme tels sont les deux pendants du dyptique; il est aisé dés lors de ne faire voir qu'un seul côté du visage; c'est ce qu'a fait l'auteur de l'*Humanisme dévot*. Laissant de les passages consacrés aux humaines bassesses, il a mis uniquement en vedette les passages consacrés aux humaines grandeurs. Cette omission, nous la montrerons aisément.

a) Louis Richeômе

Louis Richeôme traite du péché originel dans un ouvrage intitulé: *L'adieu de l'âme dévote laissant les moyens de combattre la mort par la mort et l'appareil pour repartir heureusement de cette vie mortelle.* Rouen, 1605, 1610, Amiens, 1612.

Nous trouvons sur ce sujet un premier «devis,» (le soixante-deuxième du livre), où il est question *De la laideur du péché en la considération de la première mort spirituelle. La définition et division du péché. Du péché originel.* Nous en extrayons le passage suivant, en soulignant les expressions qui témoignent d'un pessimisme certain:

«L'originel est la première tache imprimée en l'homme, en tant que membre conçu et engendré par voie de concupiscence de la semence d'Adam. Item une langueur de la nature en Adam. Item une privation de la justice originelle, qui avait été donnée au premier homme pour tous les hommes et qui fut perdue en lui pour tous les hommes aussi. Et partant tout le genre humain, qui était pour lors ramassé en Adam et Eve, a été fait *criminel* par le *crime* de son chef, ores qu'en particulier il n'y ait consenti: tout ainsi que tous les membres du corps sont rendus coupables et punissables du forfait commis par la volonté, combien que la seule volonté en soit la vraie cause et origine. En Adam et par Adam a été commis la péché et d'Adam est découlé en tous les membres et tous ont péché en lui. C'est ce que dit l'Apôtre: «Comme par un homme le péché est entré dans le monde et la mort par le péché, ainsi la mort est parvenue sur tous les hommes en qui tous ont péché» (Rom. V, 11, I *Cor.* XV, 22). C'est l'humble confession de David: «Voici que j'ai été conçu en iniquité et ma mère m'a conçu en péché.» Et c'est la voie de l'Eglise de Dieu et des saints docteurs d'icelle. C'est donc une vraie tache générale, venue du général des hommes: une *déréglée* disposition de la nature, provenant de la *dissolution* de l'harmonie qui eût été en tous les enfants d'Adam par le moyen de la justice originelle qu'il perdit, laquelle tenait tout l'homme en accord, faisant soutenir la note de raison avec son dièse au besoin à chaque partie de l'âme par une juste et entière obéissance des inférieures aux supérieures et des supérieures à Dieu: de manière que l'enfant par le défaut de cette justice et par ce *dérèglement* est rendu comme un orgue ou un autre instrument de musique mal accordé, lequel étant frappé de la main du maître rend un son mal grâcieux, et tant plus il est touché, tant plus il empire. Aussi voyons-nous que cette *pauvre créature humaine*, dés qu'elle parvient en âge de discrétion, au lieu de bien faire résonner ses actions à la mesure et cadence de la loi de Dieu et de la raison, elle suit une note toute contraire, et, si elle n'est remise en ton par la discipline de la grâce de Dieu, elle fait une *funeste dissonance* de toutes ces belles facultés dont elle est composée et se rend un *magasin de tous vices*: et partant si vous voulez savoir que c'est du péché originel, c'est *la sentine et fondrière de* tous les péchés des enfants d'Adam, *sentine* cachée à la plupart d'entre eux: car les païens n'en ont rien vu, leurs philosophes rien, encore qu'ils fissent profession de savoir toutes choses. Ils ont vu la *course des vices* et la *sanie fluente* de la *corruption* de l'homme seul *dépravé* et *déréglé* entre les créatures de l'univers.» (édition 1603, 1605, p. 160, ed. 1612 p. 336.)

Voilà qui ne rend pas un son pleinement optimiste, loin de là.

Heureusement ce chapitre se termine sur une note réconfortante car il est fait allusion au «vrai médecin et médiateur Jésus-Christ, qui de ses plaies et de son sang devait laver et guérir ce *pauvre genre humain ployé, souillé et corroyé en l'ordure de son père et aux siennes.*» Encore peut-on constater que l'humanité s'y trouve véritablement malmenée.

Nous passons sur le deuxième chapitre (soixante troisième devis): *que sans le baptème nul enfant n'est saint, ains souillé et mort spirituellement.* Nous avons ici la réfutation de Calvin qui prétend que les enfants sont sanctifiés au sein de leur mère par la foi des parents. Nous passons, mais pour y revenir sur le troisième chapitre (soixante-quatrième devis): *Des restes du péché originel.* C'est à ce passage que Bremond emprunte ses citations. Nous tenons avant de le commenter à le remettre dans son contexte. Nous voici donc rendus au quatrième chapitre (soixante-cinquième devis): *Du péché mortel et véniel.* Il importe de nous y arrêter assez longuement. Le péché mortel est ainsi appelé parce qu'il provoque la mort spirituelle de l'âme, mort qui est le propre de l'homme car l'animal, n'étant pas libre, est incapable de pécher, donc de mourir spirituellement, mort spirituelle de l'âme de beaucoup plus ignoble que celle du corps, premièrement parce qu'elle est plus proche de la sentine et de la laideur, deuxièmement parce qu'elle atteint la partie la plus excellente de l'homme, troisièmement parce qu'elle est l'image vive du péché qui l'a causée et qui est la laideur même. Il convient ici de citer le texte lui-même:

«La laideur générale d'une chose vivante est la mort: car elle défigure toutes les parties d'icelle; cette privation de la grâce de Dieu et la semblance du péché imprimée en l'âme est la mort de l'âme et partant la rend universellement difforme. La spéciale laideur est celle qui se voit dans chaque membre comme en la main, au visage, au yeux et aux autres: et cette laideur provient ou de la qualité mauvaise qui ternit ou de la dislocation qui la met hors de sa place. Le péché par cette privation qu'il opère, *souille et ternit* toutes les parties de l'âme, les met en discorde, car il *aveugle l'entendement,* rend *la volonté tortue,* il *corrompt la mémoire,* il met les cornes aux passions et *les fait indomptables,* il *gâte* le sens commun et l'imagination, et finablement comme il jette un dérèglement et une confusion générale dedans l'âme, il met sa propre laideur à chaque partie d'icelle par sa malignité. Il cause ainsi un grand désarroi des mêmes parties qui est le second point de cette difformité, qui la rend merveilleusement grande: car comme il n'y a rien de si beau que l'ordre, aussi n'y a-t-il rien de si laid que le désordre. Ce serait une chose monstrueuse en une famille de voir que la chambrière commandât au maître de la maison, en une école que le disciple régentât son régent, en un corps naturel que le talon voulut faire l'office de l'oeil, que la tête fût aux pieds, les pieds sur les épaules, les yeux sur les genoux et ainsi du reste:

toute cette laideur est engendrée en l'âme par le péché: au moyen de quoi il corrompt tout en général et en particulier, souillant et mettant en désordre toute cette belle république spirituelle.» (éd. 1603, 1605 p. 170, éd. 1612 p. 358).

Cette description de l'âme pécheresse, qui n'est pas sans nous faire penser (*mutatis mutandis*) aux célèbres portraits de Picasso, est certes bien loin de respirer un optimisme béat. Il en est de même pour celle du péché originel que nous avons transcrite plus haut. Ces deux descriptions, notons-le avec soin, encadrent la citation que Bremond fait de Richome et lui donnent une saveur peu encourageante; ils en font comme une mise en garde, souriante sans doute, optimiste à certains égards, mais qui ne laisse pas de sous entendre qu'il faut veiller et prier si l'on veut être «soigneux de son salut.» Voyons donc comment l'historien va s'y prendre pour opérer une brillante métamorphose.

D'abord il va changer le contexte. Il montre que pour Richeome le désir de la gloire humaine est louable et magnifique pourvu qu'il s'ordonne à la vertu, à la science, au bien public, et, pour ce faire, il se réfère à l'*Académie d'honneur*. Il rencontre alors l'objection janséniste; voilà, pensent ces théologiens, un écrivain qui en prend à l'aise avec le vieil Adam et la triple concupiscence. Enfin il fait dire au bon jésuite: «J'y venais et vous n'aurez rien perdu pour attendre» et celui-ci d'entamer un nouveau chapitre où il prouve avec la même joie débordante que «les restes du péché originel» contribuent à la beauté du monde moral. L'on a bien l'impression qu'il s'agit du même ouvrage et que nous avons là le contexte immédiat. Or il n'en est rien puisque le texte cité se trouve dans *l'Adieu de l'âme* et dans un contexte immédiat complètement différent. Nous venons de le montrer amplement.

Ensuite l'abbé Bremond va mettre en exergue des expressions qui, sorties de leur contexte, auront une allure un tant soit peu pélagienne. Mais voyons plutôt:

H. Bremond, *Histoire littéraire du sentiment religieux*, t. I, *L'humanisme dévot*, Première partie, chap. II, *Louis Richeome*, p. 57–58.

«Là dessus il (Richeôme) entame un nouveau chapitre, où avec la même joie débordante il prouve que les «restes du péché originel» contribuent glorieusement à la beauté du monde moral.

«*Le philosophe.* – (Le péché originel) est-il du tout effacé?

Le théologien. – Du tout (c'est à dire tout à fait).

Le philosophe. – D'où vient donc la rébellion de la chair à ceux qui sont baptisés et nettoyés de cette ordure?

Le théologien. – De l'amorce qui en est restée?

Le philosophe. – Je n'entends pas ceci; car puisqu'il n'y a aucun venin de péché résidu.... d'où vient l'enflure de notre âme et de notre corps? Si la racine de corruption est arrachée, et la sentine vidée, d'où bourgeonnent tant d'épines, de quelle source coulent tant d'infirmités?»

Mon Dieu! que tout cela est simple, explique le théologien! Nous admettons, n'est-il pas vrai, que cette concupiscence n'est point péché, mais simplement amorce de péché. La miséricorde est donc sauve puisqu'elle a ôté «le mal, qui seul est si formidable, à savoir l'infection du péché.» Quant à ces «quelques pointures de la plaie guérie», il est trop certain qu'elles piquent; elles nous sont bonnes pourtant. D'ailleurs n'allez pas exagérer la cuisson de cette bienheureuse cicatrice. Dieu, ayant remis «en sa force et sa beauté» la partie supérieure de l'âme

permet demeurer l'inférieure avec quelque rébellion, qui, facilement

L. Richeome, *L'adieu de l'âme dévote laissant le corps....* Amiens, 1612, Devis LXXIV, *Des restes du péché originel*, ed. 1605, 1610, p. 165, ed. 1612, p. 345.

«Revenant au péché originel je conclus qu'il est la première mort de l'âme et qu'il est effacé par le mérite de Jésus-Christ appliqué par le baptème, par lequel l'homme est réconcilié Dieu, vivant en sa grâce et fait héritier du ciel.

Le philosophe. – Est il du tout effacé par le baptème?

Le théologien. – Du tout.

Le philosophe. – D'où vient donc la rébellion de la chair à ceux qui sont baptisés et nettoyés de cette ordure?

Le théologien. – De l'amorce qui en est demurée.

Le philosophe. – Je n'entends pas ceci car puisqu'il n'y a aucun venin du péché rendu comme vous dites, et la foi nous ordonne de croire, d'où vient l'enflure de notre âme et de notre corps? Si la racine de corruption est arrachée et la sentine vidée d'où bourgeonnent tant d'épines, de quelle source coulent tant de ruisseaux d'infirmités, et de mauvaises inclinations en notre chair et en cette partie inférieure de l'âme? Saint Paul s'en plaignait, disant: Je vois une autre loi en mes membres bataillant contre la loi de mon entendement; me rendant captif de la loi du péché qui est en mes membres, et finablement s'écrie: Las, moi, misérable, qui me délivrera de ce corps de mort? (*Rom.*, VI, 23–24). Et tous les saints l'ont senti et déploré cette misère. *Le théologien.* – Il est très certain que les saints l'ont senti et déploré et que la concupiscence demeure qui n'est point péché, mais toutefois amorce du péché, comme parlent nos théologiens après la

est réglée avec l'assistance divine et la raison maîtresse, par ceux qui veulent être soigneux de leur salut. Il écrase la tête du serpent, où consiste le venin et le danger, et laisse le tronçon et la queue, qui peut bien se remuer et faire que c'était un serpent, mais non pas nuire, si l'on n'en veut prendre sa réfection.

Ces tronçons et cette queue, «engeance et race mutine du péché originel,» cet aiguillon dont les pointes «font rougir une âme gaillarde, comme si elle recevait des soufflets» ont une foule d'avantages. Ils nous maintiennent dans l'humilité; ils nous donnent chaque jour des occasions de victoires. Et Richeôme de réciter les triomphes de Pompée, de Mithridate, de Titus et des autres si fiers d'attacher à leur char l'ennemi vaincu et vivant.

Octavian eût mieux aimé Cléopâtre reine d'Egypte, vive en son entrée triomphale que toutes les autres magnificences.

Dieu nous laisse à nous notre Cléopâtre, la concupiscence toute vive, pour que notre triomphe en devienne plus glorieux. Il la laisse «pour les vaillants.»

Si les lâches et les paresseux s'en fâchent, et y ont de la confusion, les vertueux s'en réjouissent, non pour sentir telle amorce, mais parce que c'est la volonté et ordonnance divine qu'ils soient prouvés en tel feu et d'autant qu'ils en espèrent de la gloire et ne demandent pas mieux, tant qu'il plaira à Dieu. Un coeur noble et hardi s'ennuie s'il n'a quelque sujet pour s'exercer.

Alexandre le Grand, autant qu'il oyait dire que son père avait pris une grosse ville, il se fâchait....

sainte Ecriture, que si elle est appelée péché quelques fois, c'est parce qu'elle encline à péché et est peine de péché, comme très bien est déclaré par les saints docteurs et Conciles. Par quoi les inclinations au mal, l'inconstance, la tardiveté à bien faire et semblables infirmités, reliques de notre fièvre spirituelle et les chardons de notre terre corrompue, comme aussi les maladies, la mort et autres peines du péché originel: de quoi je ne saurai donner meilleure cause que l'ordonnance du Créateur, non seulement juste mais encore pleine de miséricorde et de sagesse; sa miséricorde se voit en ce qu'il ôte le mal à savoir l'infection du péché, barrière qui nous fermait la porte du Paradis; sa justice en ce qu'il nous laisse quelques pointures de la plaie guérie, comme pour reconnaissance, peine et purgation de notre santé, il purge par sa vertu la partie supérieure de l'âme et la remet en sa force et beauté et permet demeurer en l'inférieure avec quelque rebellion qui facilement est règlée avec l'assistance divine et la raison maitresse par ceux qui veulent être soigneux de leur salut....

Ce très bon et très sage réformateur de notre nature laisse des pointes qui font rougir une âme gaillarde, comme si elle recevait des soufflets.... mais c'est afin d'engendrer, conserver en nous la vertu d'humilité vraie base, mère et nourrice de toutes les vertus. La même bonté reluit ici en ce qu'elle donne matière et moyen en nous-mêmes de gagner une insigne gloire sur nous-mêmes et de nous-mêmes. Car nous laissant toute cette engence et race du péché originel qui est la mauvaise disposition de l'appétit sensitif, le feu des passions, les maladies, la mort et autres dérèglements de l'âme et

dissant que son père ne lui laisserait aucun ennemi.

Il y a loin certes de ces pages triomphantes au petit livre, sublime, certes mais accablant que Bossuet écrira près d'un siècle plus tard dur les trois concupiscences....

peines du corps provenant de cette source, c'est autant de matière qu'il nous laisse pour nous exercer honorablement à la guerre et, gagnant une belle victoire, faire triomphe et couronne de nos ennemis, qui est plus que s'il les mettait du tout à néant avec le péché originel.... Voilà donc comme nous combattons la mort par la mort; voilà comme le péché originel est la mort de l'âme, comme il barre la porte du Paradis, comme il est lavé par le mérite du Fils de Dieu, comme ses amorces et reliques nous demeurent par le baptême, pour matière de combat et de victoire aux vaillants, de confusion et ignominie aux couards qui n'auront su, ni voulu user des armes et aides que cette infinie bonté daigne nous donner pour gagner cette belle victoire de nous-mêmes en nous-mêmes....

Si les lâches et les paresseux s'en fâchent....

Alexandre le Grand....

Pompée....

Titus....

Mithridate....

Octavian....

Bremond a certainement raison de souligner un certain optimisme de Louis Richeôme, celui qui consiste à déclarer la victoire facile, celui qui également qui fait appel à ce désir de vaincre qui subsiste au creux du coeur humain. Mais il a tort de minimiser le fond de malice que le péché originel, selon le jésuite, a laissé dans la partie inférieure de l'âme humaine. Notons tout d'abord que l'expression «bienheureuse cicatrice» ne se rencontre pas dans ce soixante-quatrième devis de l'*Adieu de l'âme dévote*. Ensuite les expressions que l'historien met en exergue: amorce de péché, pointures de la plaie guérie, dans le contexte que nous avons donné, sont loin d'évoquer, l'une l'hameçon du pêcheur, d'ailleurs extérieur au poisson qu'il capture, l'autre la piqûre d'une épingle. Quand il dit que «la concupiscence n'est point péché, mais toutefois amorce de péché» Richeôme se réfère à *Romains* VI, *Jacques I*, Conc. Trid. sess. 5, S. Augustin, lib. I *de nuptiis et concupiscentia*, cap. 23, et lib. II, cap. L, lib. I, *contra duas epistolas Pelagii*, cap. XII, *Romains* VII, S. Augustin, lib. I *Retractationes* cap. XV, lib. XIII *de Trinitate*, cap. XVI. Nous n'avons pas contrôlé ces références d'ailleurs imprécises, mais nous pouvons être certain qu'elles ne vont pas dans le sens d'un optimisme béat. De plus «amorce» ne signifie rien d'autre «qu'inclinations au mal, inconstance, tardiveté à bien faire, reliques de la fièvre spirituelle, chardons de la terre corrompue.» Si Bremond l'avait voulu, il aurait pu, brillant écrivain qu'il est, mettre en vedette toutes ces expressions et montrer avec aisance que Louis Richeôme a prôné le plus noir des pessimismes. Quant aux «pointures de la plaie guérie,» «ces pointes qui font rougir une âme gaillarde,» «cette engence et race mutine» (Bremond arrête ici sa citation), elles ne sont rien de moins que «la mauvaise disposition de l'appétit sensitif, le feu des passions et autres dérèglements de l'âme,» sans compter les maladies, la mort qui sont les peines du corps.

Au fond L. Richeôme ne fait rien d'autre que de commenter l'axiôme bien connu: *homo a gratuitis spoliatus, vulneratus in naturalibus*; il le fait à sa manière, burlesque, primesautière, quasi simpliste, qui prête ainsi à des commentaires volontairement optimistes de la part d'un historien, ou plutôt d'un écrivain dont le style est éminemment celui d'un séducteur.

b) Julien-Hayneuve

JULIEN HAYNEUVE *L'ordre de la vie et des moeurs qui conduit l'homme à son salut et à la perfection de son état. Sur ce que dit saint Augustin que l'Ordre est le guide qui nous mène à Dieu. Discours travaillé à la gloire de Jésus-Christ, chef de l'ordre.*

Première partie. *Ce que c'est que l'Ordre de la vie et des moeurs*, t. I, Paris, 1639. In-4°, 542 p.

Deuxième partie. *Comme l'ordre de la vie et des moeurs conduit à Dieu*, t. II, Paris, 1640. In-4°, 574 p.

Troisième partie. *La pratique de l'ordre de la vie et des moeurs qui prend l'homme par la main pour le conduire à Dieu.* t. III, Paris, 1640, In-4°, 1595 p.

Au début de cette étude, nous avons tenu à donner avec tous les détails le titre de l'immense ouvrage que nous devons au laborieux effort du jésuite Julien-Hayneuve. Nous disons bien «immense» puisqu'il comporte en tout 2711 pages. Il va de soi que l'abbé H. Bremond n'a pas tout lu; l'on peut même dire sans jugement téméraire qu'il n'a pas tout parcouru. D'ailleurs, si l'on se reporte à l'*Humanisme dévot* et plus précisément au chapitre consacré à l'optimisme chrétien, l'on pourra constater que les citations sont toutes empruntées au seul tome premier; c'est là une lacune d'autant plus considérable que la pensée de Julien Hayneuve forme un tout cohérent et qu'en distraire une partie, c'est tout simplement la trahir.

Voulant conduire l'homme au suprême bonheur qui lui est destiné, Julien Hayneuve considère tout d'abord l'univers où le Seigneur a placé l'humaine créature; dans cet univers il distingue six ordres: ceux de la loi éternelle, de l'état, de la raison, de l'appétit, de la nature et du pouvoir; la loi éternelle établit que Dieu est le maître suprème, et qu'il faut se soumettre à la volonté divine; cette divine volonté a sagement décrété la diversité des «conditions et vacations,» autrement dit des états, d'où la grave obligation pour chacun de bien s'acquitter de son office; heureusement la raison qui «nous fait hommes,» trace la voie à suivre; son autorité s'exerce sur les passions, naturellement bonnes, et qui doivent prêter leur force à l'accomplissement de la tâche journalière; la nature enfin nous invite à nous connaître nous-mêmes, à prendre conscience de nos limites à seule fin que le Maître Suprème, qui détient tout pouvoir, entende notre prière et nous fasse participer à force éternelle ainsi enfin qu'à son éternel bonheur. Tel est l'ordre idéal et l'on comprend que Bremond ait trouvé des textes pour illustrer ce qu'il appelle «l'optimisme chrétien.»

Malheureusement le péché est intervenu, et Julien Hayneuve ne l'ignore pas; il l'ignore d'autant moins que pour lui le désordre est d'autant plus laid que l'ordre primitif était plus beau. D'où chez lui une série de pages noires, amères, où le mal est dénoncé en termes virulents et qui rappellent les descriptions les plus sombres d'un saint Augustin. Lorsqu'Adam eut péché, à l'ordre de bonté qui manifestait l'amour du Créateur, succéda l'ordre de la justice qui manifestait le courroux d'une juge. Alors parut un pouvoir redoutable, un ennemi épouvantable dont les coups sont mortels, les menaces terribles et la tyrannie insupportable: le monde. Tout le mal qu'il peut faire, c'est de nous dérégler dans nos amours par le moyen de ses charmes et de ses piperies. Dés lors, le naturel devient sujet à l'impudicité, à la colère, à la haine, à l'ambition, à l'avarice, à la témérité, à la lâcheté. L'appétit, se trouvant fortifié par ces mauvaises inclinations, attaque avec plus de violence la raison et la volonté. Celle-ci de maîtresse est devenue servante; elle voudrait bien se défaire du vice, mais elle sent qu'elle ne le peut; elle est liée et n'a pas la force de se délier. La raison est en butte à l'appétit concupiscible, qui appelle à son secours l'appétit irascible; et celui-ci se met en colère en excitant toutes les passions et ne menace pas moins que de livrer une bataille continuelle. La corruption gagne les états, car les hommes, dans le choix qu'ils font d'une profession, ne veulent point s'étudier à se faire habiles gens, n'ont point la crainte de Dieu devant les yeux, ne s'adressent point à elle pour la consulter et s'ils lui demandent ses avis, ils ne se mettent pas en peine de les suivre. Il est dés lors normal qu'à son tour la loi éternelle tende à disparaître de l'horizon humain; devenue la proie des philosophes païens, elle est dépouillée de ses traits essentiels, du moins pour une grande part.

Heureusement le Fils de Dieu est venu sur terre pour faire succéder à cet ordre de justice celui de la miséricorde. «Si quelqu'un veut venir apès moi, dit-il, qu'il se renonce à soi-même, qu'il porte sa croix et qu'il me suive.» En disant: «Si quelqu'un veut venir apès moi,» il rétablit le premier ordre, celui de la loi éternelle, car il est «l'image substantielle du Père»; il rétablit le second ordre, qui est celui des états, car il se fait entendre à des personnes de toutes conditions. En disant: «Qu'il se renonce à soi-même,» il rétablit le troisième et le quatrième ordre, c'est à dire celui de la raison et de la volonté. En disant: «Qu'il porte sa croix et qu'il me suive,» il rétablit le cinquième et le sixième ordre, c'est à dire celui du naturel et celui du pouvoir. Notre Seigneur nous donne la cause formelle de notre pouvoir, par l'exemple qu'il nous laisse de la façon dont nous pouvons l'employer. Il est la cause effective de notre pouvoir, en tant que nous ne pouvons rien sans lui; et nous le suivons quand nous abstenons et que nous agissons selon les impulsions de sa grâce. Notre Seigneur est la cause finale de notre pouvoir; nous le suivons quand il nous commande en tant que nous avons les mêmes fins que lui pour accomplir les oeuvres de son Père. Telle est la magnificence de la Rédemption qui par l'obéissance du divin Crucifié nous rend beaucoup plus que nous n'avons perdu par la désobéissance du premier homme.

De ce triptyque l'abbé H. Bremond a bien vu le premier et le troisième volet; il n'a fait qu'une allusion plus que rapide au second, qui pourtant a son importance. Jugeons plutôt:

H. Bremond, *Histoire littéraire du sentiment religieux*, t. I, p. 365–368.

Veut-on là dessus (la grandeur de l'homme) le témoignage plus grave, plus calme d'un théologien de marque, d'un spirituel insigne, que l'on parcoure le très beau livre du jésuite Julien Hayneuve: *L'ordre....*

«Ces pauvres passions, dit le P. Hayneuve, qui avaient été condamnées par les stoïques, en ont appelé aux chrétiens, qui cassant par arrêt la sentence de ces philosophes impertinents, ont déclaré hautement qu'on ne pouvait accuser ces premiers mouvements de la nature sans injustice, qu'il n'y avait rien de plus naturel, de plus indifférent, de plus innocent.»

En effet ces mouvements n'étant que des effets de notre nature, «nous ne pouvons les blâmer qu'en blâmant la sagesse de Celui qui nous a fait comme nous sommes.» «Nos inclinations sont tellement dans la main de notre raison qu'elles ne sauraient faire le moindre mal sans sa permission.» Notre volonté régente de très haut sur ce monde tulmutueux et imaginaire. Elle est «tellement libre en ses actions que Dieu même ne la voudrait contraindre;» libre même en face de «cet aiguillon de la chair (qui) est émoussé par les pointes de l'esprit qui sont les plus fortes;» car ce «corps de péché demeure sans âme quand la volonté ne lui donne point son consentement.

J'avoue bien que depuis le malheur qui nous a fait naître esclaves du démon.... notre volonté a été Beaucoup affaiblie de son pouvoir naturel. Mais aussi il faut confesser qu'elle est tellement renforcée surnaturellement par le secours de la grâce que si elle a perdu d'un côté, elle a incomparablement plus gagné de l'autre.»

Julien Hayneuve, *L'Ordre de la vie et des moeurs qui conduit l'homme à son salut et le rend parfait en son état.*

t. III, Discours II, section IV, *Des misères dans lesquelles le péché originel a engagé notre nature en nous faisant passer de l'ordre de la bonté dans celui de la justice.* p. 38. Depuis qu'Adam eut péché et que par une ingratitude extrème il n'eut point crainte d'offenser cette divine Majesté, elle (la Providence) jugea qu'il ne faillait plus traiter les hommes qu'en criminels et qu'en fugitifs, qu'il fallait les gouverner par rudesse puisqu'ils avaient abusé de sa douceur et changeant ses premiers desseins, s'il faut ainsi parlcr, et, en prenant de seconds, elle eut sujet de se montrer envers ses sujets coupables autrement que s'ils fussent demeurés innocents. C'est pourquoi retirant sa bonté, qui retenait tout le cours de ces maux que nous souffrons maintenant, levant la digue qui les retenait, ils se sont jetés avec impétuosité sur cet homme misérable, qui n'avait pas voulu être heureux et se sont déchargés sur sa tête. Toutes ses passions se sont soulevées, toutes les créatures se sont révoltées; nous nous sommes sentis attaqués au dedans et au dehors comme si tous les malheurs avaient ensemble conjuré à notre ruine, ils sont venus à la foule.

t. I, p. 434 De fait ce naturel qui tient lieu de la raison et de l'appétit (et qui est différent selon chacun de nous) au lieu qu'il devrait porter les intérêts de cette partie supérieure dont il est né sujet, comme il a été corrompu par le péché originel et qu'il est encore soulevé par le diable, il se range ordinairement du côté de cette partie animale, en excitant ses passions et en supportant la révolte: ou s'il prend plaisir à ces remue-

Aussi donnera-t-il de longues pages à la considération de l'ordre naturel pris engénéral et au mystère de chaquc «naturel» pris en particulier.

Adorons dans notre naturel cette loi éternelle de notre Dieu qui par sa providence admirable nous l'a départi tout particulièrement pour être glorifié de nous d'une façon particulière.... Si nous avions bien nous servir de notre naturel, que nous deviendrions surnaturels!

Puis que Dieu veut bien

s'accommoder à notre naturel pour trouver de l'entrée dans nos âmes, n'est-il pas juste que nous nous accommodions à ses volontés, et qûe, conspirant avec une si grande bonté pour accomplir notre bonheur, nous nous servions de nos inclinations naturelles pour consentir à ses grâces, comme ses grâces et ses inspirations se servent de nos inclinations pour nous attirer et nous persuader.

Mais dira Jansenius

A quoi bon nous rompre la tête avec le naturel puisque nous sommes élevés dans un ordre tout surnaturel.... Ne nous citez donc personne, ou citez-nous toujours un saint Paul qui ne nous parle que de Jésus-Christ.... ne nous parlez donc plus de Socrate ni de Platon, puis qu'ils ne sont pas canonisés; ne nous parlez plus de la raison, ni de l'appétit, ni du naturel, ni des passions, puisque tout cela sent le profane et le païen. Il faut que nos écrits soient sacrés et que tout ce qui sortira de nos bouches et de nos plumes, ne soit que mystique et de nos plumes, ne soit que mystique, que surnaturel, que divin, que grâce, qu'onction et qu'esprit.

C'est en deux mots déjà tout le ments, il se veut pour le moins attribuer le gloire de les avoir apaisés, et il prétend que la raison lui en doit toute l'obligation, si bien que, de quelque façon que ce soit, notre raison en est extrèmement intéressée dans son autorité: d'autant qu'elle sera réduite sous la tyrannie de l'appétit, ou, si elle en est délivrée, elle retombera sous l'esclavage du naturel, qui lui dérobera tout son honneur et toute sa vertu.

t. I, p. 439 Comme il n'y a point de personne si bien née, qui ne soit née dans le péché et par conséquent qu'il n'y a point de naturel qui n'ait son faible et qui ne sente de la pente pour le mal, quoique tous ne soient pas portés à tous les vices, ni aux mêmes vices, c'est de cette inclination particulière qui nous entraine plus particulièrement, que notre raison se doit défier, après avoir pris la peine de la découvrir, puisque c'est par là que l'appétit tâche de se soulever par sa passion, que le démon l'attaque plus souvent par la tentation et par où le désordre se fourre. C'est contre elle principalement qu'elle doit employer toute sa prudence et toutes ses forces pour la dompter entièrement, afin qu'étant venue à bout de cet ennemi capital, elle ne trouve plus rien qui lui puisse disputer son empire, et qu'ainsi elle soit toujours victorieuse et toujours triomphante.

t. I, p. 491 *Erreurs des païens touchant la Providence de Dieu, la dépendance que nous en devons avoir et la liberté de nos volontés.*

p. 510 *Impertinence orgueilleuse des païens qui ne se servant que d'une raison inférieure la voulurent faire passer pour être infaillible et impeccable.*

p. 527 Nous ne voulons point recevoir en témoignage ni un Epictète ni un Sénèque, ni un Plutarque, puis-

procès de l'humanisme dévot. Au jésuite de répondre:

Voilà un discours qui semble favoriser la dévotion et qui cependant n'est capable que de la décréditer dans le monde et de faire passer cette sainte vertu qui s'accorde avec tout ce qui n'est point déraisonnable, pour une farouche et une sauvage dont personne ne voudrait s'approcher.

S'émerveiller devant la nature humaine, consentir un si long crédit à l'homme en soi, tout humaniste a cet optimisme dans le sang mais il est plus difficile d'admirer les hommes, de ne pas céder à la tentation quotidienne de noircir le présent et de le maudires. Nos auteurs ont cet héroïsme. Certes ils ne faisaient pas faute de regretter l'âge d'or. Passons leur ce lieu commun qui ne tient pas à conséquence....

que nous n'avons que trop de reproches contre eux....

p. 489 Tous ces génies du paganisme sont des voleurs qui ont usurpé notre bien; les lois divines et humaines nous autorisent d'en faire la saisie en quelque part que nous le trouvions.... Je maintiens que s'ils ont quelque chose de bon dans leurs écrits, c'est de nous et de notre ordre qu'ils le tiennent, et que s'ils y ont mêlé du mal, c'est à notre ordre de le corriger.

Nous ne ferons aucun commentaire à cette confrontation; nous nous contenterons d'ajouter que Julien Hayneuve est l'auteur deux autres ouvrages, qui s'intitulent: *Le grand chemin qui perd le monde. Comment on y entre et comment on en sort, et comment on passe au chemin plus étroit qui mène à la vraie vie.* Paris, 1646. *Le monde opposé à Jesus-Christ et convaincu d'erreurs par cette opposition.* Paris, 1647.

3. YVES DE PARIS

Nous ne reviendrons pas sur Yves de Paris, en tant que, selon Bremond, il se présente comme l'archétype de «l'humanisme dévot.» Nous le considérerons seulement en tant que savant, car c'est sur la science de son temps qu'il fonde en partie son apologétique. Pour lui, cette «merveilleuse disposition de parties qu'est l'univers» est soumise à trois grandes lois: la loi de médiation qui veut qu'entre la classe inférieure et la classe supérieure il existe un être moyen qui participe de l'une et de l'autre et qui fasse la liaison entre les deux, la loi des antipathies qui veut que les contraires se fuient et se combattent, enfin la loi des sympathies qui veut que chaque être séparé cherche à se joindre à son semblable. De ces trois lois yvonniennes l'abbé Bremond ne connaît que la troisième; choisissant admirablement ses textes il passe rapidement sur ce qui pourrait aujourd'hui paraître ridicule dans le système yvonien; il passe rapidement sur les inclinations des êtres inanimés à se joindre sous l'espoir de devenir plus puissants par leur union; il ne dit rien des éléments qui sont attirés par leur centre, des plantes qui savent extraire l'humeur «conforme à leur tempérament,» des animaux qui ont des alliances admirables avec les pierres, les minéraux et les planètes; par contre il insiste sur l'aspect humain de l'yvonienne loi et il cite longuement les passages qui célèbrent les amitiés qui unissent les maîtres et les serviteurs, le mari et l'épouse, les parents et les enfants, les hommes entre eux et pour finir les humains et les esprits célestes. Nous avons là des pages d'une souveraine beauté qui sont pour le lecteur un véritable enchantement. Mais nous n'avons pas là tout le P. Yves. Passe pour la loi de la médiation que seule peut révéler une lecture attentive du maintenant célèbre capucin. Mais la loi des antipathies, qui sert de fondement à une preuve de l'existence de Dieu, ne pouvait passer inaperçue. Si Bremond l'a laissée tomber au fond de son encrier, c'est sans doute qu'elle ne cadrait pas avec le portrait qu'il voulait brosser de celui qu'il avait choisi pour être l'ultime représentant de «l'humanisme dévot.» De toutes façons il n'a montré qu'un côté du visage. Voyons plutôt.

H. BREMOND, *Histoire littéraire du sentiment religieux*, t. I, *L'humanisme dévot*, Paris, Bloud & Gay, 1929.

Troisième partie, chap. III, *Yves de Paris – la doctrine* § 3; – *Des sympathies et de l'union* I. – *La loi des sympathies*. p. 447–478.

«Les plus importantes et les plus agréables actions,» de la nature et de la grâce, «s'achèvent par le moyen de la sympathie.» C'est elle qui retarde la dissolution des corps; qui préside à la nourriture et à la croissance des êtres animés; «qui fournit des forces à la passion, des charmes à la volupté et qui donne de la constance à toutes les unions.» La nature «n'ayant pu loger toutes les perfec-

YVES DE PARIS, *La théologie naturelle*, t. I, Première partie, *Ou il est montré par la disposition du monde qu'il y a un Dieu premier principe de toutes choses* chap. VIII, *L'assemblage des choses contraires dans le monde et leur conservation suppose un Dieu.*

p. 127 De quelque côté que je jette les yeux dans le monde, je ne vois que des choses tout à fait contraires et des qualités parfaitement *ennemies*: le froid, le chaud; le fer, l'humide; le mol, le dur; la douceur et l'amertume; la grandeur et la petitesse; des mouvements opposés; autant de figures différentes qu'il y a d'objets et partout la guerre et la mêlée. Cela d'abord pourrait nous

tions.... dans l'étendue du peu de matière nécessaire à la formation d'un être particulier,» imprime aux choses «une naturelle inclination de se rejoindre, afin que la diligence de leurs recherches supplée au défaut de leur conformation et qu'elles se possèdent au moins par amour, quand la distance des lieux, du temps et de la matière les a divisés.» Quand les créatures témoignent ainsi «de la complaisance en leurs approches, qu'elles s'y portent avec des élans passionnés et qu'elles se ravissent d'une joie extraordinaire en leurs unions, c'est qu'elles ont l'unité pour premier principe à laquelle elles se rendent plus conformes par leur alliance. Elles reviennent à l'Unité.»

Ceux qui vont déclamant sur la misère de l'homme ne prennent pas garde à cette merveilleuse économie qui nous a créés perfectibles et qui met tout un monde, ou plutôt deux mondes en travail pour nous secourir ou nous parfaire. Mille sympathies servent de trait d'union entre ces deux mondes et chacun de nous. De part et d'autre, on s'attend, on s'appelle avec impatience, on se rencontre, on se reconnaît, avec des facilités et des douceurs extraordinaires. Les sympathies nous viennent du ciel mais.... les moyens qui «nous y engagent nous sont inconnus et incompréhensibles, aussi bien que la première Unité qui nous en donne le mouvement.»

> «De là même dépend l'admirable liaison des parties du monde.... qui consiste en ce que les êtres supérieurs se communiquent aux êtres inférieurs pour imiter la bonté du Premier principe, et animer les hommes au devoir de la charité. Ainsi les moindres petites choses étant invitées à la grandeur par celles qui la possèdent... faire prendre le monde pour un amphithéâtre qui devrait bientôt finir ses spectacles par la défaite de ses combattants et que le tout ne se saurait conserver dans la dissension continuelle de ses parties....

p. 129 Il est certain que les choses qui sont d'une contraire constitution, ne désirent point entrer en société, mais elles se fuient, se cantonnent, et front paraitre la contrariété de leur nature par l'inclination qu'elles ont à l'éloignement. C'est par cette *antipathie* que nous avons de l'horreur des serpents....

p. 131 C'est une loi générale que les contraires ne se portent jamais d'eux-même à l'union, d'autant qu'un contraire perd à la présence et par les approches de l'autre tout ce que l'inclination de l'autre lui fait aimer....

Chap. IX, *De l'accord des éléments dans le monde.*

p. 136 On appelle ces quatre corps (l'eau, la terre, l'air, le feu) les éléments parce qu'ils sont les principes des choses matérielles, qu'ils entrent en leur composition, que tout se résout en eux....

Ils ont des qualités *ennemies*, la terre est froide et sèche, l'air humide et chaud, le feu chaud et sec. Si nous avons admiré en général comment le monde ne périt pas par la *sédition* des parties contraires, nous devons particulièrement nous étonner de ce que ces vastes corps qui ont des qualités si fort *ennemies*, ne mettent point tout en désordre et en conbustion. Ils sont comme quatre puissantes armées sur pied qui s'affrontent et qui désoleraient la nature par leur pillage et par leur combat, si une Puissance supérieure ne leur commandait la retraite, lorsqu'ils sont dans la plus grande chaleur de la mêlée.

Chap. X, *De la vicissitude des éle-*

sèdent sans jalousie, quittent avec de grands efforts la bassesse de leur origine et s'élèvent à une qualité plus éminente que ne le permettrait le degré de leur espèce. Il se fait là un concert d'affections qui aspirent également à l'unité et à la grandeur pour se rendre plus conforme à leur principe et à leur unité.»

De semblables inclinations animent les êtres, qui nous sont inférieurs à nous enrichir de leur humble abondance. Ainsi de nos serviteurs dans l'ordre social; ainsi de la femme. Dans l'amitié, nos égaux se donnent à nous. Enfin d'autres sympathies réciproques nous unissent à nos supérieurs, aux créatures angéliques. Nous dirons quelques mots de ces différentes sympathies, réservant à un autre chapitre l'étude du sentiment naturel qui nous élève jusqu'à Dieu lui-même.»

ments. p. 148. Toutes choses ont une violente *passion* de s'agrandir, comme nous le voyons au feu, qui d'une étincelle fait l'embrassement d'une ville et d'une forêt; en l'air qui s'empare de tout ce qu'il trouve vide; en l'eau qui se répand autant que la quantité le permet; et cependant le feu ayant tenu le règne à son tour se retire, et ne fait pas seulement *violence* à cette avidité qu'il a infinie, mais encore à la loi commune de la nature, parce qu'il est immédiatement suivi de son contraire (l'eau) et que sans contrainte il quitte la place à son *ennemi*....

Chap. XI *De l'union des éléments dans les mixtes* p. 155. L'intelligence que les éléments pratiquent étant enfermés en un si petit espace, (les mixtes), est une preuve infaillible du respect qu'ils portent à la puissance qui leur a commandé la paix. Tous les jours nous voyons l'eau qui pétille *d'impatience*, qui bouillonne de *colère*, jaillir et jeter des cris aigres quand elle est versée dessus le feu. Si elle se répand dessus la terre, quand sa quantité lui donne des forces suffisanttes, elle coule pour trouver un gros où elle se jette en refuge; que si elle est faible en sa quantité, elle rallie ses gouttes en figure ronde, afin de toucher le moins qu'elle peut et seulement en un point la sécheresse de la terre qui entrebaille pour la consommer. Le feu que l'on veut éteindre à force d'eau, fait de si *furieuses* résistance à cet *ennemi* que pour l'écarter il renverse l'ordre de la nature; il *se venge* en ruinant les beautés, il rend toutes les couleurs noires, il ôte la respiration et la vie si on ne se sauve et fait une nuit du jour par les ténèbres de sa fumée. Néanmoins ces *ennemis* s'engagent dans les composés avec tant de douceur que, leur entrée n'y est pas sensible....

N'ajoutons qu'un seul mot à ce parallèle; l'abbé Bremond s'est demandé pourquoi ce «beau génie lumineux qu'est Yves de Paris» est resté dans l'oubli depuis de si longs siécles. Entre autres raisons il a oublié la principale: après 1660 la science yvonienne était devenue inacceptable. En 1637 Descartes apprenait au monde qu'il ne fallait pas prêter des sentiments humains à la matière soumise aux lois du mécanisme; aux environs de 1660 Pascal blâmait ces apologistes qui confondent les idées des choses et parlent des choses corporelles spirituellement et des choses spirituelles matériellement; car, ajoutait-il, ils disent hardiment que les corps tendent en bas, qu'ils aspirent à leur centre, qu'ils craignent le vide, qu'ils ont des inclinations, des sympathies, des antipathies qui sont toutes choses qui n'appartiennent qu'aux esprits. En 1640 les lecteurs pouvaient applaudir l'oeuvre yvonienne; en 1680 ils ne pouvaient plus qu'en sourire.

En guise de conclusion, rappelons un article écrit par le P. Cavallera dans la *Revue d'ascétique et de mystique* (t. IX, p. 54–90) en 1928. La querelle de «l'ascéticisme et du pur amour» battait alors son plein. Bremond avait publié dans la *Revue des sciences religieuses de Strasbourg* (avril–octobre 1927) un mémoire de quatre-vingt pages intitulé: *Ascèse ou prière? Notes sur la crise des «Exercices» de saint Ignace.* Pris à *partie* le P. F. Cavallera commence par dénoncer «les exégérations et les déformations passionnées de son adversaire»; ce qui manque le plus à son oeuvre, dit-il, c'est la fidélité dans la documentation. Chemin faisant, il montre comment fut tronqué un texte du P. L. de Grandmaison que Bremond apportait à l'appui de sa thèse; puis, l'article terminé, vient un appendice qui s'intitule: *La méthode de discussion et la valeur de la documentation de M. Bremond,* et qui montre par des exemples précis l'art de Bremond à fausser les textes; le P. Cavallera de conclure; «Je pourrais prolonger ces citations, montrer qu'avec le P. Brou et moi... les Pères Watrigant, Hayneuve, Guilloré, Rigoleuc, d'autres encore pourraient élever des réclamations semblables.»

Au nom de Julien Hayneuve nous pouvons ajouter celui du jésuite Louis Richeôme et ceux des capucins Laurent et Yves tous deux de Paris.

BIBLIOGRAPHIE [1]

I. AUTEURS ANCIENS

ARCHANGE RIPAUT, *Abomination de la désolation des fausses dévotions de ce temps* Paris, 1632.

ARISTOTE, Métaphysique, éd. W. D. Ross, 2 vol., Oxford, 1924. *Politique*, éd. Wittmann, Regensburg, 1920.

ARNAULD (Ant.), *De la fréquente communion.* Paris, 1643. *De la nécessité de la Foi en Jésus-Christ pour être sauvés*, dans *Oeuvres complètes*, t. X. Paris, 1775.

AUGUSTINE (saint), *Confessions*, éd. P. de Labriolle. Paris, 1925–1926.

— *De civitate Dei*, P.L. (Migne), t. XLI.

— *Tractatus in Joannem*, *ibid.*, t. XXXV.

— *De nuptiis et concupiscentiis*, *ibid.*, t. XLIV.

— *Contra duas epistolas Pelagii*, *ibid.*, t. XLIV.

— *De Trinitate*, *ibid.*, t. XLII.

— *Enarrationes in Psalmos*, *ibid.*, t. XXXVI–XXXVII.

— *Rectractationes*, *ibid.*, t. XXXII.

BENOIT de Canfeld, *La Règle de perfection contenant un bref et lucide abrégé de toute la vie spirituelle réduite à ce point de la volonté de Dieu.* Paris, 1610.

BERULLE (P. de), *Oeuvres complètes.* Paris, éd. Migne, 1856.

— *Correspondance*, ed. J. Dagens, Paris, 1937–1939.

— *Opuscules de piété*, éd. G. Rotureau. Paris, 1943.

BINET (Et.), *Du salut d'Origène. Question*): *savoir si Origène est sauvé ou damné Question II. Savoir s'il est vrai que les plus grands esprits soient les plus méchants bien souvent et damnés.* Paris, 1629.

— *Consolation et réjouissance pour les personnes afflgées...* Rouen, 1617.

— *Remèdes souverains contre la peste et la mort soudaine. D'où les âmes dévotes peuvent tirer une très douce et spirituelle consolation tant durant la contagion qu'en toute autre affliction ou maladie.* Lyon, 1629.

— *Les attraits tout puissants de l'amour de Jésus-Christ et du Paradis.* Paris, 1631.

BOSSUET (J. B.), *Traité du libre arbitre*, dans *Oeuvres complètes*, éd. Bausset, t. IX, Bar-le-duc, 1870.

— *Traité de la connaissance de Dieu et de soi-même. Ibid.*, t. IX.

— *Traité de la concupiscence.* éd. Urbain et Lévêque, Paris, 1930.

[1] Cette bibliographie comprend seulement les auteurs mentionnés dans cette étude, et parmi leur ouvrages, ceux seulement qui ont trait aux problèmes soulevés.

— *Maximes et réflexions sur le théâtre*, éd. Urbain et Lévêque. Paris, 1930.
CAMUS, (J. P.), *La defense de l'amour pur contre les attaques de l'amour propre*. Caen, 1640.
— *La Caritée ou pourtraict de la vraye charité; histoire dévote tirée de la vie de saint Louis*. Paris, 1641.
CASTORI (B.), *Institutione civile cristiana per uno che desideri vivere in Corte quanto altrove honoramente e christianamente*. Roma.
CAUSSIN (N.), *La Cour sainte ou l'institution chrétienne des grands*. Paris, 1624.
CERIZIERS (R.), *Les consolations de la philosophie et de la théologie*. Paris, 1640.
— *Le philosophie français*. Paris, 1651.
CHARRON (P.), *De la Sagesse, trois livres*. Bordeaux, 1601.
COTON (P.), *Intérieure occupation d'une âme dévote*. Paris, 1608.
DESCARTES (R.), *Discours de la méthode, pour bien conduire son esprit et chercher la vérité dans les sciences...* Paris, éd. Et. Gilson, 1925.
— *Passions de l'âme*, éd. P. Mesnard. Paris, 1937.
Lettres sur la morale, ed. J. Chevalier. Paris, 1935.
— *Oeuvres philosophiques*, éd. F. Alquié. Paris, 1967.
DU BOS (J.), *L'honnête femme victorieuse*. Paris, 1632.
Les femmes héroïques comparées avec les héros. Paris, 1645.
— *Le philosophe indifférent*. Paris, 1643.
DU VAIR (G.), *De la sainte philosophie. La philosophie morale des stoïques*. Paris, éd. G. Michaut, 1945.
EPICTÈTE, *Manuel. Réponses aux demandes de l'empereur Adrien*, éd. G. du Vair. Paris, 1585.
— *Les propos recueillis par Arrien, son disciple; translatez du grec en français par fr. I.D.S.F.* (*Jean de Saint-François, Jean Goulu*) Paris, 1609.
FÉNEON (F. de), *Traité de l'existence de Dieu*, dans *Oeuvres complètes*, éd. Leroux, t. II. Paris, 1851.
— *Explication des Maximes des saints sur la vie intérieure*. éd. A. Cherel. Paris, 1911.
FICIN (M.), *Opera et quae hactenus existere et quae in lucem nunc primum prodiere omnia....* Basileae, 1561.
FRANÇOIS DE SALES (saint), *Oeuvres complètes*. Annecy, J. Nicérat, 1890–1965.
GARASSE (F.), *La doctrine curieuse des beaux esprits de ce temps ou prétendus tels*. Paris, 1625.
— *La Somme théologique des vérités capitales de la religion chrétienne*. Paris, 1625.
HAYNEUVE (J.), *L'ordre de la vie et des moeurs qui conduit l'homme à son salut et à la perfection de son état....* Paris, 1639.
JACQUES d'Autun, *Les justes espérances du salut opposées au désespoir de ce siècle*. Paris, 1649.
— *La conduite des illustres, pour aspirer à la gloire d'une vie héroïque enrichie des maximes de la morale, des secrets de la politique et de quatre mille traits de l'histoire, outre les recherches curieuses de la belle philosophie*. Paris, 1669.
JANSENIUS (A.), *Augustinus seu doctrina S. Augustini de humanae naturae sanitate, aegritudine et medicina adversus Pelagianos et Massilienses*. Paris, 1641.
LAURENT de Paris, *Le palais de l'amour divin de Jésus et de l'âme*. Paris, 1603.
LÉANDRE de Dijon, *Les vérités de l'Evangile ou l'idée parfaite de l'amour divin imprimée dans l'intelligence cachée du «Cantique des Cantiques»*. Paris, 1661.

L. Lessius, *De gratia efficaci, decretis divinis, libertate arbitrii, et praescientia Dei.* Antverpiae, 1610.
— *De summo bono et aeterna beatitudine.* Antverpiae, 1620.
Lipse (J.), *De constantia libri duo. Qui alloquium praecipue continent in publicis malis.* Leyde, 1584.
— *Physiologia stoicorum libri tres L. Annaei Senecae aliisque scriptoribus illustrandis.* Antverpiae, 1604.
— *Manuductio ad stoicam philosophiam.* Antverpiae, 1604.
Louis de Grenade, *Collectanea moralis philosophiae, in tres tomos distributa, quorum primus selectissimas sententias ex omnibus Senecae auctoribus, secundus ex opusculis Plutarchae, tertius clarissimorum et philosophorum insigniora apophtegmata.... complecitur.* Paris ,1582.
Marc-Aurèle, *Pensées morales...*, traduites du grec par Balbisky. Paris, 1658, 1681.
Montaigne (M. de), *Essais*, publiés par MM. F. Strowski, F. Gebelin, P. Villey. Bordeaux, 1909.
Pascal (B.), *Les Provinciales*, éd. L. Cognet. Paris, 1965.
— *Pensées*, éd. L. Lafuma. Paris, 1952.
— *Entretien avec M. de Saci*, éd. P. Courcelle. Paris, 1960.
Philippe d'Angoumois, *Les triomphes de l'amour de Dieu en la conversion d'Hermogène.* Paris, 1625.
— *La Florence convertie à la vie dévote.* Paris, 1626.
— *Elans amoureux et saints entretiens d'une âme dévote.* Paris, 1629.
— *Les Royales et divines amour de Jésus et de l'âme.* Paris, 1631.
Platon, *Des lois*, dans *Oeuvres complètes*, éd. La Pléiade. Paris, 1940.
— *Politiques*, *ibid.*, Paris, 1940.
— *Protagoras*, *ibid.*, Paris, 1940.
Rapine (P.), *Le christianisme naissant dans la gentilité.* Paris, 1659.
— *Le christianisme fervent dans la primitive église et languissant dans celle des derniers siècles.* Paris, 1671.
— *Le christianisme florissant au milieu des siècles.* Paris, 1666.
L. Richeome, *L'adieu de l'âme dévote laissant les moyens de combattre la mort par la mort et l'appareil pour repartir heureusement de cette vie mortelle.* Amiens, 1612.
— *L'Académie d'honneur fondée par le Fils de Dieu au royaume de son église sur l'humilité selon les degrés d'icelle opposés aux marches de l'orgueil.* Lille, 1614.
Saint-Cyran (Duvergier de Hauranne, abbé de), *La Somme des faussétés contenues dans la Somme du P. F. Garasse.* Paris, 1626.
Saint-Jure (J. B.), *De la connaissance et de l'amour de N. S. Jésus-Christ.* Paris, 1634.
Sébastien de Senlis, *Les entretiens du sage.* Paris, 1637.
— *Le flambeau du juste, pour la conduite des esprits supérieurs.* Paris, 1642.
— *Les maximes du sage, pour le règlement des moeurs.* Paris, 1648.
— *La philosophie des contemplatifs contenant toutes les leçons fondamentales de la vie active, contemplative et suréminente.* Paris, 1621.
Senaut (J. F.), *De l'usage des passions.* Paris, 1641.
— *L'homme criminel ou la corruption de la nature par le péché originel, selon les sentiments de saint Augustin.* Paris, 1644.
— *L'homme chrétien ou la réparation de la nature par la grâce.* Paris.

TERTULLIEN, *De la pudicité*, P. L. (Migne), t. I. *Apologétique*, P. L. (Migne), t. I.
THOMAS d'Aquin, *Somme contre les gentils.*
— *Somme théologique.*
YVES DE PARIS, *Les heureux succès de la piété.* Paris, 1632.
— *La théologie naturelle.* Paris, 1633–1637.
— *Les morales chrétiennes.* Paris, 1638–1643.
— *Le traité de l'indifférence*, éd. R. Bady. Paris, 1968.
— *Les progrès de l'amour divin.* Paris, 1643.
— *Les miséricordes de Dieu en la conduite de l'homme.* Paris, 1645.
ZACHARIE de Lisieux, *La philosophie chrétienne ou persuasion puissante au mépris de la vie* .Paris, 1638.
— *Genius saeculi.* Paris, 1653.
— *De la monarchie du Verbe incarné ou de l'immense pouvoir du plus grand des rois.* Paris, 1637.

II. AUTEURS MODERNES

ALES (A. d'), *La théologie de Tertullien.* Paris, 1905.
R. BADY, *L'homme et son «institution» de Montaigne à Bérulle.* Paris, 1968.
BELLEMARE (R.), *Le sens de la créature dans la doctrine de Bérulle.* Paris, 1959.
BREMOND (H.), *Histoire littéraire du sentiment religieux en France.* T. I, *L'humanisme dévot.* Paris, 1929.
CAVALLERA (F.), *Spiritualité en France au XVII° siècle, Réforme de la nomenclature*, dans *Rev. d'Asc. et de Myst.*, 1953, t. XIX, p. 65.
Spiritualité en France au XVII° siècle. Pour un redressement nécessaire, ibid., 1952, p. 275–281.
CERTEAU (M. de), *Politique et mystique. René d'Argenson, ibid.*, t. XXXIX, 1963, p. 45–82.
CHESNAY (Ch. Berthelot du), *La spiritualité des laïcs*, dans *XVII° siècle*, no 62–63, 1964, p. 30–46.
COGNET (L.), *Le renoncement dans l'école française*, dans *Cahiers de la vie eudiste*, 1956, p. 38–46.
— *Le problème des vertus chrétiennes dans la spiritualité française au XVII° siècle, ibid.*, 1960, p. 47–67.
— *La spiritualité moderne.* T. I, *L'essor* (t. III de *l'Histoire de la spiritualité chrétienne*). Paris, 1966.
COURCELLE (P.), *L'entretien de Pascal et Sacy. Ses sources et ses énigmes.* Paris, 1960.
DAGENS(J.), *Bérulle et les origines de la restauration catholique (1575–1611).* Paris, 1952.
DODIN (A.), *Saint Vincent de Paul et les illuminés*, dans *Rev. d'asc. et de myst.*, 1949, t. XXV, p. 455 sv.
FLACHAIRE (Ch.), *La dévotion à la Vierge dans la littérature catholique au début du XVII° siècle.* Paris, 1916.
GODEFROY de Paris, *Le P. Archange Ripault et les capucins dans l'affaire des illuminés de Picardie*, dans *Etudes franciscaines*, 1934, t. XLVI, 1934, p. 541–548.

GOICHOT (Em.); *«L'humanisme dévot» de l'abbé H. Bremond: réflexions sur un lieu commun*, dans *Rev. d'asc. et de myst.*, t. XLV, 1969, p. 148 sv.
H. GOUHIER, *Note sur l'antihumanisme: à propos de Bérulle*, dans *Dieu vivant*, n. 23, 1953, p. 145–150.
JAGU (A.), *L'utilisation du stoïcisme par saint François de Sales*, dans *Revue des sciences religieuses*, t. XXXVIII, 1964, p. 1–41.
JOPPIN (C.), *Une querelle autour de l'amour pur: Jean-Pierre Camus*, Paris, 1938.
JULIEN-EYMARD d'Angers (C. Chesneau), *Yves de Paris et son temps*. t. I, *La querelle des évêques et réguliers*. t. II, L'*apologétique*. Paris, 1946.
— *Pascal et ses précurseurs*. Paris, 1956.
— *Yves de Paris (coll. témoins de la foi)*. Paris, 1965.
— *De beatificae visionis naturali desiderio apud Bonaventuram Lingonensem, O.F.M. Cap. et Marcum a Baudunio, O.F.M. Cap., gallicos theologos*, dans *Antonianum*, t. XXIX, 1954, p. 45–62.
— *Rapports du naturel et du surnaturel dans l'oeuvre de P. de Bérulle: nature, incarnation, grâce*, dans *Rev. Univ. Ottawa*, t. XXVII, 1957, p. 293–321.
— *De visionis beatificae naturali desiderio apud Petrum Trigoso a Calatayud (1533–1593)*, dans *Antonianum*, t. XXXII, 1957, p. 3–16.
— *L'exemplarisme bérullien: les rapports du naturel et du surnaturel dans l'oeuvre du Cardinal de Bérulle*, dans *Rev. scienc. relig.*, 1957, t. XXXI, 1957, p. 122–139.
— *Naturel et surnaturel dans le traité «De la connaissance et de l'amour de N.S.J.C.» de J. B. Saint-Jure*, dans *Rev. ascét. et myst.*, 1966, t. XLII, p. 359–373.
Pour les études sur le stoïcisme au XVII° siècle voir *supra*, p. 96 n., 33 n., 36n., 56 n.
LAJEUNIE, (E. M.), *Saint François de Sales et l'esprit salésien*. Paris, 1962.
— *Saint François de Sales: l'homme, la pensée, l'action*. Paris, 1964.
LECLERCQ (J.), *Saint François de Sales, docteur de la perfection*. Paris, 1947.
LE BRUN (J.), *Le grand siècle de la spiritualité française et ses lendemains*, dans *Histoire spirituelle de la France*, p. 227–286. Paris, 1964.
LEMAIRE (H.), *Les images chez saint François de Sales*. Paris, 1962.
— *François de Sales, ses textes essentiels présentés pour notre temps avec son message amour filial et «douceur fraternelle»*. Paris, 1968.
— *François de Sales, docteur de la confiance et de la paix. Etude de spiritualité à partir d'un choix important d'images*. Paris, 1964.
LUBAC (H. de), *Le surnaturel. Etudes historiques*. Paris, 1946. *Le mystère du surnaturel*. Paris, 1965.
LUC de Lyon, *L'Amour. Etude de théologie franciscaine, d'après les écrits du R. P. Léandre de Dijon*. Saint-Etienne, 1945.
MARGERIE (A. de), *Saint François de Sales*. Paris, 1917.
MOUSNIER (R.), *Histoire générale des civilisations*. t. IV, *Les XVI & XVII° siècles*. Paris, 1961.
OLPHE-GAILLARD (M.), *Paul de Barry*, dans *Dict. spir.*, t. I, col. 1252–1255.
OPTAT de Veghel, *Benoît de Canfeld (1262–1610). Sa vie, sa doctrine, son influence*. Rome, 1959.
— *Aux sources d'une spiritualité des laïcs: Benoît de Canfeld*, dans *Et. franc.*, nouv. sér., t. XV, 1965, p. 33–44.

ORCIBAL (J.), *Les origines du jansénisme. T. II, Jean Duvergier de Hauranne abbé de Saint-Cyran.* Paris, 1947.
— *Le Cardinal de Bérulle. Evolution d'une spiritualité.* Paris, 1964.
POPKIN (R. H.), *The history of scepticism from Erasmus to Descartes.* Assen, 1960.
QUINARD (Cl.), *Une doctrine de l'amour pur en France au XVII° siècle: Laurent de Paris.* Rome, 1959.
RADOUANT (R.), *Guillaume du Vair.* Paris, 1908.
RAOUL de Sceaux, *Jacques d'Autun*, dans *Catholicisme*, t. VI, col. 273. Paris, 1963.
SABRIE (J. B.), *De l'humanisme au rationalisme. Pierre Charron (1541–1603).* Paris, 1913.
SAUVAGE (H.), *Saint François de Sales prédicateur.* Paris, 1874.
SECOND de Turin, *Une apologie littéraire et doctrinale de la dévotion séculière d'après le capucin Philippe d'Angoumois*, dans *XVII° siècle*, no 74, p. 3–25, no 75, p. 3–22. Paris, 1967.
— *De l'opacité à l'évanescence: une sacralisation du profane au XVII° siècle*, dans *Et. franc.*, nouv. sér., t. XVI, 1966, p. 5–47.
— *L'emprise de l'idéal monastique sur la spiritualité des laïcs au XVII° siècle*, dans *Rev. Scienc. relig.*, t. XL, 1966, p. 209–239, 353–383.
— *Action et prière. Difficulté d'une synthèse d'après le P. Philippe d'Angoumois*, dans *Rev. Asc. Myst.*, t. XLIII, 1967, p. 393–422.
STROWSKI (F.), *Saint François de Sales. Introduction à l'histoire du sentiment religieux en France au XVII° siècle.* Paris, 1928.
UBALD d'Alençon, *La spiritualité franciscaine*, dans *Etudes franc.*, t. XXXIX, 1927, p. 449–471.
VINCENT (F.), *Saint François de Sales directeur d'âmes.* Paris, 1923.
ZANTA (L.), *La renaissance du stoïcisme au XVI° siècle.* Paris, 1914.

INDEX DES NOMS